義和團的真面目

【侯宜傑 · 著】

傳說中橫練在乾隆、嘉慶時稱金鐘罩的鐵布衫法，立
誓盟神，吞符念咒，神即附體，「刀槍炮彈不能傷身，
槍炮子至身即落，皮膚毫無痕跡」的義和團，打著扶
清滅洋的反帝國主義旗幟，揚言能避槍炮刀兵「刀槍
不入」，是民族主義的英雄還是貨真價實的盜匪？

認識大陸作家系列

前　言

　　過去我對義和團從未做過研究，在論著中涉及到這個問題時，總是人云亦云，不作他想。前幾年修訂拙著《袁世凱傳》，始決定進行一番考察。在閱讀了有關資料和論著後，深感某些觀點值得商榷。

　　我的觀點與主流意識不同。需要聲明的是，本人毫無標新立異、聳人聽聞之心，更無譁眾取寵、沽名釣譽之意，尤其不願成為眾矢之的。只不過根據歷史事實和認識體會，本著一個學者應有的良心、良知和追求真理的堅強信念，略述管窺之見，就教同仁，以期有益於學術研究罷了。至於別人作何想，聽之而已。我相信，只要大家尊重事實，拋棄偏見，解放思想，不當「凡是派」，肅清「四人幫」將研究歷史當作政治問題，凡見異論就抓辮子、扣帽子、打棍子的流毒，心平氣和，冷靜地理性地思考不同意見，勇於堅持真理，修正錯誤，討論會愈來愈深入，真理會愈辯愈明晰。

　　此書與一般著作不同，引用了大量資料。這是因為：第一，研究任何歷史運動，必須首先搞清事實。遺憾的是，以往的論著對義和團運動只是籠統地講打洋教，而不講打什麼，怎麼打；義和團運動史專著也極少列舉打洋教的具體活動，即使列舉，也與事實不完全相符，運動的真相完全被掩蔽。因此，只有列舉出大量事實，才能做出正確恰當的判斷和實事求是的評價；也才能使讀者瞭解真相，有助其思考。第二，雖然「百家爭鳴」的口號高喊了半個多世紀，但仍有某些人公然違背憲法規定的言論出版自由，一見學者批

評義和團，硬是利用手中掌控的職權亂扣政治大帽子。為了證明本人不是惡意地誣衊誹謗義和團，並非極力為帝國主義侵略中國罪行翻案，嚴重違背歷史事實，尤其不得不大量引用資料，作為立論的有力根據；而且也只有如此，才能把是非曲直辯論清楚。敬請讀者耐心地閱讀。

　　義和團運動首先在山東、直隸（包括北京和天津）兩省爆發，活動亦以這兩省為主。本書的考察即以這兩省為限，惟教案和教民問題涉及到其他省區。

　　前人的研究成果讓我受益匪淺，謹致以誠摯的謝意。

　　初次研究義和團，囿於見聞，學疏才淺，謬誤在所難免，敬請方家不吝賜教。

侯宜傑

目　次

一、義和團運動爆發的主要原因

義和團成立較早，但直到 1900 年夏，運動才突然爆發，並迅猛席捲山東和直隸（包括北京和天津）兩省，震驚世界，原因何在？這是研究義和團運動首先應該搞清的問題。

（一）從教案看與列強侵略的關係

義和團運動是近代教案的繼續和發展，考察一下教案發生的原因，對於探討義和團運動突然爆發具有啟發作用。

要考察清楚教案發生的原因，必須對全國所有教案加以具體剖析，但這不是本書的任務。本書僅以《清末教案》和《山東教案史料》所載教案為例，略加考察。一則這些資料包括了相當一部分教案，可以反映出全國教案的一般情況；二則裏面收錄的多為各省督撫和朝中大員審結、上奏的案件或地方官員的稟報，不會偏向外國人，可信程度較高。為了便於分析，案例只選擇了傳教後所發生的民教糾紛事件，傳教士索要原有教堂之類不包括在內。

1.教案發生民、教皆有責任

《清末教案》共收錄山東以外各省教案 41 件（實不止此數，有的一次奏報多件，計算仍按一件），有由教士教民引起的，有由平民引起的，性質各不相同。

由教士教民引起的案件，分為下列幾種。

教士宣揚侵略一件：

1884年12月雲南巡撫張凱嵩奏報：中法戰爭爆發以後，永北廳舊衙坪教堂司鐸艾若瑟「每以法擾閩海情形誇張於市，眾皆嫉之。及見恭錄諭旨告示（指法人背盟肇釁上諭），內不自安」，「廣購軍火米糧，搜集夷猇民人」，「統率教眾擁出。居民見教堂火起，一路喊殺而來。」[1]

教士無理關人打人四件：

1878年11月黑龍江將軍豐紳等奏報：9月13日，呼蘭縣民蕭信到縣署投遞天主教士訥依而然名片，稱該教士即日進城，著官人迎接，備設公館。城守尉惠安派兵勇往迎，不意所走之路兩岐，未能迎到。該教士即帶領十餘人闖入署中吵嚷，不容分說，手持洋槍，令跟隨的教民王忠義等用馬鞭將惠安毆傷。兵勇上前奪下洋槍、馬鞭，拿獲王忠義等四人。「該教士見勢不好，于禮有曲，自行撞破臉面，意圖狡賴」。「訊究王忠義等，供出呼蘭屬界佃民陶有德、蕭信、關付才等因被案挾嫌，投入教內，恃勢毆打長官。」[2]

浙江巡撫劉秉璋奏報：1884年10月4日夜，溫州城西街耶穌教堂講教，民人經過門外觀看。「教堂洋人出來捕拿不識姓名一人，拉至堂內關禁喊叫。外間觀看民人聞而詫異，疑被凌虐，忿忿不平。施潰發起意救援，一呼百應，登時率同民眾打入門內，找尋被拿之人無著，將堂內存儲洋油傾潑放火。是夜正值救護月

---

[1] 中國第一歷史檔案館、福建師範大學歷史系合編：《清末教案》2，第417頁，中華書局，1996、1998年。

[2] 《清末教案》2，第207-208頁。

蝕，遊觀人多，倉猝之間，激成眾怒，致周宅巷、岑山寺巷、五馬街、泉坊巷、花園巷等處教堂、洋房同時被民眾紛往焚毀。復至雙門打毀稅務司洋關房屋，並將洋人器皿什物搬出關外空地，舉火焚燒。」[3]

1895 年 6 月開缺四川總督劉秉璋奏報：端午節成都東較場拋李作戲，男女聚觀。「適有附近英國福音堂醫館洋人混入窺看，與幼孩擁擠口角，洋人即將幼孩二人拉入堂內，百姓追逐至堂門外，同聲索放幼孩，洋人輒放洋槍恐嚇，眾怒愈甚，蜂擁入堂，到處搜尋。搜得零骨十六塊，並洋鐵箱一個，口未掩蓋，內有男孩一名，微有氣息。百姓咸謂係洋人藏害幼孩之據……登時將堂打毀，翻倒洋油，失火燒毀房屋」。次日黎明，「通城百姓紛往各處教堂、公所、醫館尋找幼孩，又在一洞橋法國教堂起獲骷髏一個，並不全骨殖，益滋疑念」。遂將成都縣屬五處和華陽縣屬四處「所有各國教堂、醫館同時打毀」。[4]

1898 年 6 月廣西巡撫黃槐森奏陳：本年 3 月 30 日，法國教士蘇安寧帶領教民唐啟虞等七人，前往永安州傳教，派兵護送。行至涼亭地方，該教士「因見牆上黏有勸人不宜從教說帖，即向附近之聯興雜貨店夥李元康根究何人所貼」。李元康答以不知，彼此口角，蘇安寧喝令唐啟虞等將李元康拿住帶走，護送兵役為之求情，不許。走至新墟，正值墟期，李元康當眾求釋，蘇安寧仍不允。「一時觀者蟻聚，眾怒難遏，齊聲喊奪，不知何人上前，爭奪相毆，致將該教士蘇安寧、教民唐啟虞、彭亞昌等三人殺傷殞命。」[5]

---

[3]　《清末教案》2，第 425-426 頁。
[4]　《清末教案》2，第 580-581 頁。
[5]　《清末教案》2，第 757-758 頁。

洋人令教徒強住沒有租妥之屋一件：

　　1898 年 4 月恭親王奕訢等奏：3 月發生的四川江北廳教案，「實由美國馬醫士不遵官勸，遽以佃而未妥之屋」，令其徒「乘夜搬往」。一時城內喧傳，倉卒聚眾，毆斃教民唐希夷，「拆壞房屋」。[6]

教士教民橫行不法、強姦婦女、殺害人命一件：

　　1883 年 5 至 7 月，署理雲貴總督岑毓英等兩次奏報：雲南浪穹教案起釁根由，實因法國司鐸張若望「收用匪人劉玉壺、李九等，平日橫入民家，逼勒入教。又估買木料，建造經堂，有不從者即毆辱之」。甚將「婦女計誘藥迷，污辱強霸」。「姦淫拷詐，無惡不作。如浪穹縣屬下齊村余秋之妻余周氏被其搶姦，余秋往向索妻，被其毆傷身死。又文大順之妻文吳氏，亦被張若望等搶姦，文大順因而索妻，亦被毆傷身死。又已死教民王二，從前因犯人命，投入教堂，恃勢橫行之類，不一而足，鄉民久已側目」。去年 12 月間，吳大發之表侄女文張氏被張若望等搶姦。本年 2 月吳大發之妻吳羅氏與其女傅吳氏路過教堂，又被張若望與教民劉玉壺等搶入姦淫。吳大發前去理論，劉玉壺等將其吊打關禁。吳大發再三哀求，始將其夫婦釋回，其女仍關禁堂內。「吳大發呈縣，屢經浪穹縣移提不放，反恨控告，欲提其處死」。吳大發氣忿，同被害的親友六人分拿刀棍，到教堂索人。「張若望等從牆穴開槍，忽有不識姓名多人口喊報仇，各執器械，乘勢趕攏。維時張若望亦帶人各執洋槍刀矛，開門出鬥」。結果「殺死張若望一名，又殺死燒斃男女教民共九名」。永平縣、蒙化廳「凡被教民擾害之人，亦相繼群起報復」，殺死教民一名，教婦一名。[7]

6　《清末教案》2，第 740 頁。
7　《清末教案》2，第 375、380-382 頁。

教堂槍斃人一件：

　　直隸總督李鴻章奏報：1891 年熱河所屬朝陽、建昌縣等處教案起釁，實因「天主教民向各鋪借糧，該莊社首林玉山、徐榮偕往理論口角，徐榮登時被教堂槍斃，林玉山逃脫。其時教堂知林玉山先入在理教，黨羽眾多，恐糾眾報復」，遂「在堂鑄炮設備」，「以致釀成焚殺巨禍。」[8]

教民強姦、搶劫、殺害人命一件：

　　湖廣總督李鴻章等奏報：四川酉陽平民張玉璞供稱，他家素與教民張添興等有隙，1865 年在傳教士馮弼樂案內被教堂牽控，將其父張佩超、兄張玉珖解往重慶羈押，經紳董勸令出錢脫累，其父認罰銀二萬兩，分年繳清。1868 年 5 月正在籌繳，「被張添興等糾眾來家借索為名，強姦婦女，搶去銀二萬餘兩，並衣物等件，殺害雇工吳昌林三人，並將伊兄張玉珖扭送重慶管押……斃命。」[9]

教民打人，逼勒退婚，搶財燒屋一件：

　　成都將軍崇實奏報西陽教案說：1868 年 11 月，「教民龍秀元逼勒朱永泰退婚，搶掠家財，燒毀民屋，一時激動公忿」。12 月 3 日，團練「糾眾焚毀教堂，燒斃司鐸李國安及教民多人。」[10]1870 年 1 月湖廣總督李鴻章等又奏：「據何彩供，因教民龍秀元捆毆其母，又逼勒朱永泰退婚，是以懷忿起意糾眾焚毀教堂。」[11]

---

[8] 《清末教案》2，第 542 頁。
[9] 《清末教案》1，第 724 頁。
[10] 《清末教案》1，第 638 頁。
[11] 《清末教案》1，第 725 頁。

教民誣害平民一件：

1877 年四川內江的教堂，「訊系教民彭志順等誣平民楊正煥等毀，將其私押，勒罰錢文，以致眾團不服，將教民彭志順、鄒貴賢殺斃，乘勢將城內教堂拆毀。」[12]

教民殺害搶劫平民一件：

1877 年四川鄰水教案，因教民王同興糾黨多人，黍夜至馮大泮家搶毀財物，焚毀草堆，殺斃三人，殺傷一人，「以致闔邑驚惶，互相聯絡，倡言逐教，並將各處教堂及城內教堂一併拆毀。計被毀教堂五處，被毀教民房屋不下一百餘間。」[13]

教民砍傷幼孩一件：

四川總督劉秉璋奏稱：1890 年 8 月 4 日大足舉行迎神賽會，「有幼孩等戲以石塊擲入教堂，教民王懷之、朱矮孩等多人持刀出砍，致傷幼孩十餘人，於是平民忿恨，群起與教堂為難。適有匪徒余蠻子等即藉打教為名，希冀搶劫，糾眾將龍水鎮、跑馬場等處教堂先後打毀，並毀教民房屋百餘家，及毆傷教民蔣汶高身死。」[14]

教民依勢霸佔民地一件：

1897 年 12 月都察院左都御史裕德奏報：直隸文生孟士仁呈稱，生等三百餘家報墾官荒一段，領有蒙古印據，並奉有部文。天主教民韓大成勾通教堂，賄通蒙兵，影射霸種。經前察哈爾都統奏准封禁，而教民楊世望等又勾通法國教士誣控生等霸種。經都統委員會審，教民又賄通委員，含糊稟請都統，與教民分界結案。「眾

---

[12] 《清末教案》2，第 155 頁。
[13] 《清末教案》2，第 155 頁。
[14] 《清末教案》2，第 544 頁。

官又率教民，令生等數百家拆房退地，教民又買出營兵，並率領教匪各持火槍，縱火搶掠，縱橫三十餘里，約地二千餘頃，盡劃入教堂界內。」[15]此案未見下文，不知是否查實。

教民打壞神壇經像一件：

1869 年 11 月貴州巡撫曾璧光奏報：遵義府城民教爭鬥起釁原委，實因教民楊希伯「挾嫌滋鬧，糾約教眾入炎帝廟，將做會神壇經像全行打壞。維時看戲人眾共懷不平，亦齊赴天主堂，將其經堂、醫館打毀，並傳知府屬，不准再行習教。」[16]

教民左道惑眾一件：

兩江總督沈葆楨奏報：1876 年夏間，安徽建平縣剪辮事起，被剪者皆為平民，於是白蓮教黨類混入天主堂之說就傳開了。學過剪辮之術的教民白會清被拿送縣，教民黃之紳前去索要。7 月 11日，阮光福、安定山等人在田間談起剪辮之事，謂是歐村教堂所為，適為教民楊琴錫路過聽見，互罵而去。傍晚黃之紳與楊琴錫率二十餘人而來，阮光福、安定山被捉。平民求教堂放人，情甘賠禮，教堂不允。13 日歐村教堂火起，「追拿剪辮之人，業已不期而會，洶洶難遏」，黃之紳、楊琴錫「斃於群棰」，並「波及於宣城、寧國、廣德各教堂」。[17]

教民疑懼放槍一件：

1884 年 12 月署貴州巡撫李用清奏報：此次遵義、桐梓、綏陽、修文、湄潭、餘慶、都勻各屬滋鬧之教堂，俱係法國教堂。「據各

---

[15] 《清末教案》2，第 704 頁。
[16] 《清末教案》1，第 710 頁。
[17] 《清末教案》2，第 140 頁。

屬稟報起釁之由，皆係教堂自取」。如「桐梓教堂一案，據該縣所稟，實因教堂門首張帖欽奉上諭告示，眾人聚觀，讀至法人背盟肇釁一節，各懷義憤，人聲嘈雜。堂中司鐸、教民心懷疑懼，施放洋槍，激成眾怒所致。」[18]

由平民引起的案件，也有幾種。

搶劫教士二件：

雲貴總督勞崇光奏報：1862 年法國教士田希嘉持照赴雲南昭通府傳教，時值回民滋事，巡防緊嚴，候選知州郭拉豐阿等赴該教士寓所盤詰，致相口角，田希嘉赴府向夏廷楷訴述，夏廷楷用言勸慰，田希嘉旋即起程赴川。「署把總李芝順聞知，率同辛三等往拿該教士未獲，即將其寓中銅瓶、經卷什物擄去。」[19]

1865 年 11 月雲貴總督勞崇光等奏報：法國副主教梅西滿由重慶起身回黔，雇夫挑著東西，行至大定府毛草坪，被練丁攔路搶奪。[20]

造謠煽惑一件：

1891 年 9 月兩江總督劉坤一等奏報：本年 5 月間，「安徽蕪湖教堂被匪造謠焚毀後，江蘇之丹陽、金匱、無錫、陽湖、江陰、如皋各屬教堂接踵被焚被毀。派員前往查辦，雖滋事情形輕重不一，要皆由於匪徒潛竄，捏造無根之言，煽惑愚民，聚眾滋鬧，意圖藉端肆擾，乘機焚搶，以致迭釀巨案。」[21]

---

18 《清末教案》2，第 414-415 頁。
19 《清末教案》1，第 478 頁。
20 《清末教案》1，第 464-465 頁。
21 《清末教案》2，第 488 頁。

聽信謠言六件：

1862 年 6 月江西巡撫沈葆楨奏稱：法國傳教士「羅安當到江未及三月，既無強人入教之事，亦無派費爭執之端。況經地方官迭次示諭，紳民務宜推誠相待，何致……將教堂拆毀無遺。隨細訪街鄰，密詢地保。據稱：該教士初到，帶有女嬰孩十餘名口，續又自饒州帶到男女嬰孩十餘名口，分住省城內外，不許外人進堂。……紳民不能無疑，適見湖南公檄中採生折割等語，以為收買有因，形蹤叵測。正值院試，生童雲集，有欲向堂內認識女孩，設法取贖者。教堂堅執不允，一時觀看多人，洶洶不服，遂起此釁。」[22]

1869 年 12 月湖北巡撫郭伯蔭奏報天門教堂及教民住屋被毀案稱：「委係團民誤聽謠言，致與教民爭哄。」[23]

天津教案比較特殊，起因是平民聽信謠言，其激化則因洋人持槍行兇。1870 年 6 月三口通商大臣崇厚奏報說：入夏以來，民間謠言甚多，有謂天主教挖眼剖心者。旋居民拿獲迷拐嫌疑人武蘭珍，經天津縣審訊，牽涉到教民王三。「於是民情洶洶，閭閻蠢動」。後崇厚與法國領事豐大業和傳教士謝福音約定，由天津道府縣帶領武蘭珍前往教堂對質。屆時，武蘭珍對地方和人均「無從指證」。謝福音遂主動與崇厚「面商日後辦法，以期民教相安」。崇厚提出，「嗣後堂中如有病故人口，應報明地方官驗明，眼同掩埋。其堂中讀書及收養之人，亦應報官，任憑查驗，以釋眾疑。該教士均允照辦。」謝福音走後不久，豐大業即帶著一洋人氣勢洶洶地到來，一見崇厚就口出不遜，施放洋槍。崇厚退避。豐大業打毀室內東西，大肆咆哮，盛氣而去。路遇天津縣令劉傑，豐大業又對其開槍，沒

---

[22]　《清末教案》1，第 228-229 頁。
[23]　《清末教案》1，第 722 頁。

有打中，卻將其家人打傷。「眾百姓瞥見，忿怒已極，遂將豐大業毆斃命。傳鑼聚集各處民人，將該教堂焚毀。」[24]此案傷斃法國十三人，俄商三人，焚毀法國教堂一處，公館一處，仁慈堂一處，洋行一處。又誤毀英國講書堂四處，美國講書堂二處。[25]曾國藩審訊後奏報：「無教堂主使之確據。至仁慈堂查出男女一百五十餘名口，逐一訊供，均稱習教已久，其家送至堂中豢養，並無被拐情事。至挖眼剖心，則全係謠傳，毫無實據。」[26]

湖廣總督張之洞奏報湖北省武穴教案稱：1891年6月5日傍晚，「天主教民歐陽理然肩挑幼孩四人，行至武穴街外，據云將送往九江教堂。適為痞匪郭六壽等所見，誤信訛傳，疑幼孩送入教堂，即遭剜眼蒸食，肆口妄言，激動公憤。頃刻之間，人眾麇集，喧嚷肆鬧，竟誤以武穴教堂為即收養幼孩之處，擲石奮擊入窗，以致屋內洋油燈擊破失火，延燒洋樓一層，餘亦多有殘毀」。該處洋關分卡委員急往彈壓，被「毆傷」。一名英國人和一名傳教士「馳往救火」，登時被毆斃。逃出的三名「洋婦」亦被毆傷。「訊明此案，實因挑孩懷疑，痞匪鼓煽滋鬧。」[27]

湖廣總督張之洞奏報1891年湖北宜昌教案稱：「此案實因法國聖母堂誤收民人游姓被拐幼孩啟釁，懷疑蓄憤，烏合打鬧，失火延燒。其時游姓問知失孩係在教堂，赴堂詢問，當經教士令其識認領回，並經該府縣向堂中查出收養幼孩及婦嫗六十五名。內瞽目者三名，眼珠仍在，瞽一目者一名，皆係原來因病成瞽，均係其父母自願送養，實無一挖去目睛傷殘形體之事」。據朱金發供認，「因平日誤信訛傳洋人有殘害幼孩之說，又因見有瞽目小孩數人，懷疑逞

---

[24] 《清末教案》1，第776-778頁。

[25] 《清末教案》1，第794頁。

[26] 《清末教案》1，第809頁。

[27] 《清末教案》2，第496頁。

憤，不服彈壓，同眾打鬧聖公會新造房屋」。又至天主堂「打鬧，致灶內火起，延燒聖母天主各堂。」[28]

1899 年 12 月閩浙總督許應騤奏報：據福建省建寧府縣電稱，本年 6 月間，建安東鄉有迷失幼孩情事，民心惶惑，疑係洋教所為。旋由鄉民拿獲拐匪王榮林等解府懲治。「維時謠言四興，通城鼓動，指稱王榮林係受洋人主使，糾眾尋仇，致將甌寧縣屬英人醫館二間先後拆毀，且乘亂傷斃醫館雇工及平民三命」。「臣核其情節，顯係鄉愚受匪徒煽惑，致輕與洋教相仇。」[29]

剿賊殃及一件：

成都將軍崇實為復查 1861 年 5 月貴州團練首領趙畏三等燒毀青岩晁家關天主堂，誅殺教民張如洋等四命一案奏稱：趙畏三經田興恕派令帶團剿賊，在青岩等處搜捕餘孽，致將該處天主堂燒毀，搶去書籍等物，並將教民張如洋殺死。[30]

強逼祭賽殺人一件：

貴州巡撫韓超等奏報開州教案稱：據署開州知州戴鹿芝稟報，1862 年元宵節州民祭賽龍燈，夾沙龍的團練強逼前來傳教的廣東人文乃耳等隨同祭賽，文乃耳等不從。團眾「各抱不平，將文乃耳等捆綁欲殺」。戴鹿芝親往彈壓，將文乃耳等帶回州署候訊。團眾又「蜂擁至州，逼官立時正法。戴鹿芝見眾情洶洶，恐致激變，又因賊氛未靖，防剿正資團力，若拂輿情，轉形棘手，不得已將文乃耳等處死（共四人）。」[31]

---

[28]　《清末教案》2，第 562 頁。
[29]　《清末教案》2，第 876 頁。
[30]　《清末教案》1，第 314 頁。
[31]　《清末教案》1，第 311 頁。

惡霸欺壓殺害教民二件：

　　1865 年 12 月雲貴總督勞崇光奏報：貴州省永寧州募役司「任聚五因開挖水銀廠，致傷教民李姓墳塋，李姓控州差拘，任聚五忿恨，勾通革役羅勝，糾匪多人」，「打毀經堂，戕殺內地司鐸楊通緒，並殺教民謝長生、黃四人、羅九元、羅老三、趙七二等五名。」貴築縣青岩團練首領趙國霖，「私設公堂刑具，擅出簽票拘人，私設班館押人，倚勢橫行，誅求勒索，附近鄉民畏之如虎。上年私押教民黃若、劉多祿二人」，本年「又私押教民羅阿貴等五人」。貴定縣洗頭岩寨團練首領羅國華，「往年有擾害教民之事」，去年「復將教民王祿炳、王庭氏夫婦二人殺斃」。[32]

　　1899 年 9 月浙江巡撫劉樹堂奏報：黃岩人應萬德恃為甲董，久已橫行一鄉。「與天主教本無仇隙，本年春間因細故與教民爭毆，遂遣其黨分赴黃岩、太平各處，將教民房屋拆毀數家。」[33]

勇丁搶車傷人一件：

　　1868 年 10 月三口通商大臣崇厚奏報：直隸獻縣勇丁王得勝，「因拉運火藥車輛馬匹倒斃」，「攔截天主堂拉運米麵車輛，彼此爭毆，將傳教士徐博理等用槍刀扎砍致傷，並被搶失物件。」[34]

拿教民財物一件：

　　四川總督丁葆楨奏報：1874 年 4 月，巴州「董郎賢與團眾赴教民楊明玉家搜捕竊匪李大春，維時團鄰人等順將楊明玉家錢物攙去，楊明玉不服，捏詞滋訟」。因董郎賢遠出未歸，其母出錢賠償，此案遂結。[35]

---

[32] 《清末教案》1，第 480-481 頁。

[33] 《清末教案》2，第 858 頁。

[34] 《清末教案》1，第 623-624 頁。

[35] 《清末教案》2，第 154 頁。

無端或因小事七件：

署安徽巡撫英翰奏報：1869 年 11 月 3 日正值安慶考童雲集之時，「英國教士密道生、衛養生坐轎出門，被各童攔阻，該教士當即避入道署，各童及閒雜人等擁入該寓，拋毀什物」。接著「法國教士公寓亦被士民擁入滋鬧」。據看寓人張姓聲稱，「家火等物均被毀失」，「數月之先，各屬考童及（所）在居民紛傳不願傳教，匿名揭帖已滿城市。」[36]

成都將軍魁玉奏報：「法國主教范若瑟密遣教士張紫蘭潛赴黔江縣地方，私買民房，遂招司鐸余克林、教士戴明卿前往建堂傳教」。1873 年 9 月 5 日縣民百多人與余克林、戴明卿相遇，將他們「抓住凶毆。該縣聞信親往諭禁，不意人多勢眾，將該司鐸等扭至城外河邊毆斃。」[37]

四川總督丁寶楨奏報：1875 年 6 月南充之案，係「司鐸劉多默先行因事他出，黃昏時不知何人將教堂打捏（毀）。」營山之案，係「應試童生往觀教堂，經該堂都司阻止，激成眾怒所致。」[38]

湖廣總督李翰章奏報武昌教案稱：1877 年 7 月 11 日，「各武童在校場試箭，英教士經過觀看，武童等誤聽人言，謂其語涉詆笑，遂致爭論追毆。」[39]

奕劻等奏陳重慶教案稱：「美國教士在巴縣鵝項頸、亮風埡，英國教士在叢樹牌等處，各買地建房，以作醫館及避暑之所。渝民以地居險要，嘖有煩言。城鄉人民經過鵝項頸前往聚觀，因與洋婦口角爭鬧，經人勸散。該縣以時值武童考試，令洋人暫時停工了息」。1886 年 7 月 1 日，「突有武童及渝民多人至鵝項頸將洋房打

[36] 《清末教案》1，第 718-719 頁。
[37] 《清末教案》2，第 43 頁。
[38] 《清末教案》2，第 154 頁。
[39] 《清末教案》2，第 175 頁。

毀。是日下午該武童等復入城滋事,將各國教堂醫館拆毀,並焚毀法國教堂。」[40]據四川總督劉秉璋奏報,接著又發生了另一件事。7月1日,「羅元義聞渝城百姓打毀各處洋房教堂,自知平日奉教,與地方紳民蓄怨已久,慮恐來家尋仇滋事」,即令吳炳南預雇一百餘人在家防守。7月2日,「渝民糾眾一齊擁至羅元義門首,尋釁喊鬧,將其耳門擠毀。羅元義家親友黃朗軒等攔向喝阻不散,被毆砍劃,受傷八人。羅元義氣忿,喝令吳炳南等出外砍殺」。吳炳南即帶所雇人眾殺死三人,砍傷二十二人,追趕時又踏斃八人。平民益忿,至白果樹教堂滋事。主教聞知,先期請營勇在彼彈壓,群眾與營勇互鬥,殺死一名什長,「復將教堂放火燒毀,分路逃逸。」[41]

奕劻等奏陳湖北省麻城教案稱:1893年7月1日,朱應等四人路過教士門首,欲入看洋人,甲長郝人和阻攔,爭鬧罵詈,行人愈聚愈眾。「不知何人擲石將甲長郝人和額顱打傷,教士令人將朱應等四人捉入捆縛」。門外眾人向教士索人不應,用石撞開後門,「向教士尋毆」,兩名教士「情急登屋,持瓦抵禦」,結果都被打死。[42]

護理四川總督文光奏報合州教案稱:合州「素有美法兩國建堂施醫,民教向來相安,初亦無甚嫌隙」。1898年9月13日,「美士穀良楨攜眷乘坐洋劃小船,停泊河干」,岸上人眾圍觀。有個幼孩「挨近船側,致被篙擊落水。觀者忿激,群起喧嘩,美士登岸,趨入醫館,眾尾隨行」,「將門壁什物損毀。而滋事之徒分投法國教堂,聲言尋找洋人」,「未知美、法各係一國也」。「不料該堂司鐸持槍轟傷陳曹氏等五人,於是眾怒莫遏,將堂毀拆。越日教民羅李等姓亦遭毀奪,傷斃教民一人。」[43]

40 《清末教案》2,第430-431頁。
41 《清末教案》2,第446-447頁。
42 《清末教案》2,第566頁。
43 《清末教案》2,第776頁。

懷疑害人一件：

　　貴州巡撫王毓藻奏重安江教案稱：1898 年 10 月，教士明鑒光帶同教民潘老喬等回省，道經重安江。該處團甲正在堵截土匪，「旋哄傳有潰匪渡河，不意即係明鑒光等踵至，團首譚子成見許五斤僅攜木棒，順將所帶馬刀遞給。經許五斤、田香亭追趕上前，將潘老喬殺傷，明鑒光攏護，被田香亭殺斃。」[44]

秘密社會煽動一件：

　　湖廣總督張之洞奏報 1898 年教案稱：湖北宜昌、施南燒毀教堂，殺斃教士董若望等及教民一案，「滋事匪徒，係屬會匪，乘四川余蠻子滋事之時，藉端倡亂，糾眾回應，立有偽主帥、軍師、先鋒等各號，蔓延數縣。」[45]

　　山東各案情形如下。

教民欺壓平民一件：

　　1888 年，郯城縣文生蘇茂勳、莊長李光賜供稱：「教民馬五與民人魏三之子賭博，強梁魏三子媳准折，以致羞紛（憤）自縊。馬五賣給馬經邦地畝，聽通事之說，每分硬要京錢二十五千。教民馬照之妻失落衣服，硬罰李姓京錢五千。教民失少麥禾，誣指民人莊明、莊倉偷竊罰錢。」[46]

地界之爭二件：

　　1881 年，臨邑縣文生劉成章因地界不清，將其族叔、教民劉芳亭毆傷。經縣訊明，斷令劉成章「給劉芳亭叩頭服禮」，並丈量清楚地界，立下界石，此案即結。[47]

---

[44] 《清末教案》2，第 822-823 頁。
[45] 《清末教案》2，第 904-905 頁。
[46] 廉立之、王守中編：《山東教案史料》，第 309-310 頁，齊魯書社，1980 年。
[47] 廉立之、王守中編：《山東教案史料》，第 154 頁。

　　巨野縣教民張守鑾之地與平民趙心貴之地毗連，1886 年張守鑾將地賣與洋人建蓋教堂，趙心貴疑其將自己的地「偷賣」，到縣控告。縣令審明，「趙心貴原控，由於地界毗連不清所致，並非聽唆出頭誣告。」[48]

平民偷盜搶劫財物、殺害教士三件：

　　山東巡撫張汝梅奏報壽張教案稱：王萌按、馬山、邵小二一向在外遊蕩，「遇道貧難」。1897 年 10 月 28 日，「王萌按起意行竊，馬山等允從」。是夜同夥五人抵達鄭家垓德國教堂入室行竊。教士田姓驚覺喊捕。「王萌按起意商允王四間行強，嚇禁聲張，劫得銀錢衣物逃逸」。將原贓羊皮袍一件在當鋪質典，其餘賣出，「分別得錢，同劫得銀錢分用各散。」[49]

　　恭親王奕訢等奏報巨野教案稱：雷協身探知巨野縣張家莊教堂「存有錢物，起意行竊」。1897 年 11 月 1 日夜帶著同夥前往教堂，惠二啞吧、雷協身爬牆進院，開啟大門。教士能方濟、韓理驚覺，由窗孔開放洋槍，轟傷二人。「惠二啞吧因夥被傷，氣忿莫遏，起意行強。雷協身允從。惠二啞吧即與雷協身砸開窗戶，進屋開門，放進張高妮等。惠二啞吧用刀扎傷教士肚腹，雷協身亦用木棍抵格，隨即搜劫贓物，分攜逸逃」。「能方濟、韓理傷重，旋各殞命。」[50]

　　山東巡撫袁世凱奏報肥城教案稱：1899 年 12 月 30 日，英國傳教士卜克思騎驢由泰安回平陰縣教堂，經過肥城張家店，遇到孟光文、吳方城、吳經明三人。「吳方城聲言，近來教民欺訛平民，疑係洋人主使，因此上前攔住卜克思去路。卜克思下驢，攔前奪獲孟光文刀子亂扎。吳方城起意糾允孟光文等，共毆泄忿」。三人用

---

[48] 廉立之、王守中編：《山東教案史料》，第 183-184 頁。
[49] 《清末教案》2，第 761-762 頁。
[50] 廉立之、王守中編：《山東教案史料》，第 187-188 頁。

刀子扎傷卜克思多處。孟光文、吳方城將其拴住，牽至下井子。卜克思乘間掙脫逃走，失跌倒地。孟光文忿極，商允吳方城，遂「將其殺死滅口」。孟光文「乘便獲去卜克思被套、洋毯、驢頭，將驢變賣與不識姓名人，得錢花用，被套等物撩棄逃去。」[51]

平民酬神攤派教民出錢二件：

北洋通商大臣李鴻章咨總署文稱：1872 年底，山東德平縣李家樓教民劉際盛等來縣稟報，同莊祈雨酬神，派令他們出錢不允，莊內便貼出諡謗教會揭帖。縣令命人傳知該莊首事人等，「不准向習教之家攤派錢文，亦不准肇釁滋事，致干重咎」。該莊民人「不事苛求，深為悅服。」[52]

1881 年 6 月總署致函法國公使寶海稱：上年僅有山東臨邑縣民李學誠等「因廟宇興修，工竣酬神，闔莊攤斂戲價。教民李台因習教不允出錢，與李學誠等吵嚷，李台即以勒派害教等情控縣」。該縣訊明，將李學誠等酌責示懲。「李台因其胞兄李珩于修廟時曾經捐錢，糾邀同教往向索還。李學誠等因李珩並不習教，分應隨眾捐助，不允，彼此口角爭毆。李台與李學誠等赴縣互控，經顧主教又函致飭縣訊明，李珩並不願退還修廟捐項，即由鄉民李效仁等處息，呈縣詳銷。」[53]

平民投石毆擊教士一件：

登萊青兵備道在告示中說：1873 年 11 月，「有即墨縣民人拾石毆擊美國教士郭顯德，叫罵『鬼子』，並將郭顯德衣物失少一案。此事起釁甚微，幾至釀成巨案。」[54]

---

[51] 廉立之、王守中編：《山東教案史料》，第 356-357 頁。
[52] 廉立之、王守中編：《山東教案史料》，第 107 頁。
[53] 廉立之、王守中編：《山東教案史料》，第 123 頁。
[54] 廉立之、王守中編：《山東教案史料》，第 108 頁。

平民賠修經棚一件:

1891 年 12 月山東巡撫福潤致函總署稱:德國教士福若瑟所反映陽谷縣民張殿楹等向教堂滋鬧,並教士教民被盜鬧喪各節,經提訊,張殿楹等均無燒毀房屋等事。在張萬福家,「洋人原建有誦經廠棚,所值無幾,斷令張殿楹照舊勒限賠修。劉國勝、劉星五各設席與韓多梅服禮,從此兩造冰釋,各願罷訟。」[55]

平民阻止送地給教堂一件:

1895 年 9 月山東巡撫李秉衡咨總署文稱:新泰縣教民董克學沒有稟明母親,亦未與莊眾商議,私將自己閒園地段送與洋人蓋造教堂。洋人拉運石灰土坯等物到境。莊民因該處建造房屋於車路、農作均多不便,且阻斷龜山龍脈,與闔境風水大有關礙,聯名呈控到縣。縣令將此意向教士婉為道達。「該教士亦知眾志成城,非官法所能挽回。旋據董克學母舅陳元亨邀同紳耆往向該洋人說明情由,將該閒園地段收回,留為董克學之母陳氏種作,以資養贍。所有石灰土坯等物,情願照原價值認還該洋人等情,呈經具結銷案。」[56]

教士干涉喪禮一件:

陽谷縣令稱:1890 年 2 月,「老堂莊教民郭書全父故,主教之能司鐸前往誦經,強令遵教之制,屍不棺殮,掘坑而埋。郭書全之弟郭書成不允,適其族親人等俱前往弔問舉哀,能司鐸復阻舉哀,致各不服,彼此口角爭鬧,均未傷人。經勸各散,案亦擬結。」[57]

[55] 廉立之、王守中編:《山東教案史料》,第 318 頁。
[56] 廉立之、王守中編:《山東教案史料》,第 65-66 頁。
[57] 廉立之、王守中編:《山東教案史料》,第 316 頁。

對於教案發生的原因，時人就有不同的認識。堅持教士教民單方面造成的人很多，庇縱義和團的官僚和士紳基本上都是如此，突出的代表人物為山東巡撫毓賢。如他說：「教民欺壓平民者，在所多有。邇來彼教日見鴟張，一經投教，即倚為護符，橫行鄉里，魚肉良民，甚至挾制官長，動輒欺人，官民皆無可如何，斷無虐待教民之事。每因教民肆虐太甚，鄉民積怨不平，因而釀成巨案。」[58]他將教案起因一概歸咎於教民，完全出自偏見，根本不符合事實，上述幾十個案例便是有力的證明。

而在教會方面看來則完全相反，責任全在平民和地方官縱容：「歷來之教案，多因教外人忌惡教會，造言污蔑，以聳動愚民，地方官不能實力禁止，反縱容之，故鬧教之事層見迭出。」[59]此乃站在另一個極端推卸責任，同樣是一種偏見。

應該如何看待這個問題呢？

山東巡撫張曜在 1888 年 6 月奏陳民教屢肇釁端時說：「天主、耶穌兩教，久為外國所宗，其意主於勸善，自與邪說不同。……惟士民未悉其詳，每生顧慮，一遇西人傳教，未免出而阻撓。……人情每習其所同，而駭其所異，從其所信，而拒其所疑。……中土人士惟知讀孔孟之書，其於佛老所學，尚且目為異端。……況齊魯之民，生近孔孟之鄉耶？……乃中國無賴一充教民，性情頓改，其視教外之人，反若非我族類。教士為其所惑，遇事動為護持。故教士之訟百姓，皆教民導之；百姓之惡教士，皆教民禍之。遂致百姓意中各有成見，遇有賣地于彼蓋造教堂，則一哄而聚，拆毀有之。近倡而遠亦隨，此懲而彼不戒。此東省各屬開設教堂流傳未廣，保護

---

[58] 明清檔案館編：《義和團檔案史料》上冊，第 24 頁，中華書局，1959 年。

[59] 《周馥辛丑辦理教案函稿》，《近代史資料》總 59 號，第 41 頁，中國社會科學出版社，1985 年。

難周之實在情形也。」[60]他認為教案之所以發生，平民和教士教民皆有責任。

1900年8月，《中外日報》一篇文章說得亦很明確：「揆其相爭之由，則有由於民者，有由於教者。蓋內地民風素悍，民智未開，一見異服異言，未免少見多怪，及聽其宣講，則又入主出奴，指為異端，目為異類，而一切奸民會匪，更或從中挑釁，播散謠言，遂致一唱百和，釀成焚毀之案。此其爭端，由於民者也。更以教中而論，……入教之民，往往有犯教規而不滿於人意者，……此其爭端，由於教者也。」「責諸民而不責諸教，則其勢偏。」「責諸教而不責諸民，則其理絀。」[61]

實事求是地說，教士教民、平民皆有責任的說法比較客觀公正。

從上述諸案例中可以看出，山東以外各省由教士教民主動挑起的只有十七件，僅占全部案件的百分之四十多一點；如果再將山東十幾件計算在內，所占比例更小。可見大部分教案並非由教士教民主動無理挑起。而由平民引起的案件，如搶劫教堂教士的財物，無中生有的造謠煽惑，聽信謠言製造事端，依勢強逼官府殺人，惡霸欺壓殺害教民，以及見了教士教民不問清楚就痛下殺手，無端或因小事引起的各案，平民均負有無法推卸的主要責任，與列強侵略沒有關係。

對此，當時的一些官員就看得很清楚。如1877年12月湖廣總督李瀚章奏報武昌教案經過時說：「武童等恃眾逞強，實屬蠢愚悖理。」1886年8月奕劻等奏請迅將重慶教案持平斷結時說：「詳核案情，洋人租地自行建樓並設立醫館、禮拜堂，如無礙民居，不關風水，照例稅契用印外，地方官不得阻止，載在條約。鵝項頸等處

60　《清末教案》2，第471-472頁。
61　《中西宜訂教案新律議上》，中國史學會主編：《義和團》4，第212-213頁，上海人民出版社、上海書店出版社，2000年。

之地既經該處民人情願賣與洋人，自必立有契據，即難禁其建造房屋。乃事前既聽其購買地基，事後忽將其房屋拆毀，實屬無理肇釁。且應試武童不遵地方官約束，竟至恃眾滋事，波及各國教堂，尤屬肆意妄為，毫無顧忌。必謂釁由彼肇，亦無以服洋人之心。」1891年9月湖廣總督張之洞奏報武穴教案時說：「查沿江各省數月來迭次滋鬧教堂，大都因收養幼孩而起，故匪徒得以信口造謠，愚民無知，易為所惑。一旦事起倉猝，彈壓不及，遂釀巨案。」1899年12月閩浙總督許應騤奏報建寧教案時也說：「此案因獲送拐匪，誣及洋人，一時積疑生忿，肆行焚殺。」[62]所以不能無視事實，置每件具體教案的是非曲直於不顧，把一切罪責歸於教士教民，硬說教案皆由列強侵略引起。

下面再從教士教民和平民兩個方面進一步加以考察。

基督教是世界三大宗教之一，宣傳人們將來會從奴役和貧困中得救，在天國裏得救，死後升入天堂，勸人為善，不要作惡，本身沒有侵略性，並不是專為侵略者服務的。各個宗教均不分國界，不分種族，不分階級，都希望信徒越多越好，最好流布世界各地。基督教由一國傳入另一國，不等於侵略；在某個時期、某個國家受到禁止，與侵略亦無必然聯繫。

遠在盛唐時代，基督教就以景教之名和文化交流的方式傳入中國，以後元、明、清各代皆有基督教傳入，並非隨列強侵略而來。教案亦非自近代帝國主義侵略後方才發生，盛唐時便發生了中國歷史上第一例教案，即會昌法難。唐武宗滅佛，禍及景教（即基督教），宣佈景教為邪法，不准信仰。明清兩代教案依然不斷發生。由此可見，帝國主義侵略是教案發生主要或唯一原因的論斷，並非從歷史實際中總結出來的，而是想當然。

---

[62] 《清末教案》2，第175、431、499、877頁。

　　基督教早就流傳到中國，後來遭到禁止；列強用大炮轟開中國鎖閉的國門以後，基督教要求重新到中國傳教是很自然的，並不表明其具有侵略性。它是不是侵略，不能僅僅看其隨著列強侵略的炮火而來，而應看其實際上從事什麼活動。

　　在華的基督教有天主教（舊教）與耶穌教（新教）之別，分別由不同的國家管理。毫無疑問，有的列強是支持教會和傳教士侵略的，但並不等於所有列強皆是如此。對此，素有研究的學者說：「法德兩國對於干預教會事件態度強硬。至於英美新教國家，雖然也支持本國教會，但更注意對華經濟擴張」。大多數英國官員認為傳教士是順利發展中英貿易的障礙。美國的立場也大致如此。「1870 年天津教案後，登州的新教教士籲請英美保護，英美駐華大使都指責傳教士張大其詞。」[63]1867 年 11 月山東棲霞縣張旭等冒名將廟地捐與教士管理之案，即為一例。該地原為張姓公田，張旭、張賓等企圖霸佔未遂，聽信教民張燕之言，捏造田契，冒列多人姓名，將公田私自捐與教士管理。後張燕又請教士和英國駐煙臺領事出面干涉。東海關監督審明真情以後，傳教士深悔被張燕等所惑，不願再要此地。但英國領事執意要地，竟在夜間帶人將張旭、張賓劫走。東海關監督立即向上稟報。總署得知後照會英國公使，速飭領事將張旭等交出。英國公使令領事遵辦。領事即將張旭等交出。[64]再如1883 年福建龍岩州教士租屋案，因係個人私租公產，群眾要求退回，教士不允，請英國領事支持。英國領事沒有支持教士，同意退回。[65]

---

[63] 陶飛亞：《19 世紀山東新教事業與民教關係》，中國義和團研究會編：《義和團運動與近代中國社會國際學術討論會論文集》，第 451 頁，齊魯書社，1992 年。

[64] 廉立之、王守中編：《山東教案史料》，第 88-103 頁。

[65] 《清末教案》2，第 396-398 頁。

即使法國，也不是絕對地干預教會事務，要看駐華外交人員的態度。如 1865 年 4 月，山東昌邑縣總會首董念信「擅拆丁金聲家當典空房，價賣分肥」，被控在案。經審訊，董念信拆賣磚料，供證確鑿。法國教士梁明德得知，函請昌邑縣將董念信釋放。縣令稟報東海關監督。東海關監督又稟報三口通商大臣崇厚，指出：梁明德函請地方官將董念信釋放，顯係有背條約，請咨明總署，行知該國駐京公使。法國公使伯洛內接到總署函後，答稱：梁明德「如果于萊州知府所辦之案，有妄行阻撓情事，該主教（指山東主教）即當嚴加訓飭。」不久總署告知崇厚：伯洛內已知梁明德「欠妥，行將飭令回國。」[66]

正因天主教與耶穌教有別，分由不同的國家管理，二者的表現亦不一樣。一般說來，在傳教策略及教民素質方面，天主教均較耶穌教遜色，因而大多數民眾和官吏對天主教的印象不如對耶穌教好。1870 年 9 月，江蘇巡撫丁日昌奏稱：「耶穌一教，安分守己，與民無爭，尚無他虞」。「即天津一口言之，自通商後，中外商民相安已久，毫無間言，耶穌教人亦不以為怨。惟百姓言及天主教，則異口同聲，恨之入骨。」直隸總督兼北洋大臣曾國藩同樣奏稱：「西人之耶穌教，亦未嘗多事。惟天主一教，屢滋事端。」[67]所以不能對教會不加區別地全部視為帝國主義的侵略組織。

有時教案發生，教會和傳教士或直接或通過領事、公使要求地方當局和清政府處理。但這種行為並不是對中國的各級政府公然行使統治權力，更不用說宗教以外的其他事務。說教會是中國的「統治機構」，實乃言過其實。

有的論者說，各地教會私設刑庭，欺壓人民的事例，在甲午戰後層出不窮。如山東省汶上縣教民在傳教士的指使下，「聚百餘

66 廉立之、王守中編：《山東教案史料》，第 32-34、36、43 頁。
67 《清末教案》1，第 910-911、920 頁。

人捆縛平民，口稱拿獲紅拳會，擅送濟寧教堂，並有毆人勒索情事。」[68]

此事是巡撫毓賢在奏摺中提到的，而且是筆者所見義和團運動時期此類事件僅有的一例。毓賢雖說「擅送濟寧教堂」，並未提到「刑庭」二字，據此而斷言「各地教會私設刑庭」，未免過於輕率。而且還應看到兩個事實：一是此事發生在 1899 年 8 月「拳會頭目陳兆舉在濟寧、嘉祥、汶上、巨野各州縣地方，糾眾滋擾」，經毓賢批飭嘉祥縣拿獲，同時「批飭解赴兗沂道訊明正法，餘眾散解」[69]之後，義和團在當時是非法的。二是「嘉祥地方天主教民，被擄勒贖者已數十人。教士等往訴，地方官置之不理，無可如何，因約同官兵、平民為土辦之法，凡有刀匪入境，拘到即殺。」[70]教民是在團民綁架勒贖教民，官府不予保護的情形之下採取的報復行動，並不是無緣無故地拿獲團民。

基督教在華的一切活動都是通過傳教士進行的，探討教案的起因更應注意考察傳教士的行為。由於每個傳教士的文化素養、道德品質、性格以及捲進政治漩渦的程度等等各異，情況更為複雜，表現差別更大。

到義和團運動爆發時，在華的外籍傳教士約有三千人。誰也不否認，其中確有壞人、侵略分子。有的自以為有列強撐腰，享有治外法權，清政府對其無可奈何，恣意橫行，強梁霸道，胡作非為，如前面列舉的殺害人命、強姦婦女、無理關押毆打平民等皆是。有的仗勢欺人，庇護壞教民，企圖干涉中國內政。以山東來說，就可舉出幾個。德國天主教會聖言會在山東的主教安治泰，就懷有侵略

---

[68] 廖一中等：《義和團運動史》，第 13 頁，人民出版社，1981 年。

[69] 《義和團檔案史料》上冊，第 39 頁。

[70] 徐緒典主編：《義和團運動時期報刊資料選編》，第 14 頁，齊魯書社，1990 年。

中國的野心，甘願為帝國主義效勞。白明德形同無賴惡棍：「貪詐
兇橫，一味恃勢凌人，不識禮義廉恥。所收教民類皆市井無賴、齊
民不齒之徒，每每恃教欺壓鄉民。一有齟齬，白明德即顛倒曲直，
代為出頭函請究辦，並不遵約令教民自行具呈。遇有傷痕，亦不令
其到案請驗，無憑無證，不准不休。每案必捏稱打傷教友，為抵制
之謀；被搶財物，為訛詐之計。甚至訛財物又訛地，俾可廣立教
堂。」不能遂意，即揚言函告主教，「入陳總理衙門，必如其所願
而止。」[71]副主教德華盛和福若瑟不是任意訛詐，狡譎貪婪，就是
干預詞訟，左袒教民，誣陷良善。

　　然而，此類人物畢竟不多，不能用以說明全部傳教士均有惡
行。在傳教士當中，也有不少虔誠的基督徒出於真誠的宗教熱忱，
本著「傳播上帝福音」的精神來華傳教的。他們不要特權，認為享
有特權，便「直接違反基督教的教義和精神，勢必激起中國官員和
正直百姓的惡感」。「宣教士們無論在任何環境之下，絕不應向自己
國家的政府上訴。」[72]有的學者指出：有些友好、開明的傳教士拒
絕接受清政府所給予的官階待遇，打算放棄他們的特權；有些認
為，領事裁判權對他們的傳教工作，與其說是一種幫助，毋寧說是
一種障礙。「他們認為，教會被人視為外國政府所支持的外國機構，
這對於他們所宣講的教義是大相逕庭的，因而他們在中國人中處於
尷尬的地位，難於開展傳教工作。」[73]新教「大都自認為不追求政
治權威。1899 年傳教士接待章程頒佈，天主教一片歡呼，山東新
教拒絕接受優待即為一例。」[74]

[71] 廉立之、王守中編：《山東教案史料》，第 331-332 頁。
[72] 轉見王棟：《試論倪維思傳教方法》，《義和團運動與近代中國社會國際學術
討論會論文集》，第 535、539 頁。
[73] 轉見徐緒典：《從教案到義和團運動的發展軌跡》，中國義和團運動史研究
會編：《義和團運動與近代中國社會》，第 184-185 頁，四川省社會科學院
出版社，1987 年。
[74] 轉見陶飛亞：《19 世紀山東新教事業與民教關係》，《義和團運動與近代中

　　在處理教案方面，英國傳教士李提摩太主張：「傳教士堅守不為當地教徒出面的原則。」[75]倪維思主張：要「充分理解和遵守《聖經》教義」；「傳教士不管是與非都不應庇護中國教徒，但維護正義是他們的目標，即使這樣做會對教徒不利」；「傳教士如果不是故意顛倒黑白的話，就應始終假設教徒在糾紛中被偏護、有犯錯誤的危險。」[76]

　　有些傳教士的確遵循著這一原則，不干預民教訴訟和地方事務，聽任中國地方官員處理。1865 年 12 月雲貴總督勞崇光奏稱：「法國主教胡縛理人尚明白曉事。……凡遇通省干涉教民之案，均聽臣酌量輕重，持平完結，無所固執。地方公事，該主教從不干預。……遇有臣等為難之事，無不盡心相助，如製造火藥火器，匯兌軍餉，收養難民，代管育嬰堂及幼堂，設法聯團保護春耕等事，往往極力匡助，於軍務、地方不無裨益。」非但如此，當胡縛理發現行為不端的教民時，還能主動舉報，請地方官查處。1867 年 1 月，貴州巡撫張亮基奏報說：主教胡縛理、司鐸任國柱得知雲南同知徐靄亭借天主堂名義放賑盤剝，教民黃景軾率眾打毀葉聯雲門戶器物之事，即「托臣查拿，發府訊究。」[77]1895 年蘭山縣知縣朱鍾祺向山東巡撫李秉衡稟報了白明德的劣跡後，又稱讚了美國傳教士紀力實：「卑縣尚有美國教士紀力實，其人頗知禮義，安分少事，絕不與民爭競，干預公事，百姓亦禮貌有加，較之白明德之怙惡叢怨，優劣不啻霄壤。」[78]

國社會國際學術討論會論文集》，第 450 頁。

[75] 轉見湯若傑：《中國鄉村地區的宗教信仰：基督教、儒教徒及現代化國家》，《義和團運動與近代中國社會國際學術討論會論文集》，第 458 頁。

[76] 轉見王棟：《試論倪維思傳教方法》，《義和團運動與近代中國社會國際學術討論會論文集》，第 536 頁。

[77] 《清末教案》1，第 470、580-583 頁。

[78] 廉立之、王守中編：《山東教案史料》，第 332 頁。

有的傳教士雖然干預民教糾紛，卻能做到通情達理。如 1865
年法國傳教士曾說高唐州、長清縣有虐待教民之事，要求查明處
理。經地方官調查，並無其事。山東的法國主教顧立爵致函總署，
沒有提出異議，同時對地方官申明保護教民表示感謝。[79]有的表現
雖然不好，但有時也不是一味胡攪蠻纏，橫行無忌。如 1898 年 11
月，德國教士薛田資在日照一起民教糾紛案中開始曾經被教民慫
恿，後來查明實係教民向平民訛借起釁，他便將八個教民「斥革，
交縣嚴辦」。[80]就是狡詐貪婪的副主教德華盛有時也同意處置壞教
民。一次濟寧州知州汪望庚向他提出，「在教之華教師高會堂」，「形
同光棍」，「教案均係此人勾串而起，鄉間無不切齒，不得不去其太
甚」。他當即面允，「任憑拿辦」。[81]

還有一些傳教士對教民要求比較嚴格，不允許教民惹事生非。
如山東安邱縣的美國傳教士見有「不守教規」的教民，即「逐其出
教」。[82]再如招遠縣荊家溝耶穌教民與東莊平民為荒地發生爭執
時，美國教士艾體偉極力勸導教民不要生事，而教民不聽，遂致械
鬥。艾體偉「大怒，決意不管此事，並擬將荊家溝所有教民概逐
出會。」[83]

斷言傳教士遇有民教糾紛即加干預，偏袒教民，與事實不符。
即使傳教士干涉，也要看教民有理無理，如果有理，就不能目之為
欺壓平民。

---

[79] 廉立之、王守中編：《山東教案史料》，第 55 頁。

[80] 中國第一歷史檔案館編輯部編：《義和團檔案史料續編》上冊，第 258 頁，
中華書局，1990 年。

[81] 《義和團檔案史料續編》上冊，第 378 頁。

[82] 廉立之、王守中編：《山東教案史料》，第 323 頁。

[83] 山東歷學會編：《山東近代史資料》第 3 分冊，第 317-318 頁，山東人民
出版社，1961 年。

更有一些傳教士，特別是某些新教的傳教士，忠於基督教教義，為中國人民做了不少有益的事。如在城市甚至貧困、閉塞的農村舉辦各級學校，培養新人才；開報館，介紹西方文化和世界形勢；翻譯西方學術著作，宣傳改革；開醫院，引進西方先進醫學技術，救死扶傷；舉辦戒煙所，積極投入賑災活動，派人到疾病流行的地區行醫等各項慈善事業；幫助一些少數民族創造文字，提倡文明生活習慣；在中西文化交流方面做了不少有益工作，對中國社會進步起了一定的推動作用，維新派之能掀起變法運動，很大一個原因就是受益於傳教士的大力宣傳，等等。對此，學者們已有論述了。

教民中有壞人，確是不爭的事實。某些傳教士初到中國傳教，急於多吸收一些教徒，就不擇良莠，廣泛接納，以致一些無賴、流氓、惡棍甚至犯罪分子混入教內，尋求庇護。此類人未入教之前尚且畏懼官府和社會輿論；入教之後，以為得到洋人支持，便有恃無恐，仗勢欺人，無事生非。故「俗諺有曰：『未入教，尚如鼠；既入教，便如虎。』」[84] 但他們在全部教民中所占比例很小。而對一般的安分善良教民來說，在 1862 年以前，清政府實行禁教政策，遭到平民的歧視欺壓，他們屬於弱勢群體，深自斂戢，即使受了欺侮也不敢出面計較。1862 年以後，清政府雖然迫於列強的壓力不再禁止信仰基督教，但暗中仍然採取壓制措施，有些平民依舊歧視欺壓教民。如直隸曲周縣牛家寨的平民耿作林、耿洛協等，在 1872 年就帶人多次捆打辱罵教民，並用糞水強灌，還讓教民設宴賠禮，訛索教民京錢十三千文，毀壞教民秋禾，不許教民吃村中的井水，不許使用碾磨，逼令他們反教。[85] 1899 年庇縱義和團的巡撫毓賢也

---

[84] 《清末教案》1，第 910-911 頁。

[85] 轉見黎仁凱等：《直隸義和團運動與社會心態》，第 92 頁，河北教育出版社，2001 年。

認為：「在二十年前，平民賤視教民，往往有之」[86]。然而奉教畢竟合法化，教民不再像過去那樣害怕，遇有不平之事，也敢於挺起抗爭了。由於以上原因，其後教案就多起來了。

從平民方面分析，他們之所以鬧出教案，大致有下列幾個原因。

第一，平民有階級之分，好壞之分，並非都是良民。在對待教士教民的態度上，有的仇視，有的則否。同一件事，在不同的人看來，就有不同的乃至相反的認識和處置辦法。例如，同是向教民攤派迎神賽會經費，山東省德平和臨邑兩村就接受了官府和地方的調處，沒讓教民交納；而貴州省開州的團練卻強逼教民參加祭賽，教民不從，則依勢捆綁欲殺，最後終於強逼官府將四個教民殺死。所以平民和教民能否和睦相處，從平民方面分析，應看其是不是安分善良。若非安分善良之輩，再好的教民在他們眼裏也是罪惡滔天，必欲殺之而後快，因而往往會鬧出事來。如同兩江總督沈葆楨在1877 年 2 月奏陳皖南教案時所說：「人亦各有天良，即如水東教堂之陳先生，教民也；閔香山，客民也；翟厚培，土民也；宜其各不相顧也。乃胡秀山等欲殺陳先生，而閔香山為之求情，翟厚培為之墊款，不過知陳先生之向不為人害耳。然則，民教之相安不相安也，視其人而已也。」[87]

第二，仇教的群眾多屬法盲，法制觀念淡薄。外國傳教士來中國傳教，是得到清政府同意的，合法的。他們是外國僑民，只要老老實實地傳教，就受清政府保護；只有在犯有罪行及胡作非為的情況下，清政府才能通過外交途徑解決，任何官員不得擅自處理，更不用說一般群眾。教民有信教的自由，別人無權干涉，只要奉公守

---

[86] 《義和團檔案史料》上冊，第 24 頁。
[87] 《清末教案》2，第 146 頁。

法，不做壞事，誰也不能侵犯他們的人身安全和私有財產。即使犯法，也應由官府判決，平民無權處置。假若侵犯，就是觸犯法律，應受懲治。對於這些，仇教的群眾多不知曉，所以動輒滋鬧，甚或打死打傷教士教民，焚燒教堂，搶劫財物。如前面列舉的 1869 年安慶教案，起因就是「各屬考童及所在居民紛傳不願傳教」，所以當兩名英國教士坐轎出門時，他們就橫加攔阻；教士避入道署，他們又擁入教士寓所，拋毀東西。接著又擁入法國教士公寓滋鬧。1873 年的黔江教案，只因法國主教私自購房，派司鐸余克林、教士戴明卿前往建堂傳教，平民就將他們毆斃。這些都是不懂法律的結果。

第三，思想狹隘，缺乏理智，意氣用事，報復心特別強，易走極端，不計後果，同時分不清教士、非教士和哪國人。如 1877 年的武昌教案，如果試箭的武童不是誤聽人言，就不會發生爭論追毆的事；即或不是誤聽，事情不過「語涉訕笑」罷了，寬容一點，亦不至弄出一件教案。1875 年的四川營山之案，教堂人員不讓參觀，應試童生就是心中不高興，倘若冷靜理智地對待，立即離開，亦不會把問題鬧大。1892 年湖北麻城教案也是不讓看洋教士，演變成打死兩個教士。1886 年的重慶教案，本來因美國、英國教士買地建房而起，可是又將各國教堂、醫館拆毀。

第四，有法不責眾的糊塗觀念和僥倖心理。每件教案，幾乎都是一哄而起，沒有組織，沒有領導，一人呼叫，眾人齊上。他們總以為人多勢眾，官府找不到帶頭鬧事者，不能懲罰所有的人。所以不管事情大小，情節輕重，任意所為，無所顧忌。

第五，別有用心的人蓄意挑撥煽動，特別是紳士，起了極為惡劣的作用。紳士皆為地方有權有勢的頭面人物，鄉村中的重大問題均由他們決定。常言道：和為貴；遠親不如近鄰。鄰里之間應該互幫互愛，互諒互讓，和睦相處。鄰里因日常生活瑣事發生的糾紛矛

盾司空見慣，極其平常。遇到這類事情，紳士理應儘量調和化解。
教民與平民雖然有信教不信教之分，但都是鄰里鄉親，也應本著這
種精神辦理，不應在教與非教之間人為地劃上一道鴻溝。而許多紳
士「夷夏之防」的觀念至深，非但不努力調和化解糾紛矛盾，反而
將基督教視為異端邪教，極盡侮辱栽害、挑撥煽動之能事，火上澆
油。這在許多地方的「公檄」、「揭帖」中表現得淋漓盡致。如《湖
南闔省反洋教公檄》寫道：「慨自邪說日熾，正道浸微，異類橫行，
人心共憤。有如逆夷英吉利者，僻處海滋，其主或女而或男，其種
半人而半畜。……至其害之切膚，則尤有不可究極者，不掃墟墓，
不祀木主，無祖宗也。父稱老兄，母稱老姊，無父子也。生女不嫁，
留待教主，無夫婦也。不分貧富，入教給錢，無廉恥也。不分男女，
赤體共浴，無羞惡也。剖心剜目，以遺體為牛羊；餌藥採精，以
兒童為螻蟻。採婦人之精血，利己損人；飲蒙汗之迷湯，蠱心惑
志。」[88] 山東《德平縣李家樓反洋教匿名揭帖》寫道：「鬼子其形，
於（與）中大有不同，羊眼、猴面、淫心、獸行，非人也。行事不
敬神，不敬先人，不學孔孟，不知禮議（義），丙（並）無人論（倫）。……
以（一）違（味）姦淫婦女。……嘴說邪禮，心裏淫壞，臉面無恥，
身穿人衣行狗事，……心裏圖財，全使（是）無恥狗也。」[89] 1889
年孟子家鄉鄒縣的紳民還立下「嚴查洋人漢奸條約」：「洋人之行，
大意在漁利漁色。入教者夜間跪經，其實裸體行淫，亂人婦女」。「洋
人之害，毒於賊寇。取人眼珠、心血及處女月經、婦人胎孕」。「洋
人收養窮民，意在籠絡」，「既入教，處女幼婦俱行霸佔」。「洋人、
通事所過之地，店房不准留住，水漿不准賣給，鄉城居民不准私同
說合賣與田宅。如違約者，一經查出，賣與田宅者，將房屋拆毀；

---

[88] 《清末教案》1，第 219-220 頁。
[89] 《清末教案》2，第 22 頁。

賣與飲食者，眾行究懲；作中說合者，與漢奸等論」。「投洋教之人，甘為漢奸與紳民為敵者，剿其室家，立行逐出境外。如私行回籍，鄰右匿奸不舉者，與漢奸一例。」兗州規定的「條約」更加苛酷：平民賣給洋鬼暨漢奸房屋田地者，紳民將該民寸磔，繼將房屋燒毀，田地抉成數十丈深坑。賣給洋鬼食物者，割耳示眾。容留洋鬼住宿者，除割耳示眾外，並將房屋燒壞。為洋鬼役使者，即截其右手一指示眾。跟隨洋鬼之中國人，明係漢奸，即將此等漢奸拴住，挖眼割耳，再為議處。[90]這些紳士不僅揚言「驅逐洋教」，「斬殺漢奸」，「剿其室家」，而且還要嚴懲所有賣給洋人田宅、飲食，留宿洋人，為洋人服務的人。當地群眾不敢違抗他們的意志，仇教就成為必然的了。一些造謠煽惑、聽信謠言所造成的教案，就是他們挑撥煽動的結果。另外，還有某些會黨和欲利用鬧教之機搶掠財物的人也從中煽惑，推波助瀾。

第六，盜賊財迷心竅，不顧大局，偷盜教堂財物，殺害教士。這類案件的肇事者人數很少，但影響極壞，有的給國家造成嚴重危害，如1897年的山東巨野教案，就給德國侵佔膠州灣提供了藉口。

2.平民訴訟受欺咎在中國官員

民教糾紛得不到妥當解決，與清政府某些地方官員的辦案態度密切相關。辦案應持何種態度？勞乃宣說：「教民與平民同為中國赤子，同歸中國官管束，約章俱有明條，大小官吏果能堅守約章，力持公道，教民亦不遽敢欺人。」[91]袁世凱認為：「民教積不相能，推究本源，實由地方州縣各官平時為傳教洋人挾制，不能按

---

90 廉立之、王守中編：《山東教案史料》，第314、224頁。
91 勞乃宣：《拳案雜存》，《義和團》4，第471頁。

照約章，持平辦案。」[92]「欲息爭端，在於不分民教，但論曲直而已。」[93]

他們的說法沒有錯。斷案只能持平公允，無所袒護，否則，不會有公正的審判。但在地方官員中，有兩類人均做不到這一點。

一類是偏袒教民，壓抑平民。對此，論者往往歸咎於教士干預訴訟，亦即侵略。洋人干預訴訟固然是一個因素，但這只不過是問題的一個次要方面，將其絕對化失於偏頗。根本原因則在官員自身。這些官員不僅法律、條約知識有限，素質太差，更主要的是他們沒有骨氣，缺乏正義感，只考慮一己私利，惟恐洋人將事情捅到上邊，自己的烏紗帽不保。所以在審理案件時畏懼遷就洋人，不敢做出公正的判決，致使平民有冤無處申訴。

另一類是壓抑教民，偏袒平民。他們仇視洋教，不准老百姓信奉，審理民教訴訟往往壓抑教民。山東巡撫毓賢即為一個典型，他「仇教心熾，通飭各屬州縣，凡教士函件，一概視為廢紙」。遇有教民受到威脅，教士「請為彈壓，則覆函云，係教民自惹之禍，理所應爾，詞多凌辱恥笑。」[94]連朝旨都說他「固執成見，以為與教民為難者，即係良民，不免意存偏袒。」[95]此類官員多屬頑固守舊派，他們岐視教民，因而苛待教民。

只有不畏懼洋人、不持偏見的官員，才能做到不分民教，公平辦案。

兩江總督沈葆楨即為其中之一。1876 年皖南教案發生後，非惟教民歸罪於何渚父子，地方官員也以他們為罪魁。沈葆楨聞報，

[92] 《清末教案》2，第 887 頁。
[93] 中國社會科學院近代史研究所、中國第一歷史檔案館編：《籌筆偶存》，第 101 頁，中國社會科學出版社，1983 年。
[94] 徐緒典主編：《義和團運動時期報刊資料選編》，第 3 頁。
[95] 《有關義和團上諭》，《義和團》4，第 8 頁。

派總兵吳長慶查拿何渚父子，解省訊辦。在查明滋事禍首並非何渚父子而是教民白會清等人後，沈葆楨奏報說：「皖南教民之悖如此，客民之橫如此，不懲均無以安良善。而燒毀教堂之案，從無辦到教民者。臣若審擬具奏，靜候部議，各教士必慫惥公使，向總理衙門曉瀆，公使不能卻也，動以兵船挾制，轉致都中准駁兩難。臣不揣冒昧，立予正法，以絕其望。萬一西鄰責言，臣願以一身當之，不敢避專擅之嫌，以巧為自全之計。」[96]他一身正氣，不怕教士告狀，誅殺了作惡的教民，為良民洗清了罪名。

福建巡撫丁日昌也是一條硬漢。1876 年，臺北淡水廳以李東面父子為首的天主教民倚恃教會勢力，魚肉鄉里，拒捕傷差，插手訴訟，哄鬧公堂，罪惡昭著。官員審明以後，為防止「教民見法之不足畏，趨附日多，百姓知冤之不可申，怨毒日積」，丁日昌當即批准將李東面父子就地正法，並飭令將從犯「鎖繫石墩，永遠不准釋放，以儆凶邪。」[97]

按察使、護理四川總督游智開同樣堅持原則，依法嚴懲壞教民。他得知 1886 年 7 月 2 日重慶事件，係「教首羅元義激成眾怒，幾釀大變，飛檄拘之入省」。「又以元義身雖入教，仍是中國子民，自應治以中國法律。請敕總理衙門據理與爭，勿許公使干預。時中外皆恐以肇釁端，智開持之益力，卒置元義於法。」[98]

山東巡撫袁世凱說到做到，敢於峻拒洋人的無理要求，並不只會吹牛。1900 年 2 月他致電總署說：「去夏沂屬教民被擾，經毓撫（指毓賢）議償五萬餘金交洋教士散放，洋人頗藉牟利。此次匪徒滋擾，英領事及美、德各教士均援此案彙開花名，或千餘家，或數百家，呈請賠償。當告以教民亦華民，前已派員赴各屬查實被難各

---

[96] 《清末教案》2，第 142 頁。
[97] 《清末教案》2，第 148 頁。
[98] 趙爾巽等撰：《清史稿‧游智開列傳》，中華書局，1977 年。

家，不分民教，概加賑恤。即洋人被劫，亦惟緝賊追贓，無官代償之例，前案斷難照辦。而英領事迭請，均經嚴拒。今法教士傅天德來，復有此請，亦照駁。又請派員會伊查辦教民各案，當告以教士非官，照約不應干預公事，本省自可遴員秉公查辦，不公來訴則可，會查則不可等語。傅頗忤，謂將電其使臣。倘法使赴署商請，乞酌駁。」[99]他不像毓賢那樣滿足洋人的予取予求，而是嚴詞峻拒洋人不合理的索取賠償和干預中國的司法事務，電告總署也要駁斥。繼之英國領事甘伯樂為卜克思被殺案向袁世凱提出四條處理意見，要其照辦。袁世凱立即將巡撫會同觀審和將泰安府知府及肥城、平陰兩知縣革職，永不敘用兩條駁回。雖然同意在行兇地方建立教堂，集資立碑，但限制占地不得過大，費用不得過萬。完全答應的只有由巡撫恭錄上年一道諭旨，出示曉諭一條。以後又駁回其他無理要求，甘伯樂理屈詞窮，只得怏怏離去。[100]

袁世凱之外，山東還有幾個官員頗能堅持原則，持平辦案。惠民縣令柳堂就是其中之一。東海關監督、登萊青道潘某 1868 年審理棲霞教案時，就頂住了蠻不講理的英國領事。冠縣縣令曹倜 1898年上任之後，主教馬天恩曾指控十二人，要求拿辦。曹倜訊明皆為良民，呈復巡撫張汝梅不辦。張汝梅又下令辦理，曹倜再次頂住，並掛冠而去。張汝梅最後在事實面前不得不承認他堅持的正確，讓人將冠送還。[101]

直隸威縣縣令胡千里，到任後即「平反拳教之獄，兩造胥服，任內拳亂不作。」[102] 1899 年義和團在景州故城興起，所在仇教，

---

[99] 《義和團檔案史料》上冊，第 63 頁。

[100] 《義和團檔案史料》上冊，第 77-78 頁。

[101] 曹倜：《古春草堂筆記》，中國社會科學院近代史研究所近代史資料編輯室編：《義和團史料》上冊，第 270 頁，中國社會科學出版社，1982 年。

[102] 龍顧山人：《庚子詩鑒》，《義和團史料》上冊，第 109 頁。

官吏束手。知府陶式鋆奉命前往辦理教案,「至則持平聽斷,巨案冰釋。」[103]

由此可見,只有公平辦案,才能讓平民與教民在法律面前平等,原告被告雙方心悅誠服,民教得以相安。袒護教民,強迫平民飲恨吞聲,只能使民氣暫時遏抑。久而久之,平民無法再忍,「以為官府不足恃,惟私鬥尚可泄其忿,於是有聚眾尋釁,焚拆教堂之事,雖至身罹法網,罪應駢誅,而不暇恤。」[104]倘若所有官員均能像無所畏懼的官員一樣持平辦案,便不會有受冤屈的平民,至少數量會大大減少,不致引起那麼多的教案。將平民在訴訟中受到欺侮完全歸於傳教士干預或列強侵略,有欠公允。

當然,袒護平民,壓抑教民,也不應該。教民遭受冤屈,心有不甘,同樣會鬧出事來。1881 年 5 月法國公使寶海曾專為這類事情致函總署說:「山東省歷經十五年來民教相安,如此妥協,一因係該主教虛心和藹,二則係丁撫台(丁寶楨)遇事公平妥協,且與該主教往來相契之故耳。惜丁撫自升任四川以後,則遇事與前大不相同。後來接任大吏顯露氣焰形容,與外國若不相容,視傳教士尤甚。至屬下各官愛慕上憲有同心,隨同效尤,遇民教互控之事,不聽教民言辭,即將教民加倍凌虐,形如玩戲。不但如此,且有賽會出錢等事派教民與百姓同出,此與和約有違,且不遵貴親王前示諭單。百姓見上官如此光景,意教民可侮,任性欺凌,遂至生出事端。」[105]

綜上所述,傳教士千差萬別,情形各異,不能一概而論。主動挑起教案、欺壓中國人民的傳教士為數極少,他們的罪惡行為未必都得到列強支持,由他們引發的教案亦僅是其中的很小一部分,絕

---

[103] 劉春堂:《畿南濟變紀略》,《義和團史料》上冊,第 316 頁。
[104] 《清末教案》2,第 654 頁。
[105] 廉立之、王守中編:《山東教案史料》,第 120-121 頁。

不能因為他們有罪惡行為，就斷言所有來華的傳教士都是帝國主義派遣的侵略分子，基督教是侵略者的宗教，列強侵略是教案發生的主要或唯一原因。平民在訴訟中受欺咎在清政府的地方官員，他們偏袒教民，審判不公，應負主要責任，不能完全歸過於傳教士干預。

（二）災荒饑餓是運動爆發的主要原因

教案的發生既如上述，作為教案繼續的義和團運動，其爆發的主要或唯一原因是什麼呢？半個多世紀以來，一種占主導地位的觀點斷言就是列強侵略。認為義和團運動是列強對華侵略的產物，離開這個大背景，很難解釋清楚。

其實，單純用列強侵略的大背景同樣解釋不清楚。因為它太簡單化、極端化，無法解釋極其複雜的歷史現象。大背景是人物活動和事件發生的總的歷史環境，它起何作用，因人因事而異，對一些人和事起些作用，對另一些人和事就可能不起任何作用。因而它既解釋不了在同一背景下發生的性質相同的問題，如教民與平民之間因細微末節產生的各種矛盾糾紛，在平民之間同樣大量存在；教民中有為非作歹的壞人，平民之中也有。也解釋不了在同一背景下發生的性質不同的問題，如有些平民信奉了洋教，有些平民就不信；有些平民打洋教，有些平民就不打；義和團運動以疾風暴雨之勢席捲山東、直隸，其他各省就無此現象。凡此皆非侵略大背景所能作出圓滿解釋的。

洪秀全領導的太平軍起義和孫中山領導的資產階級革命，更向「帝國主義侵略論」或「大背景論」提出了強有力的挑戰。

　　洪秀全是在鴉片戰爭後接受洗禮的基督教信徒，並依照基督教的教義和儀式創立了中國的洋式宗教拜上帝會，廣泛吸收教徒，領導了太平軍起義，佔據半壁江山，與清政府對抗。

　　孫中山在檀香山讀書時，即「切慕耶穌之道」[106]。十五歲熱衷於讀聖經及參與宗教活動，十七歲加入基督教。他信教，「完全出於基督救世之宗旨」[107]。1896 年他在倫敦被清政府駐英使館誘捕後，曾祈禱七天，經英國的傳教士救出後，又感謝「天父大恩」；並給香港倫敦會長老區鳳墀寫信表示：「敬望先生進之以道，常賜教言，俾從神道而入治道。」[108]據給他行洗禮的美國公理會傳教士喜嘉理說：「先生革命之志，獨能履九死而不變，是何故歟？蓋以宣教師之言論，大都尊重人道，屏斥舊惡，先生既飫聞而心醉之。……此先生之所以鼓吹革命，又以愛同族之心深，所以冒萬險而絕無退志也。」[109]孫中山自己也說：「予深信予之革命精神，得力於基督徒者實多。」[110]他領導的興中會、同盟會、中華革命黨，「其誓約均冠以『當天發誓』字樣，是亦一種宗教宣誓的儀式，蓋從基督教受洗之禮脫胎而來也。」[111]由此可知，孫中山早就是個篤誠的基督教信徒，遵奉基督救世之宗旨；他領導的革命團體採取了基督教的宣誓儀式；他的百折不撓的革命精神和意志均與信仰基督教有關。他與基督教的淵源以及思想受基督教的影響，都非常清楚。

---

[106] 《覆瞿理斯函》，見廣東省社會科學院等編：《孫中山全集》第 1 卷，第 47頁，中華書局，1981 年。

[107] 馮自由：《革命逸史》第 2 集，第 12 頁，中華書局，1981 年。

[108] 《致區鳳墀函》，《孫中山全集》第 1 卷，第 46 頁。

[109] 馮自由：《革命逸史》第 2 集，第 16 頁。

[110] 陸丹林：《革命史譚》，見《近代稗海》第 1 輯，第 569-570 頁，四川人民出版社，1985 年。

[111] 馮自由：《革命逸史》第 2 集，第 12 頁。

　　非但如此。孫中山創立領導的興中會會員中也有不少基督教徒。僅有明確記載的就有陸皓東、區鳳墀、鄭士良、左斗山、王質甫、何啟、趙明樂、趙嶧琴、蘇復初、蘇焯南、毛文敏、胡心澄、胡心泉、吳羲如、練達成、宋少東、毛文明、黃旭升、鄺華汰諸人。「乙未（1895 年）九月廣州之役，大得其力。」[112]「庚子（1900年）九月，史堅如在廣州謀炸兩廣總督德壽之役，參加的……均屬基督徒。」[113]

　　贊助孫中山革命的傳教士和教徒更多，如張果、趙峰、司徒南達、伍盤照、伍于衍、鄧幹隆、黃佩泉、林文慶、黃康衢、鄭聘廷、王煜初、鍾榮光、張華生、謝已原、梁慕光、梁慕義、李植生、宋居仁、鄧蔭南、楊襄甫、羅伯許、徐甘棠、廖雲翔、黃文卿、李杞棠、林信賢、宋玉臣、黃福、蕭勵初、朱德華、崔約通等皆是。宋慶齡的父親、傳教士宋嘉樹為孫中山在 1894 年認識的好友；女醫生、基督教徒張竹君在辛亥革命時掩護黃興大婦前往武昌的事，亦人所共知。

　　外國基督教人士贊助孫中山革命的則有美國的喜嘉利、芙蘭諦文、香忭文，英國的康德黎、毛生，日本的菅原傳等人。1906 年「萍醴之役，劉家運給清吏馮啟鈞拿捕，美教士孟良佐會長奔走營救，對於革命黨人，深表同情。漢口的聖保羅堂王理堂會長，循道會教士李親仁，吳德施主教等，都是熱忱贊助革命黨，逢著黨人的活動，掩護劻勷，不遺餘力。」[114]

　　「黨人借教堂或教會學校做革命機關的」也有一些，如長沙的聖公會，武昌的聖公會和文華書院，上海的聖彼得堂，廣州的長老會福音堂、長老會禮拜堂、巴陵會福音堂、聖教書樓、培英書院、

---

[112] 馮自由：《革命逸史》第 2 集，第 11 頁。
[113] 陸丹林：《革命史譚》，見《近代稗海》第 1 輯，第 575 頁。
[114] 陸丹林：《革命史譚》，見《近代稗海》第 1 輯，第 577 頁。

格致書院、博濟醫院等，皆「是彰明較著的黨人活動交通的處所」。「兩湖革命黨的樞紐」——湖北日知會，其「創立和地址，全在基督教堂裏。」[115]

劉敬安「少有志新學，尤熱心救世。稍長即投身武昌基督教聖公會為信徒，隱然以普渡眾生為己任。癸卯、甲辰間（1903至1904年），以國是日非，決非和平手段所能匡救，遂另創日知會為革命運動機關。」與其同時創立的還有傳教士胡蘭亭和黃吉亭。[116]1904年黃興在長沙發動起義暴露之後，就躲藏在聖公會內，由黃吉亭和教徒曹亞伯等掩護脫險。

洪秀全和孫中山等都是基督教信徒，按照論者的邏輯推理和思維方法，若說拜上帝會、興中會、同盟會、日知會均是由基督教創立並領導的，為太平軍起義和辛亥革命作出巨大的貢獻；沒有列強侵略，就沒有太平天國起義和辛亥革命；基督教非但不是從事侵略活動的宗教，反而大大有功於中國，亦絕對言之成理。孫中山亦直言不諱地承認教會教士有功於革命，他在 1912 年說：「吾人排萬難，冒萬死，而行革命，今日幸得光復祖國。推其遠因，皆由有外國之觀感，漸染歐美文明，輸入世界新理，以至風氣日開，民智日闢，遂以推倒惡劣異族之政府，蓋無不由此觀感來也。而此觀感，得力于教會西教士傳教者多。」[117]可是，論者對洪秀全、孫中山領導的起義和革命頌揚備至時，卻對隨列強侵略而來的基督教隻字不提，諱莫如深；一談到教案與義和團的起因，便大講特講列強及基督教的侵略，焉能令人信服？

依照某些論者的觀點，義和團殺害教民是理所當然的，正義的。依照同樣的觀點，孫中山在義和團運動時就該被處死。因為他

---

[115] 陸丹林：《革命史譚》，見《近代稗海》第 1 輯，第 579-580、576-577 頁。
[116] 馮自由：革命逸史》第 2 集，第 55-56 頁；第 3 集，第 102 頁。
[117] 陸丹林：《革命史譚》，見《近代稗海》第 1 輯，第 569 頁。

不僅篤信洋教，而且在 1900 年夏天領銜致書香港總督，「呈請助力」，「平匪全交」，「公權利於天下。如關稅等類，如有增改，必先與別國妥議而行。又如鐵路、礦產、船政、工商各業，均宜分沾利權。教士、旅店，一體保護。」[118]同年 10 月在廣東惠州起義時還打出「保洋滅滿」的大旗，一路進擊，途中保護外國教堂。[119]其後也一直爭取列強的支持，主張保護教堂、教民，是個地地道道的「二毛子」、「洋奴」、「漢奸」。洪秀全雖然死得早，沒有遇上義和團，但他利用洋教大肆「禍亂」中國，依照某些論者的觀點，也該焚屍揚灰，使其與早在帝國主義侵略之前來華的傳教士利瑪竇、湯若望、南懷仁等人遭到同樣的命運。總之，他們二人篤信洋教，與義和團的「滅洋」不共戴天；孫中山的「排滿」和洪秀全要誅除的「滿妖」，同義和團的「扶清」水火不容，均為義和團的死敵。若論「反動」和「罪行」，不知要比一般的教民嚴重多少倍。

　　義和團的立場與洪秀全、孫中山針鋒相對，絕無通融調和的餘地。肯定義和團的「扶清滅洋」，必然否定洪秀全與孫中山；反之亦然。而且肯定義和團的「扶清滅洋」，亦應肯定以拒異衛道自居、鎮壓太平軍的曾國藩，以及與義和團「扶清滅洋」宗旨一致的載漪、剛毅、徐桐和毓賢之流。

　　可是，論者既肯定義和團，也肯定洪秀全和孫中山。這就等於說，洪秀全、孫中山信奉洋教正確，義和團殺害信奉洋教的人也正確。此種奇怪的邏輯實在令人百思而不得其解。評價同一性質的歷史事件（信奉基督教），必須堅持統一的標準，不能採取雙重或多重標準，搞實用主義、機會主義。左說左有理，右說右有理，無論怎麼說都有理，決不是什麼歷史辯證法，而是詭辯論。在同一性質

---

[118] 《致港督卜力書》，《孫中山全集》第 1 卷，第 192-193 頁。
[119] 轉見邵雍：《義和團時期會黨的鬥爭》，《義和團運動與近代中國社會國際學術討論會論文集》，第 191 頁。

的歷史事件面前，應該人人平等，不能因為洪秀全、孫中山是起義、革命領袖就應上天堂，一般教民就該下地獄。這個問題不容回避，也回避不了，必須做出明確的回答。否則，便沒有是非曲直可言，歷史就成為一筆糊塗帳和一位任人打扮的小姑娘了。

有的論者試圖對這個問題作出回答，如說：革命派的反清革命和義和團的武裝反帝出發點都在於拯救中華民族的危亡，是一致的；這些方案實踐的結果，都曾在不同的側面對反動勢力進行了鬥爭，對中國近代社會的前進產生過積極的作用和影響，也是共同的。這個回答解釋不了上面提出的疑問。首先，評價是對已經發生的事實而言，不能以出發點即自我標榜的口號為依據。其次，就方案實施的結果即事實來看，亦絕無可能產生共同的作用和影響。以義和團的「滅洋」與孫中山的「平匪全交」而言，前者要「反帝」，後者要剿滅義和團，即消滅「反帝」力量，結好列強，其所產生的作用和影響怎麼可能相同呢？

下面從義和團（包括大刀會和梅花拳、神拳等在內）運動的發源地，即山東省冠縣梨園屯教案、大刀會和朱紅燈打洋教考察一下義和團運動的爆發與列強侵略有何關係。

冠縣梨園屯居民將近三百戶，其中入天主教者二十餘家。莊內舊有義學一所，玉皇閣數間，學地三十八畝。後經兵火災傷，義學已廢，閣亦傾圮。1869 年 3 月 1 日，莊中各首事議定四股均分。分單寫道：「立清分單：冠邑北境梨園屯聖教會、漢教公因村中舊有義學房宅一所，護濟義學田地三十八畝，日久年深，風雨損壞，牆垣坍塌，無力修葺，今同三街會首、地保公同商議，情願按四股清分。漢教三股應分田地三十八畝，聖教會應分房宅一處，上帶破廳房三間，破西屋三間，大門一座，計宅基地三畝零九厘一毫，以備建造天主堂應用。邀同各街會首、地保覿面較明，並無爭論，同心情願，各無異言，亦無反復。恐後無憑，立清分單存證。同治八

年新正月十九日。」王桂齡等教民分到宅基地之後，也無力修蓋，當年「將此地基獻於傳教士梁司鐸（即梁宗明）名下修蓋教堂，共破爛住房十餘間。」[120]

1873 年，梁宗明修蓋天主教堂，平民閻立業等到縣控告教民王桂齡等拆毀義學廟宇，蓋立天主堂。知縣韓光鼎聽取了雙方供詞，核對了當年分單，判曰：「此案既已明立分單於先，何得追悔混控於後，殊屬不合。」[121]閻立業等敗訴。如此過了幾年相安的日子。

1881 年 2 月 7 日村民慶祝玉皇神會，經過天主堂時將教堂大門擠開，教民出來計較。「其時人多口雜，有謂天主堂本係借用玉皇閣地基，將來重塑玉皇，還要送入供奉之語。」然亦不過空言爭論，並未毀物，本來微不足道。可是山東主教顧立爵卻通過駐京公使進行干涉。韓光鼎再次審明案情，最後判決：「至該教堂地基，斷令民教仍舊和好，暫行借用，俟該教民等另買地基設立教堂，再議歸還。」[122]

1887 年法國傳教士費若瑟購買磚瓦木料，動工在地基上建立教堂。監生劉長安等到縣稟報：「前因教民將莊內舊廟改建教堂，莊民不願，屢經涉訟。現在教民王三歪等復將教堂拆修，擴充地基，莊眾忿怒，擬往拆教堂，索地修廟。」同時發動數百人各持器械，「將木料銀錢搶掠一空」，並「用教堂磚料在堂內蓋瓦房三間，裝塑神像。」後經紳耆調處，「王三歪等情願將教堂所占廟基歸與該村為廟。伊劉長安等與莊眾亦情願另購地基，為王三歪等新建教堂。至堂內失少衣物，並如數賠還，言歸於好，各自安度。」知縣何式箴和魏起鵬考慮到「此案劉長安等肇釁理曲，本應仍照前斷勒

[120] 廉立之、王守中編：《山東教案史料》，第 125、124 頁。
[121] 廉立之、王守中編：《山東教案史料》，第 125 頁。
[122] 廉立之、王守中編：《山東教案史料》，第 156 頁。

令拆還教堂，惟念該民教等居同里閈，若令嫌釁滋深，難保不別釀
禍患，既經紳耆調停，兩造悔悟請和，莫如就此完結，以期民教得
以互釋前嫌，永遠相安。隨各捐銀一百兩，為之津貼，督飭克日興
工，照舊教堂格局修造完竣。所賠衣物，並飭如數繳案，分別驗明，
諭令教民當堂具領，取結完案。」[123]

　　法國主教馬天恩以 1873 年韓光鼎審判後「將分單串票移交教
堂管業，未有暫行借用之說。可見教堂並未霸佔地基，地方官屢以
此地為教堂產業」[124]為由，又提出重新審理。其後反反覆覆，一直
到 1898 年方才結案。1900 年該村的平民又因這個緣故，鬧起了義
和團。

　　該案當初的分單寫得極其清楚，宅基地連同上面的破房均歸教
民所有，「以備建造天主堂應用」。分單是經全村平民同意的，也是
為了防止以後有人不承認而「立清分單存證」的，區分是非曲直，
只能依據分單。1873 年平民閻立業等到縣控告教民王桂齡等拆毀
義學廟宇，蓋立天主堂，違背分單協議。知縣韓光鼎按照分單協議
初次做出的判決，完全正確。但 1881 年的二次判決便與分單和初
次判決不同，竟糊塗地將原屬教民所有的宅基地改判為教民「暫行
借用」，這就埋下了以後訟案不止的種子。1887 年劉長安說「教民
將莊內舊廟改建教堂，莊民不願」，乃是謊言。何式箴和魏起鵬審
理時明明知道劉長安「肇釁理曲，本應仍照前斷勒令拆還教堂」，
可是基本上維持了韓光鼎第二次的糊塗判決。雖然出自想讓鄰里和
睦的好心，但違背法理，以致馬天恩又要求重新審理。馬天恩所云
1873 年韓光鼎審判後宅基地「未有暫行借用之說」，「教堂並未霸
佔地基」，均為實情，要求重新審理是合理的。從全過程看，該案

---

[123] 廉立之、王守中編：《山東教案史料》，第 126-128 頁。
[124] 廉立之、王守中編：《山東教案史料》，第 128-129 頁。

之所以長期不結，責任完全在於違背分單協議的平民無理取鬧和改變初判的糊塗官員，教民沒有責任，傳教士亦無侵略意圖。

有的論者認為，教民分得宅基地本是經過村民同意的，但是教民卻將宅地公產私讓給外國傳教士，傳教士私自拆廟建堂，違背了清政府 1865 的規定和 1871 年所擬的傳教章程，教會勢力侵犯中國產權、主權，其侵略性是顯而易見的。

此論亦有值得商榷之處。首先，宅基地是教民依照分單合理分得的，已是教民的公有財產，教民將其獻給傳教士建造教堂（分單清楚地寫明宅基地「以備建造天主堂應用」），沒有侵犯平民的權益，與平民沒有任何關係，平民無權過問。「教民卻將宅地公產私讓給外國傳教士」的說法，似乎視宅基地為全村居民的公產，將產權混淆了。其次，1865 年的規定，只是限制傳教士以私人資格在內地購買土地房屋，但沒有明文禁止教民將集體的或自己的土地獻給傳教士。既然沒有明文禁止，便不能說違反，不能說侵犯中國的產權和主權，要說教民獻地建堂違法，缺少法律根據；而且章程是非正式的，沒有得到各國承認，對洋人沒有約束力，洋人也不會認同。1868 年 4 月，英國公使就山東棲霞縣民捐地一事照會總署說：「如地方官因華民捐廟田與洋人即行辦罪，實與條約不符。」[125]再次，1871 年的傳教條款主要是限制將中國教民公共財產私自買賣，不用說未得到各國承認，即使承認，也是後來的事，不能用來作為判斷此前發生的事情的標準，因為任何法律、章程都是在正式頒佈時規定下以後開始執行的時間，沒有適用於以前的；何況限制私自買賣的條款並不適用於教民集體獻地。

魯西南一帶的大刀會以單縣的監生、地主劉士端為首，主要頭目有曹得禮、龐三傑、邵士宣等人。參加的多為地主、富農、有產

---

[125] 廉立之、王守中編：《山東教案史料》，第 98 頁。

業的人和租種他們田地的佃戶、貧農。1894 年開始活動時是為了保衛身家，曾經助官捕盜，被時任曹州府知府的毓賢重犒鼓勵。

　　大刀會立誓盟神，吞符念咒，揚言能避槍炮刀兵。最初與洋教並無矛盾，1896 年 2 月方才出現了一點糾紛。郝和昇向天主教民呂登士索討賒欠藥錢不還，斥其「恃教抗欠。維時呂登士族人呂菜在旁聽聞，代抱不平，聲言郝和昇係白蓮教妖人，郝和昇回稱呂菜係羊羔子教庇護匪人，致相口角，經勸各散。」[126]呂菜告知洋學教師張連珠，張連珠遂帶人找郝和昇尋釁。郝和昇亦告知劉士端，劉士端亦帶人尋找張連珠。後經防營哨弁宋清太等勸散。白教士得悉情由，告知培教士「張連珠多事」。旋「各教士共央宋哨弁帶領王教師等向劉士端道歉，並將張連珠訓飭。劉士端等亦向王教師揖讓，彼此言歸於好，並面約各人不准造言生事。」[127]事情就這樣以傳教士的通情達理和主動道歉順利解決了。

　　不料 1896 年 6 月又發生了江蘇省碭山縣（今屬安徽省）教民、地主劉蓋臣與大刀會頭目、地主龐三傑爭割麥子的事，於是大刀會就大肆活動起來了。

　　山東巡撫李秉衡奏稱：「教民劉蓋臣搶割麥禾，以致激成事端，是啟釁之由，應以教民劉蓋臣為禍首。」[128]他沒有說明劉蓋臣「搶割麥禾」的原因，是非尚難判斷。據說，「蘇魯交界有一片湖地，人稱東湍。這些湍地，誰種誰收，不必完糧納稅。」龐三傑擁有不少湍地，劉蓋臣「帶人搶割龐三傑湍地裏的麥子。龐三傑忍無可忍，乃致書趙天吉求援，趙又轉致劉士端、曹得禮。」[129]湍地都是無主

---

[126] 《義和團檔案史料續編》上冊，第 5-6 頁。

[127] 《義和團檔案史料續編》上冊，第 3 頁。

[128] 《義和團檔案史料續編》上冊，第 24 頁。

[129] 戚其章、王如繪編：《晚清教案紀事》，第 263-264 頁，東方出版社，1990 年。

的荒窪湖地，「誰種誰收」，因此，過去農民搶佔淵地的鬥爭經常發生，新中國成立以後亦然。1953 年以來的半個世紀，蘇魯交界地區的居民因爭湖產湖田而發生的較大規模械鬥即達四百餘起，死亡三十一人，傷八百餘人，小規模的衝突幾乎沒有中斷過。僅沛縣（江蘇）和微山縣（山東），大規模的衝突就有三百多起，群眾死傷四百多人。這種情況說明，鬥爭的雙方群眾只是為了自身的經濟利益，並不具有什麼侵略背景。劉蓋臣搶割麥子，亦無確鑿的證據證明麥子不是他種的；即令過錯全在他，亦只能說他搶佔別人的勞動成果，為了一己私利。若無其他有力的證據支持，而說這件事就是列強侵略，那就太過離奇了。

事實上大刀會從此開始即到外縣乃至外省打洋教，是另有原因的。一為「天主教不信其能避刀槍，指為妄誕，會眾就因此與天主教作敵，凡天主教堂，思盡燒毀；天主教人，思盡殺滅。」[130]二為此時「遠近匪類如水趨壑」加入其中，「安分習藝者，百中之二三，大率無業遊民，依草附木，藉訛教為魚餌，恃入會為護符，蔑法營私。」[131]成員與組織性質均發生了根本變化，教民劉蓋臣搶割麥禾只不過是其打洋教的藉口罷了。

早在朱紅燈帶領團民到平原縣打洋教之前，平原縣的團民已經搶劫了商家廟、董路口、新莊的幾家教民。1899 年 10 月 7 日，杠子李莊的團民李長水、楊傳文等人又搶劫了本莊教民李金榜家的財物。李金榜到縣呈控。縣令蔣楷即派「總役陳德和等協同縣勇前往緝捕。維時李長水等肆搶後人眾麇集，勇役上前捕拿，李長水率眾抗拒。經莊眾協力幫捕，拿獲邱被子、杜曰魁、李嶺、李進寶、朱德順、李興業等六名，稟經該縣提訊。邱被子等供認聽從李長水等

---

[130] 山東歷史學會編：《山東近代史資料》第 3 分冊，第 183 頁。
[131] 《義和團檔案史料續編》上冊，第 11、424 頁。

搶取李金榜家糧食衣物屬實。當將邱被子等六名飭押。」李長水逃走向朱紅燈求援。朱紅燈遂「號召徒眾，並逼脅鄉民多人，麇至崗子李莊。」10 月 11 日，李金榜到縣喊報：朱紅燈等數百人「復行搶掠，喊殺教民」，「教民劉姓、乜姓均被架去」，朱紅燈還「聲言須將前獲之邱被子等六人一律放回」，「陳德和訛伊錢文」，必須將其交出，「否則將教民殺盡」。蔣楷「親帶勇役馳往攔捕，李長水等恃眾拒捕，毆傷差役二名。蔣令因情勢漸大，恐滋巨患，當即具稟請隊彈壓。」[132]

　　10 月 16 日，巡撫毓賢派濟南府知府盧昌詒和補用知府袁世敦帶隊前往。當天抵達平原，盧昌詒「提閱邱被子等供詞，僉稱糾搶拒捕，實係李長水、李如學等把俺們叫去，不去不依」。因六人實被逼脅，情尚可原，遂飭令保釋。又傳陳德和嚴訊。陳德和供稱，「實無訛詐花費情事」。盧昌詒因「李長水等鬧教，既以該役得財藉口，其釀成事變，實為此案罪魁」，懷疑他有問題，加以監禁。接著便將毓賢的告示及濟南府的諭單差人送給朱紅燈，「勸諭解散，該匪抗聚滋鬧如故。」18 日，朱紅燈等移駐森羅店，袁世敦亦帶隊前往，朱紅燈「因見官軍前往，遂列陣迎拒，開槍轟斃隊勇二名，受傷數名。互鬥移時，當被官軍格斃夥犯二十餘名，孫治泰亦受傷殞命。朱紅燈等知勢不敵，分路逃逸。」[133]

　　孰是孰非？毓賢認為，「朱紅燈因平民屢被教民遇事科罰，心懷不平。本年十月初間，適聞平原縣人李長水等被教民李金榜等欺訛，起意糾允心誠……等，各執洋槍刀械，逼脅人眾，齊至李金榜家滋鬧。」總役陳德和「藉案訛詐，妄拿無辜，以致百姓眾怒，土匪乘機，釀成事端。」「平原起事之由，教民李金榜向與平民李長

---

[132] 中國社會科學院近代史研究所近代史資料編輯室編：《山東義和團案卷》上冊，第 13、20 頁，齊魯書社，1980 年。
[133] 《山東義和團案卷》上冊，第 13-14、20 頁。

水不睦，遇事欺壓。該縣不能持平，且縱蠹役陳德和屢向百姓訛詐，以致激成眾怒，盜匪遂乘機搶掠。」[134]奏請將蔣楷革職。他將事件的責任完全歸罪於教民李金榜、總役陳德和以及蔣楷，將朱紅燈等開脫得一乾二淨。

事實並非如毓賢所言。教民李金榜沒有多少財產，「因為生活不好，到東北琿春去」謀生，行前將自己的「五畝地押給李長水，使了李長水四十吊錢」，把他描繪成惡霸或豪紳有違史實。李長水等搶掠李金榜家錢財，絕非是單純的「土地典押糾紛」所引起，也不是李長水意在圖報私仇，主要原因是李金榜信奉洋教。[135]據本村的老人回憶，李金榜和李長水以前雖有過爭執土地的過節，但「李金榜在天主教後，對李長水並沒有為難，李長水之所以搶他，是因為他們神拳內決定的。當時李金榜和楊傳文很好，在一個書房裏讀書，可是楊傳文奉了神拳後，也搶了李金榜。所以搶李金榜不是他們個人的事，是整個教門的事情。」[136]可見李金榜對李長水根本沒有「遇事科罰」、「欺訛」、「欺壓」之事，更談不上列強侵略。毓賢所言純屬誣衊不實之詞。

邱被子等六人「供認聽從李長水等搶取李金榜家糧食衣物屬實」，雖係被逼迫，終究是參與搶劫之人，陳德和奉命捕拿，交縣審理，乃理所當然，絕非「妄拿無故」。至於說陳德和「訛詐多端」，係團民李長水等一面之詞。陳德和被拘押到省城後雖然「日夜鍛煉」，「幾死者數，卒無供」，始終沒有承認；而且「首府招告、委員招告半月」，令人控告，結果「無一人來者」。相反，「來省具保

---

[134] 《山東義和團案卷》上冊，第 23、14、35 頁。

[135] 轉見李宏生：《朱紅燈與平原起義餘論》，《義和團運動一百周年國際學術討論會論文集》，第 732 頁，山東大學出版社，2002 年。

[136] 轉見王守中：《平原事件研究中的幾個問題》，中國義和團研究會等編：《義和團平原起義 100 周年學術討論會論文集》，第 179 頁，齊魯書社，2000 年。

者，乃有百數十人。」[137]邱被子等六人亦未供出他有訛詐之事。據此可知，李長水等說他訛詐是蓄意誣陷，用以表明他們搶劫李金榜財物和對抗官軍正確。而毓賢則「妄信謠言，謂該役受教士賄銀五百兩，故為教內出力。」[138]

毓賢是個頑固透頂的封建官僚，極其仇視洋教，認為打洋教的人都是義民，所以在處理民教糾紛時，不分青紅皂白，不問是非曲直，對團民一概加以袒護，百般辯解，對教民任意捏造，妄加罪名。他對平原事件性質的認定完全是故意顛倒是非，必須認真加以辨別，否則便會被引入歧途。

從上述可以看出，義和團最初的興起均與列強侵略沒有關係。那麼，1900 年突然爆發並迅速席捲山東和直隸的主要原因是不是列強侵略呢？

義和團原是非法的秘密組織，早在鴉片戰爭之前就成立了。1896年 7 月劉坤一命人調查大刀會源流後，告知總署說：「查大刀會即鐵布衫法，乾隆、嘉慶時稱金鐘罩，目為邪教，嚴行禁絕。」[139]1900年 2 月慶親王奕劻等奏稱，義和拳在嘉慶時期就開始活動了。由此看來，義和團成立的目的並非為了反對帝國主義侵略。

1898 年山東巡撫張汝梅派知州李恩祥和東昌府知府洪用舟、署冠縣知縣曹倜去冠縣等地密查，結果是：「直隸、山東交界各州縣，人民多習拳勇，創立鄉團，名曰義和，繼改稱梅花拳，近年復沿用義和名目。遠近傳訛，以義和為義民，遂指為新立之會，實則立於咸同年間未有教堂以前。原為保衛身家、防禦盜賊起見，並非故與洋教為難。」[140]1899 年毓賢所說與此相同[141]。照此說法，義

---

137 蔣楷：《平原拳匪紀事》，《義和團》1，第 360 頁。
138 徐緒典主編：《義和團運動時期報刊資料選編》，第 4 頁。
139 《義和團檔案史料續編》上冊，第 10 頁。
140 《義和團檔案史料》上冊，第 15 頁。
141 《籌筆偶存》，第 43 頁。

和團是成立於「未有教堂以前」,「並非故與洋教為難」,亦即非為反對列強侵略。

當然,原非為反對列強侵略也可轉變為反對列強侵略。據說1894 年大刀會已發展至數千人,1896 年初號稱十餘萬人;1892 年梅花拳一夜可以呼聚萬人;荏平一帶的神拳也於 1895 年開始傳播。最能表現人們反侵略覺悟的,莫過於投入保衛國家、與入侵外敵浴血奮戰的鬥爭了。然而在甲午戰爭炮火紛飛的前線,在 1897年德國出兵侵佔膠州灣的危急關頭,均看不到義和團的影子。在1898 年前後列強強佔租借地和劃分勢力範圍的重要時刻,亦不見義和團有何反對的實際行動。這些說明,到 1898 年義和團尚未轉變為反對列強侵略的組織。

1900 年義和團運動突然爆發,依然不是為了反抗列強侵略。列強侵略最嚴重的地區為租借地和勢力範圍。以山東而言,德國侵佔了膠州灣,將全省視為勢力範圍;威海衛曾被日本軍隊佔領達三年之久,後又被英國強行租借;文登、榮城兩縣曾被英國強行圈佔,並逼迫農民交糧納稅。倘若義和團確是為了反對列強侵略,理應首先在這些地區爆發,而事實不然,爆發卻在西部內陸地區。直隸義和團運動首先爆發的地方也不是在有租借地的天津,而是其他地區。這種現象說明,義和團運動突然爆發的主要或唯一原因並不是列強侵略,簡單地以「侵略」二字來解釋是解決不了問題的。所以在「侵略」之外,探究別的更為重要的原因就理所當然了。

恩格斯指出:「唯物史觀是以一定歷史時期的物質經濟生活條件來說明一切歷史事變和觀念、一切政治、哲學和宗教的。」[142]參加義和團的群眾既沒有如某些論者所說的那麼高的「反帝」覺悟,

---

[142] 《馬克思恩格斯列寧史達林論研究歷史》,第 1 頁,人民出版社,1974 年。

甚至也沒有多少政治意識，他們最關心的是自己的現實生活，切身的經濟利益。探討義和團運動的突然爆發，必須從其經濟生活條件入手，方能得到合理的說明。對於這方面的探究，近年來有些學者已予以高度重視。

北方民情強悍剛勁，好勇鬥狠；普通百姓一向缺乏教育，耳濡目染的只有《封神榜》、《西遊記》、《水滸傳》之類的小說與戲劇，迷信鬼神，落後愚昧。又「性多偷惰，謀生之術太仄，稍一不謹，往往不能自振，以至於失業。因惰而遊，因遊而貧而困」，為了生存，往往「作奸究法」。時間一久，「冒險樂禍，恣睢暴戾之心生焉。明知誅責桎梏之在其後，而有勢可乘，不問是非利害，姑且吶喊附和，恣意焚掠，以饜其所欲」。遇有時機，有人倡導，便成「亂源」。[143]

自 1895 年起，山東、直隸兩省就遭遇天災。1898 年黃河大決口，山東受災五十州縣。直隸永定河決口，受災亦五十多個州縣。1899 和 1900 年又發生了特大旱災，土地無法耕種，糧米騰貴，廣大農村出現了赤地千里，十室九空，餓殍滿目，無數人民流離失所的悲慘局面。這些饑餓的流民群體無以謀生，生活無著，最不安分，隨時隨地都會幹出越軌犯禁的事情，社會陷入極度的動盪不安，到處像一堆乾柴，遇有星星之火，便會爆燃，這就為「亂源」提供了客觀的充分的社會條件。義和團正是抓住這一特殊機遇和饑餓人群的求生心理，打出「扶清滅洋」旗號，而暗中則以「打死洋人發洋財」[144]相號召；「並知各處民教，多因雀鼠之訟，口角之爭，積有嫌怨，故假以仇教為名，使其言易於動聽。甚至遍寫無名揭帖，捏造謠言，……以煽惑鄉愚。」[145]廣大饑餓人群為了求得生存，經其

---

[143] 吳永：《庚子西狩叢談》，《義和團》3，第 464 頁。
[144] 轉見路遙、程歗：《義和團運動史研究》，第 399 頁，齊魯書社，1988 年。
[145] 《義和團檔案史料》上冊，第 90-91 頁。

煽誘，紛紛響應。這就是人數驟然增加，運動高潮迅猛到來的主要原因所在。

許多資料記載，義和團運動爆發的原因是災荒，運動的主體是饑民。如：

山東清平縣：「二十六年夏，大旱，饑，拳匪暴動。」[146]

臨清縣：「先是天旱，民愁。值拳匪蔓延至臨，愚民附者眾至千餘，勢甚張。」[147]

東昌府：「天時亢旱，貧民過多，麋集之眾雖皆聲稱係屬義團，然查看情形，實皆無業窮民，居其大半。」[148]

直隸清河縣：「庚子義和拳起，村人以久旱，糊口無著，欲從之游，既成議矣。」[149]

廣宗縣：「是歲義和拳仇教事起，縣屬饑民乘機焚毀教堂，搶掠教民財物。」[150]

威縣：「是時歲大無，貧民無以聊生，爭附和拳民。」[151]

還有記載說：「拳匪肇釁時，皆面多菜色。」[152]「北方久旱，不能播秧，農夫仰屋興嗟，束手無策，以至附從義和團者，實繁有徒。」[153]「遊手之民，一經習拳，皆得竊食其間，是以愈聚愈眾。」[154]

當時直隸流傳著一首〈趁早加入義和團〉的歌謠，其詞為：「六月裏大旱天吶，男女老少遭了難吶，少吃沒穿誰來管吶，少吃沒穿

[146] 《清平縣誌》，《義和團史料》下冊，第 1030 頁。
[147] 《臨清縣誌》，《義和團史料》下冊，第 1036 頁。
[148] 《山東義和團案卷》上冊，第 366 頁。
[149] 《清河縣誌》，《義和團史料》下冊，第 961 頁。
[150] 《廣宗縣誌》，《義和團史料》下冊，第 956 頁。
[151] 《威縣誌》，《義和團史料》下冊，第 961 頁。
[152] 佚名：《綜論義和團》，《義和團史料》上冊，第 189 頁。
[153] 《八國聯軍志》，《義和團》3，第 213 頁。
[154] 轉見黎仁凱等：《直隸義和團運動與社會心態》，第 25 頁。

誰來管吶。沒吃我沒穿吶，趁早加入義和團吧，打敗洋人吃飽飯吶，
打敗洋人吃飽飯吶。」[155]衡水縣有個團民回憶說，胡家村有個最
大的財主張永茂，是天主教的教頭。義和團鬧起來時，他和兩個
兒子都嚇跑了。拳首渠成江「領著義和團剿了他的家，把他家的
財產全部賣掉，換成錢發給了義和團民。自那以後，義和團每人
每天發給二百五十個錢。這以後學義和團的人更多了，不光年少
青年學，連年老的人也學起來了，那些沒吃沒喝的人都參加進來
了。」[156]

凡此均說明，眾多團民都是「少吃沒穿」的饑民。

據調查，1900 年 6 月，山東魚台的大刀會準備第二天去江蘇
省豐縣打洋教。郭風才說：「當時已經聚合上千人，因為那年大旱，
土地種不下東西，群眾眼看就要挨餓，所以大家都願意跟著去打洋
教。」但是事情也湊巧，就在準備出發的前一天晚上，忽然下了一
場傾盆大雨，這場大雨對群眾簡直是救星，大家如獲至寶，所以第
二天一早就都忙著下地耕種了，去豐縣的事也就沒人再提了。郭風
伍說：「如果不是下了那場雨，事情可就鬧大了。」[157]

還有這樣的記載：一日，有個義和團的大師兄拿著剛毅的名片
求見署順天府尹陳夔龍，謂現因團中人數太多，糧食供給不上，擬
借撥京米二十石備用。陳夔龍當即繕發諭帖，令其與局中委員浹
洽。「時天際濃雲密佈，大雨將至，該拳民仰天太息曰：『我等亦係
好百姓，倘上天早半月降雨，四野沾足，早已披蓑戴笠，從事力作，
那有工夫來京，作此勾當。』」[158]

[155] 轉見蕭興華、曹國金：《廊坊軍蘆村的義和團樂隊》，王廣遠主編：《義和團
廊坊大捷》，第 255 頁，中國文史出版社，1992 年。
[156] 轉見路遙、程歗：《義和團運動史研究》，第 420-421 頁。
[157] 山東大學歷史系：《山東義和團調查報告》，第 82-83 頁。
[158] 陳夔龍：《夢蕉亭雜記》卷 1，第 38-39 頁，上海古籍書店，1983 年。

54

1900 年 8 月，山東省武城縣令與軍官在分析義和團冰消瓦解的情形時說：「細加體察，蓋土匪初冒拳民而滋事，饑民即隨土匪以求生，故半月以前，拳民、饑民溷廁其間，所在皆匪。今幸連得透雨，節氣較往年為遲，晚禾可以補種，饑民安其舊業，散各歸農；土匪憚于兵威，聚（懼）有官捕，此其冰消瓦解委係實在情形。」[159]

可見不少群眾參加運動是因為天災，及見下了大雨，種莊稼大有希望，就不顧什麼「反帝」，跑回家種地去了。英國公使竇納樂（Claude Maxwell MacDonald）就看出了嚴重的自然災害對運動造成的影響，他在 1900 年 5 月 21 日的報告中寫道：「我深信：下幾天大雨，以結束長期持續不斷的乾旱（這個乾旱大大助長了農村地區的動亂），同中國政府或各國政府所能採取的任何措施相比，將更有利於恢復平靜。」[160]稍後刑部尚書兼順天府府尹趙舒翹也看到了這一點，說：「雖未能盡絕根株，但祈甘雨及時，各勤農務，自可銷患無形。」[161]

事實說明，沒有災荒和饑餓，義和團在 1900 年是不可能點燃起燎原大火的，災荒饑餓才是運動突然爆發的真實的主要原因。正如有的學者所說：如果沒有災荒的肆虐，饑餓流民遍地，「很難設想會演化為轟轟烈烈的義和團運動」。此論完全正確。但他們接著又說：「我們提出這一觀點，無意否認義和團反帝反封建的性質，但滿足生存需要，我們認為，是第一位的。」[162]總體上承認「義和

---

[159] 《山東義和團案卷》下冊，第 849 頁。

[160] 胡濱譯：《英國藍皮書有關義和團運動資料選譯》，第 72 頁，中華書局，1980 年。

[161] 《義和團檔案史料》上冊，第 107 頁。

[162] 池子華等：《災荒・流民・義和團運動》，《義和團運動一百周年國際學術討論會論文集》，第 416-417 頁；黎仁凱等：《直隸義和團運動與社會心態》，第 25 頁。

團反帝反封建的性質」，意味著爆發的主要原因不是災荒饑餓，不僅與前面的說法不一致，也與「滿足生存需要」「是第一位的」相矛盾。「滿足生存需要」既占第一位，說明運動爆發是為了生存活命。如果風調雨順，沒有災荒和饑餓，可以肯定地說，便沒有1900年轟轟烈烈的義和團運動，列強侵略是運動爆發的主要原因也就根本無從談起了。

二、不是「反帝」是盜匪

（一）義和團打洋教的實際情形

按時間劃分，以 1900 年 6 月 21 日清廷發佈宣戰詔書，明令嘉獎義和團為義民為界（還有其他分法），義和團運動大致可分為前後兩個時期，而具體情形山東又與直隸有異。毓賢擔任山東巡撫期間，採取袒拳抑教政策，引起列強不滿，要求將其撤換。1899 年12 月清廷將其調離（後任山西巡撫），改任袁世凱署理山東巡撫。袁世凱認為義和團是邪教，抵任後即出示禁止，同時廣派官紳向群眾講解宣傳，派軍隊到各地彈壓。義和團經其分化瓦解和武裝鎮壓，受到沉重打擊，大部分轉移到直隸去了。清廷嘉獎為義民後，又大肆活動起來。直隸的義和團 1899 年開始活動，主要在河間府一帶。1900 年逐漸興起，特別是「自聞三月十八日邸鈔有『民間學習拳棒，自保身家』等語，無不公然演練」，「紅巾紅帶，百十成群，往來遊蕩，幾成無處不有。一若官軍不能懲創，教民例應殺害。視焚殺搶擄為無罪，抗官拒捕為分內。」[1]以後越發狂熱，不但人數、規模都超過了山東，而且心態也大不一樣，行為之暴虐，手段之殘酷，均非山東所能及。

---

[1]　劉春堂：《畿南濟變紀略》，《義和團史料》上冊，第 336 頁。

　　以內容劃分，義和團運動大致可分為對內與對外兩部分。對內為貫徹始終的打洋教，對外為抗擊八國聯軍。為敘述方便和清晰起見，本書依此劃分。

　　義和團怎麼打洋教？對象是否僅限教堂教民？取得的戰果如何？只有把這些實際情形弄清，才能瞭解運動的真相，也才能對打洋教有個深刻的本質的認識。同時為了證明不是惡意誣衊誹謗義和團或極力為帝國主義侵略中國罪行翻案，下面不得不較多地引用資料，以為根據。茲據不太完全的地方官員稟報、奏摺和文獻記載，分別扼要地列舉義和團在兩省各州縣活動的概況。有些州縣因缺乏具體資料，均付之闕如。

1.燒殺搶掠教民、平民和回民

（1）山東

　　義和團打洋教不僅殘酷野蠻地燒殺搶掠教堂教民，而且以同樣的手段禍害平民。需要說明的是，關於山東義和團打洋教的情形，由於文獻記載有時明確，有時模糊，因此沒有將教民和平民受害情形加以區分。再者，大刀會開展活動最早，範圍稍廣，並涉及外省，故先將其早期活動單獨敘述（後期包括在義和團中），然後再列舉各州縣。

大刀會的早期活動：

　　1896 年 6 月頭目龐三傑與教民劉蓋臣爭搶麥子的事發生以後，大刀會「遂以滅教為名，肆其焚掠。」[2]

---

[2] 《義和團檔案史料續編》上冊，第 18 頁。

　　山東巡撫李秉衡直接引用毓賢（時任曹州知府）等人的稟報，奏稱：「查碭匪龐三傑，因挾教民劉藎臣搶麥之嫌，勾邀東、南兩省刀會，於五月初五（6月15日）、十一等日，先後至單縣各教民家砸毀器具，並焚燒薛孔樓洋學，復槍斃未入洋教之民人龔克亮、王學亮二名。十五日，至豐縣（江蘇省）戴套樓，焚毀教堂。十八日，龐三傑糾邀牛金聲即尤金聲、彭桂林……等會目，領黨四五百人，在江南、山東交界之馬良集盤踞。……十九日，龐三傑等在馬良集搶劫鹽店、京貨雜貨等鋪及江南裁缺外委衙門。二十日，在單縣東南鄉搶劫糧食、馬匹。」[3]旋彭桂林被江蘇省徐州府防營及民團擒獲，龐三傑的隊伍也被單縣知縣李銓會同參將岳金堂督帶勇隊打敗，生擒多人。繼之劉士端被捕，由毓賢訊明正法。

　　1897年7月23日，大刀會四五百人圍攻江蘇省碭山縣侯莊教堂，打傷壯丁一名，燒毀居民房屋三十餘間，「正放火圖劫」，防營與該縣帶兵往捕，格殺五人，其餘逃散。[4]

　　1898年8月，大刀會搶劫金鄉縣羊山劉學孟、前店楊明忠和杜樓的幾家教民，連鍋碗瓢盆等都拿走了。[5]

　　1899年大刀會得到進一步發展，「綜計正匪、脅從等不下三四萬人，其被脅從者，須交錢二千文。」「邵士宣勾結紅拳會陳兆舉等，糾眾各處，尋招（找）教民勒索。」「蹤跡橫行，不可理喻，非獨與教民為難，即官長、百姓亦受其欺凌。中元節有刀匪百餘人，在濟寧州一帶滋擾，行蹤所至，苟欲免其劫殺，須由地方紳士賄送三四百或一二百金，方越境而過。其嘉祥地方天主教民，被擄勒贖者已數十人。」有一股自范縣舊城進入壽張縣，「沿途劫奪衣物牛馬，犯及縣城南門外，肆行無忌。」後被練勇擊潰。還有數百人「由

3　《義和團檔案史料》上冊，第4-5頁。
4　《清末教案》2，第666-667頁。
5　山東大學歷史系：《山東義和團調查報告》，第77-79頁。

沛縣（江蘇省）郝集竄至豐樂村、八里屯一帶，搶掠教民牲畜，並將豐樂村舊堂學屋門窗毀壞。」又「搶掠」東西劉莊。10 月，大刀會杜其寬等人到山東堂邑縣張殿屯教民王金河家，「刀劈」其子，「所有物件，盡行劫去。」莘縣劉曰清等糾合大刀會二百餘人，「將梨園等莊于貴等教民二十五家搶劫，並將劉懷鄰之妻、弟、妹用刀背砍傷。」11 月，茌平縣的大刀會在「李韶武莊搶兩家；將軍廟一家，擄去一人，云欲祭刀；程莊三家」。「搶劫鮑莊教堂」，「並將本堂教士劫去，勒索青蚨三百千。」與此同時，齊河縣的大刀會「焚掠慘暴，累及良民。」[6]

長清縣：

縣令張瑞芬稟報：1899 年 11 月至 12 月，團民滋擾小袁莊教民趙藍田、郝家莊教民郝丙義兩家，經人說合，趙藍田給團民京錢三十吊，郝丙義給十吊。鄭家營教民鄭繼先、鄭繼尹、鄭繼堂三家，被團民搶去錢文、衣物，牽去牛馬，砸毀器具；鄭繼堂家被燒毀草房三間。平民鄭繼清、鄭好明、鄭好清、鄭繼榮四家，被搶去糧食、衣物。朱家莊教民朱宴階、朱永玉兩家，被搶去粗重器具。張李家莊教民李公堂家，被搶去銀錢、衣物、車輛、牲畜，房屋燒毀十間，其父與弟均被擄去，用京錢二十千贖回。徐家樓教民徐長明、李官屯教民李達兩家，被勒索銀四十兩。老王莊教民宋彥臣家，被勒索京錢二十千。佛公店教民丑玉福、丑學禮兩家，被搶去糧食、衣被，牽去驢頭，並將丑玉福擄去。燕家窯平民孔兆鳳、孔兆吉兩家，被搶去錢文、衣物，砸毀器具。柴家窪平民關祿興家，被搶去錢文、衣物，砸毀器具，並將其弟捆縛，逼去銀兩。三官廟平民魏貞銀家，

6 徐緒典主編：《義和團運動時期報刊資料選編》，第 4、14 頁；《義和團檔案史料續編》上冊，第 323、450-451 頁；《山東近代史資料》第 3 分冊，第 331 頁；《齊河縣誌》，《義和團史料》下冊，第 1025 頁。

被搶去錢文、衣服，牽去騾驢，砸毀器具。封家莊教民陳大禮、陳大順、陳大玉、陳大倫、陳曹氏、陳延鳳、陳中田七家，被搶去糧粒、衣物、器具，陳延鳳家並被燒毀房屋四間。李家莊教民李王氏家，被搶去衣服、糧粒。辛莊平民劉存榜家，被搶去車輛、衣物、器具，將其弟擄去，勒令用銀二百兩贖回，還毆傷了工人張希苓等。翟家莊教民李玉安，被搶走衣服、耕牛，經人說合，用銀贖回。薛莊平民房慶台家，被搶去銀錢、衣物。以上教民共被搶擾二十二家，平民共被搶擾十家。[7]

繼又補報：辛店屯等莊教民王鴻慶等六家，共被團民勒索銀八十三兩，京錢四十一千。南水坡莊平民張立倫家，被勒索銀八十兩。馬官屯教民王京坤等六家，被勒索京錢一百二十千。辛店屯東小莊教民李秉貴、李秉海、張惠明三家，共被勒索京錢一百二十千。龍官莊教民馬存盛家，被勒索銀八十兩。辛莊教民曹文霞家，被勒索京錢二十五千。前劉官莊教婦陶李氏等及平民馬慶榮等家，被搶被勒。[8]

以上相加，教民被搶劫勒索共四十餘家，平民被搶劫勒索共十幾家。

1900 年 6 月，團民突入袁家莊，聲稱趙藍田、趙希功兩家曾習洋教，將二人殺死。[9]

7 月，搶劫徐家窪平民金雲鳳家，被官軍擊斃數人，奪獲搶去的耕牛。[10]

8 月，團民聲稱土屋莊平民曹文貴習洋教，將他家衣物、錢文劫去，房屋燒毀，並將他綁架，勒令用錢贖回。[11]

---

[7] 《義和團檔案史料續編》上冊，第 524-526 頁。
[8] 《山東義和團案卷》上冊，第 352 頁；下冊，第 578 頁。
[9] 《山東義和團案卷》下冊，第 584 頁。
[10] 《籌筆偶存》，第 357 頁。

《長清縣誌》記載說：「拳匪四起，倡言保清滅洋，橫行劫掠，架戶勒贖，河西被害者不計其數。」[12]

禹城縣：

1900年2月縣令稟報：此前計被擾各處應行撫恤者共十七莊。教民被搶四十一戶，威逼訛錢七戶，被擾未曾失物極貧者一戶，平民被搶六戶，共五十五戶。其中包括王自隆、孫志太等多人搶劫興國寺教民高金亭、高雲慶兩家；搶劫長里莊李金山、李鳳閣兩家。搶劫苗家林莊教民王書紳等四家衣物，燒毀房屋四間，殺害看門民人一名。另據報導，該莊教民十七家，所有輜重，盡被劫去。並傷十八歲女一名，婦一名，男丁二名。燒毀洋式教堂一座，堂中所有，或搶或毀，均已淨盡。搶劫教民許天順家車輛衣物，並將其子綁架勒贖。搶燒房家莊教民數家。關東嶺等搶勒教民李二牙等家銀錢、花馬。寶莊教民張哲、趙榮、王化亭等三家被搶去車輛、牲口、衣物，教民孫廷宣家被搶去牛一隻、衣物數件。[13]拳首王立言知某教民家境富裕，「搶其糧粒載歸，計其衣物索資，然猶掠其子，令買馬二十匹為贖」；又「分黨搶掠韓莊教堂」。[14]

1900年4月，團民突入王武彩莊教民任康家，搶走衣服、糧粒。因糧食攜帶不便，勒令鄉民購買。莊鄰不允。團民聲言，不買就先放火燒糧，然後焚燒任康家房屋。莊鄰恐延燒被累，答應購買。經人竭力說合，任康備京錢一百五十千將衣物贖回。韓莊平民韓肉頭與教民韓士信家也被滋擾，但兩家均係貧困戶，無物可搶，團民就將他們「傷斃」。[15]

[11]　《山東義和團案卷》下冊，第591頁；《籌筆偶存》，第432頁。
[12]　《長清縣誌》，《義和團史料》下冊，第1026頁。
[13]　《山東義和團案卷》上冊，第247、9、241-242頁；下冊，第579頁；《籌筆偶存》，第54、74、197頁；《義和團運動時期報刊資料選編》，第3-4頁。
[14]　蔣楷：《平原拳匪紀事》，《義和團》1，第361頁。
[15]　《山東義和團案卷》上冊，第262-263、249頁。

7月，團民突入大馮莊平民任安榮家，「捏稱伊係教民，將伊捆縛，勒去紋銀四百兩，始行放回」。又「捏稱」前油坊橋平民張俊士「係教民，齊入伊家搶去衣服、驢頭，並燒毀木樨等物而去。」[16]並在姜家莊李姓教民家勒索京錢一百二十千，令其送至丁家寺。[17]

小楊家圈的教民楊成恐義和團滋擾，將家中財物挪寄別處。孫書紅率領團民由齊河縣突入其家，沒有搶到財物，即到平民楊懷玉、楊懷寶家，「硬說伊等均係教民」，搶劫糧食衣物，並用他們家的大車、牲口拉走，還將楊懷寶之父及楊懷玉堂祖捉去勒贖。楊懷玉等立即喊叫鄰人追上與團民格鬥，被義和團殺死三人。[18]次日，孫書紅等人復搶孫莊。小楊家圈的村民聞知，又去參加戰鬥，當地防營亦馳往救護，孫書紅等立即逃竄。[19]

平原縣崔家寨拳首崔月金帶領多人突入禹城縣姜莊文生王書甲家，搶掠衣服、牛馬等物，燒毀房屋。並聲言三日內若不交納萬串錢，定將焚殺殆盡。後崔月金等前去王書甲家取錢，經莊眾說合，先交京錢三百千。[20]總共被勒去一千吊錢，焚毀二十餘間瓦屋。[21]

郅辛莊的團民郅丑仔等搶掠教民郅敬烈、邵登山及佃戶尚心元等家的衣服錢物。秋收以後，他「挾郅敬烈控究之嫌，現欲分其糧食未允，商同在逃之郅住仔勾匪復搶，尚未聚眾，即被拿獲。」[22]

此外，義和團還「挾制府縣，燒毀公局，勒逼民財，劫監殺命。」[23]

---

[16] 《山東義和團案卷》上冊，第 269、268 頁。
[17] 《籌筆偶存》，第 292 頁。
[18] 《山東義和團案卷》上冊，第 211-212、268 頁。
[19] 《籌筆偶存》，第 363 頁。
[20] 《山東義和團案卷》上冊，第 272、279 頁。
[21] 《籌筆偶存》，第 360 頁。
[22] 《山東義和團案卷》上冊，第 275-276 頁。

1900 年 12 月 10 日該縣稟報：統計被擾、應行撫恤者三十二村莊。教民被燒毀房屋及搶掠衣物者五十六戶，威逼訛錢者八戶。平民被搶六戶。[24]

齊河縣：

1900 年 1 月齊河縣稟報：此前程子坡莊教民史有會、史有勤兩家，官莊范景玉一家，大冀莊教民鄭可敬、于鳳山、鄭可榮、葛文祥、葛金榮家，辛莊教民孟繼賢、李長法、李長太家，杜家寨教民方金章、方金甲、武振甲家，均被搶去錢物糧食。[25]其中史有勤家被搶的東西為鋪櫃一口、鍋二口、床一張、犁一張。[26]

7 月，義和團將大冀莊教民葛金榮殺害，並將他家及教民葛武祥、葛文祥、葛徐氏、葛秋堂、葛金堂、葛安堂、鄭可敬、鄭可榮、于鳳山、李延章共十一家的房屋燒毀，綁走葛武祥及兩個兒子；將北辛莊教民孟繼賢、楊湘南、李長法、李長太四家房屋燒毀，綁走孟繼賢之子。[27]

9 月，拳首王井「起意鬧教搶奪」，帶人搶去北辛莊已經反教的李長法、孟繼賢、董曰溫及平民董曰魁、郝金榜等家的錢文、衣物、驢頭，放火燒毀他們的廠棚和閑屋，並將鍋碗砸毀。[28]

12 月，齊河縣稟報：本年義和團在全縣共燒搶教民二十二戶，殺三人，訛二人，燒毀書房二座。[29]平民不在其內。

23　《山東義和團案卷》上冊，第 267 頁。
24　《山東義和團案卷》上冊，第 277 頁。
25　《山東義和團案卷》上冊，第 205-206 頁。
26　《籌筆偶存》，第 63 頁。
27　《山東義和團案卷》上冊，第 211 頁。
28　《山東義和團案卷》上冊，第 215 頁。
29　《山東義和團案卷》上冊，第 218 頁。

歷城縣：

1900 年 1 月，團民搶掠潮米店仇玉福、仇學禮，並綁架仇玉福勒贖。[30]

平原縣：

1899 年 9 至 10 月，除李金榜家被搶外，尚有董路口教民二家被搶，朱紅燈等搶劫李爐莊教民十三家，財物盡失。又搶四家。[31]

1900 年 8 月，團民在大李莊搶擾[32]。

臨邑縣：

1900 年 4 月，搶劫張好百家莊教民張秉寅[33]。

8 月，教民賈鳳城的房屋十二間，秦相功的房屋三十間，被義和團放火燒毀，並搶去器具。窪里王廟教民王保金家土房兩間，王洛三、李世清土屋各一座，均被燒毀，王保金攔捕，被砍傷身死。[34]

南謝莊以費講仔、劉元太為首的義和團六七百人首先攻破商河縣小張莊，殺死男女教民一百零八口。[35]其中包括臨邑縣逃到此地躲避的白廟莊教民欒起與劉錦綬之弟妻劉孟氏；胡家莊李佃榮之父母、兩個妹妹、一個弟弟；李繼有之妻、二子、一女；謝家莊李元達七人，共十八人，並進行搶劫。[36]繼而前往陵縣劉家寨，圍攻教民，被寨內擊斃數人。孟恩遠率官軍追剿，擊斃費講仔、劉元太等一百六七十人。[37]

---

[30] 《籌筆偶存》，第 122 頁。
[31] 徐緒典主編：《義和團運動時期報刊資料選編》，第 4-6 頁。
[32] 《籌筆偶存》，第 458 頁。
[33] 《籌筆偶存》，第 227 頁。
[34] 《山東義和團案卷》上冊，第 288、289 頁。
[35] 《臨邑縣誌》，《義和團史料》下冊，第 1026 頁。
[36] 《山東義和團案卷》上冊，第 310-311 頁。
[37] 《籌筆偶存》，第 409 頁。

　　在該縣大肆活動的還有以朱會泉為首的另一股義和團，此人「本係著名惡棍」，「託名仇教，擾害平民，焚掠殺戮，搶人勒贖，無所不為。」縣令偵知他們由陵縣一帶搶劫騾馬回家，即帶練勇差役將他們擊潰。彭有戎、張甤會、王振信供認，皆跟隨朱會泉「迭次搶奪教民、平民騾馬財物，及放火故燒事主房屋，搶人勒贖，抗拒官兵等情不諱。」此外，還有「被匪焚搶者」，「被匪嚇訛錢財者」，「逃出中途被擄勒贖者」。[38]

陵縣：

　　1900 年 4 月，團民搶掠路家莊教民盧秀山家[39]。

　　8 月，茌平縣義和團與當地人吳二和仔、周有仔合夥，先搶欒姓財物，復搶喬文德家牛驢，均經人說合，用錢贖回。[40]

　　9 月，王良莊文生王連茹與其兄等勾來團民，聲稱平民王明、王璞系屬奸細，燒毀二人房屋六間，搶去驢二頭，並將莊長王殿成擄去。接著赴康莊一帶搶掠富戶。[41]後被官兵擊退，仍在德州、吳橋一帶竄擾。[42]

德州：

　　1900 年 7 月，團民在小史莊殺死史姓夫婦二人，燒毀房屋五家。[43]

　　馬東一等團民「搶劫德州觀音寺」[44]。

---

[38] 《山東義和團案卷》上冊，第 290、293、305 頁。
[39] 《籌筆偶存》，第 227 頁。
[40] 《山東義和團案卷》上冊，第 341 頁。
[41] 《山東義和團案卷》上冊，第 327 頁。
[42] 《籌筆偶存》，第 539 頁。
[43] 《籌筆偶存》，第 339-340、351 頁；《山東義和團案卷》下冊，第 802 頁。
[44] 《籌筆偶存》，第 393 頁。

新城縣：

1900 年 9 月，義和團在東營燒毀教民房屋十數間，殺害老幼婦女五人。[45]

濟陽縣：

1900 年 8 月，義和團在垛石橋查找教民杜瑞宣未獲，硬向景文雜貨店要人，將業主周景文綁架。[46]

9 月，外來大刀會先將陳玉恒家房屋二十餘間焚燒淨盡，後又焚燒四五家教民。[47]

與此同時，惠民縣總管大師兄孫玉龍「起意焚燒搶掠」，先後傳帖邀集孫九龍、陳雲嶺、王敬典等股約一千多人，齊集濟陽縣。他們指稱陳家莊陳雲閣家「係屬教民，強搶衣物」，燒毀房屋二十餘間。搶劫安家廟教民李寶善、安學芹家糧食、財物，並將李寶善之母綁架至玉皇廟內殺死，焚屍滅跡。又搶掠官道莊陳姓家糧食、錢文。還到范家莊及路家寨等處搶劫財物，殺人放火。[48] 9 月 24 日，孫玉龍等抵抗官軍，將帶領勇隊捕拿的候補知縣查榮綏砍傷，立時身死。

縣令 1900 年 12 月稟報：全縣被擾教民十五家，平民四家，共十九家。[49]

長山縣：

尹家莊只有教民李士榮一家。1900 年 8 月，師兄王雲龍率人將李士榮的妻子殺害。吩咐首事等人「將該教民房產速行變賣，送

---

[45] 《籌筆偶存》，第 477 頁。
[46] 《籌筆偶存》，第 463 頁。
[47] 《山東義和團案卷》上冊，第 132-133 頁。
[48] 《山東義和團案卷》上冊，第 137、159、222、228、168 頁。
[49] 《山東義和團案卷》上冊，第 239 頁。

往新城縣宋旺莊總團局，以作團費。並言該教民久有邪術，欲行害人，故我等特來殺斃等語。遂將該教民李士榮拖帶而去。」李家草屋數間，也「逼令莊民扒拆」。[50]

堂邑縣：

1899 年 12 月，教民王金山與王廣有家，被劫錢物。教民任德純家，被訛索銀兩。[51]

聊城縣：

1899 年，教民姚登瀛被訛借銀兩、馬匹。義和團到果子王莊教民韓良孝等家滋擾，勒令反教。「有刀匪數十人由東北邊境一帶闖入，莊眾央說，供給麵食二百餘斤，湊川資制錢六千，匪遂散去。」[52]

1900 年 8 月 1 日，義和團硬說黃河崖莊平民張萬有曾入洋教，搶掠牛驢、衣物。莊長張文炳向前攔阻，被砍傷綁架。地保張孝全率村民追至茌平縣境，被殺死二人，殺傷一人。張文炳被綁架到茌平縣，因無人來贖，團民欲加殺害。後經人說合，團民令張文炳函告本莊出京錢七十千取贖。錢尚未交，官軍即將張文炳解救。[53]

另有侯見高被劫，侯見有被轟傷死之事。[54]

高唐州：

1899 年 11 月，拳首董延邦、王立言等率人聚集李家集、涸河等村，「借仇教為名，肆意劫掠。」[55]

---

[50] 《山東義和團案卷》上冊，第 185、189 頁。

[51] 《籌筆偶存》，第 52、191 頁。

[52] 《籌筆偶存》，第 66、89、106 頁。

[53] 《山東義和團案卷》上冊，第 369、371 頁。

[54] 《籌筆偶存》，第 497 頁。

[55] 《高唐州志》，《義和團史料》下冊，第 1031 頁。

同年 12 月，高唐州稟報：團民將教民馬本敬、王貴方家銀錢、糧食、衣物全行搶去，並將王貴方西馬棚二間、南屋二間放火燒毀。小楊官屯平民臧吉太被勒去紋銀四百兩、京錢二百三十千。教民袁其順、張立勳、張吉田、任福慶、彭玉魁等家，共被罰去京錢二百五十千。石光吳莊教民趙玉堂家被搶去糧食若干，馬一匹，罰去京錢一百四十千。堤子陳莊陳玉振家被搶去車輛、騾頭、衣物等件。胡集平民郭安良家被搶去京錢五百千，棉花四千斤，並糧食、衣物等件。張官屯平民王方寬家被搶去錢財傢俱，並將他擄去，割去右耳，始行放回；其家房屋被拆扒，地畝亦被價賣。劉樓教民曲紹曾家被搶去錢財傢俱等物。何家廟文童劉世澤家被搶去紋銀九十多兩，京錢二十三千，煙土一包，驢二頭，牛一隻，騾一頭，轎車、大車各一輛，棉花若干，並將其弟擄去。楊莊平民楊殿臣家被搶去傢俱等物。五里鋪教民高善章家被逼令擺席若干，罰錢數十千。徐官屯教民王連元家被訛去京錢二百六十千，牽去牛二隻，驢三頭，破車一輛。教民江迎春、江文祥家各被訛去四十千。田莊平民田兆忠家被搶去京錢四十六千，驢二頭，小車三輛，衣服被褥各件，其弟被打傷。總計被搶擾教民十三家，平民七家，共二十家。[56]

1900 年 7 月以後，外地團民竄入境內，將前曾入教之于保林父子擄走，家屬托人用錢贖回。接著團民進入堤子張莊搶掠。搶劫五里鋪高鳳至家衣物。[57]擄去邁官屯胡丕澤家雇工董德成，搶去騾馬衣物。搶劫常王莊「三家教民衣物，訛索得京錢二百八十千文。」[58]

茌平縣：

1899 年 9 至 12 月，小張莊教民張岑兒被團民砍傷四處，不久斃命。[59]朱紅燈供認，因與張官屯徐清華等有仇，放火搶掠；

---

[56] 《義和團檔案史料續編》上冊，第 495-497 頁。
[57] 《籌筆偶存》，第 347、356-357 頁。
[58] 《山東義和團案卷》上冊，第 472、553 頁。
[59] 《籌筆偶存》，第 92 頁。

將教堂教讀王觀傑綁走殺害；殺斃大張莊教民二人，放火燒毀洋式教堂；至吳楊二莊，勒索銀七百兩。[60]王成章等團民到劉來寺一帶，劫擄趙宗仁家。羅洪英等團民闖入杜翠華家，欲進各屋搶掠。經莊民說合，給銀三百兩，京錢二百五十千，始未入室。[61]王立言在茌平邊界，「以搶劫為事，派各莊出馬，練馬隊。」[62]

另據報導，梁莊八家，王家爐莊兩家，姚張莊十三家，吳官屯八家，小張莊五家，八里莊四家，焦莊六家，馬家沙窩十四家，張官屯十六家，均被搶劫。殺斃教民二名，教經人一名。[63]

1900 年 7 月，義和團燒毀閣屯教民王立方家土屋二間。燒搶賈莊教民賈景運、姚張莊教民李福汗等家。在張莊外截殺教婦張李氏等二名。拆毀教婦王武氏家房屋，搶去器物。教民高文郁家被拆毀房屋三間。教民賈文明家被拆毀房屋七間。教民左文元家被拆毀房屋六間。教民焦聖訓寄存在張連魁家的衣物被搶去。搶劫洋樓張莊教民兩家，經人說合，得京錢一百五十千。劫掠「黃家屯三家教民衣物，變賣得京錢五百五十千。」[64]

秋天，義和團又攻破張莊，「劫掠教民」[65]。

清平縣：

1899 年 11 月，外地義和團突然闖入馮傳莊王長貴家，拆毀廠棚二間，搶走門扇粗重之物，毀磨二盤。復至許莊，得知教民郭芹家衣物均存其戚苗立邦家，一齊擁入，搶劫而去，拿走教民許芸的

[60] 《山東義和團案卷》上冊，第 20-21 頁。
[61] 《籌筆偶存》，第 74、174 頁。
[62] 蔣楷：《平原拳匪紀事》，《義和團》1，第 361 頁。
[63] 徐緒典主編：《義和團運動時期報刊資料選編》，第 3 頁。
[64] 《山東義和團案卷》上冊，第 400、408、563、553 頁。
[65] 《茌平縣誌》，《義和團史料》下冊，第 1029 頁。

磨一盤。闖入小劉莊教民劉昌棟家，拆毀房檐四間，燒毀門扇、桌椅。搶劫王金頷家的衣服財物等件。[66]

1900 年 3 月，義和團又至許莊，搶走苗立邦家衣服，砸毀鐵鍋瓦缸，將他和教民郭芹之子一併綁架，毆傷郭芹之妻。[67]

6 月，外來義和團竄入該縣劉莊，教民劉昌棟先期躲避，衣物寄存族人劉慶永家。義和團遂搶走劉慶永家牛和衣服，並將他和工人劉慶立綁架。[68]

7 月，義和團砍毀電桿二百十八根。又竄至丁馬莊，搶劫平民丁永遠家衣物。[69]訛索張官屯平民黃玉慶京錢二百千。黃玉慶央求鄉眾說合，籌給京錢百千。搶去孫伍營平民張金貴家錢和衣物，並毆傷其父母。[70]

8 月，義和團將平民趙長言的父親和叔父綁架至博平縣勒贖，趙長言用銀三十兩贖回。並綁架教民南化行，搶去他家的衣服，砸毀鍋碗木櫃等物。[71]

據清平縣稟報，全縣被擾教民十八戶，平民張振玉、黃玉慶、劉慶永、張金貴、趙開榮等五戶。[72]這個數字有遺漏，如平民丁永遠、趙長言均未統計在內。

恩縣：

1900 年，「有拳匪四五百人，在恩、平兩縣接界之森羅殿，借仇教為名，肆意劫掠，又在四女寺山西會館內嘯聚多人，仇殺教民。」[73]

---

[66] 《山東義和團案卷》上冊，第 411 頁；《籌筆偶存》，第 91 頁。
[67] 《山東義和團案卷》上冊，第 412-413 頁。
[68] 《山東義和團案卷》上冊，第 414 頁。
[69] 《籌筆偶存》，第 329 頁。
[70] 《山東義和團案卷》上冊，第 422、420 頁。
[71] 《山東義和團案卷》上冊，第 419、421 頁。
[72] 《山東義和團案卷》上冊，第 423、427 頁。
[73] 《重修恩縣誌》，《義和團史料》下冊，第 1031 頁。

3月，胡莊教民楊興邦、楊桂芳兩家，「被匪訛索」。[74]

7月，范家窯李萬德、李萬傑勾結義和團，將該莊平民李唐氏、劉士功兩家搶掠一空，並焚毀劉士功房屋，殺死教民李四。其後，郭長太挾嫌勾結義和團，搶掠劉賢莊平民劉長運家。馬亭、劉庚、趙福以「三合義和團名目，具帖分送各莊，令其出錢。否則即係教民，夜來搜洗。」[75]

8月，義和團搶去平民安鍾文家錢文衣物。殺害太平橋驛教民徐茂修及其母親，牽去牛一隻，驢一頭。[76]

博平縣：

1899年10月，朱紅燈等向已革教民朱明經訛詐不遂，將其綁架，放火燒毀草屋數間，並向周克存家訛索銀五十兩。搶劫教民趙文燦家車輛糧食，放火燒毀房屋四間，綁架趙文燦勒贖，得馬一匹。11月，搶劫教民劉開太家牲口車糧，燒毀房屋十二間，綁架男丁二名。因平民張萬春向前理論，將張萬春用槍扎傷身死。[77]

至1900年2月，全縣被滋擾六十八家。[78]

1900年6月，拳首邢兆陸帶人搶劫路樊莊教民樊士匠家衣物，燒毀房檐木料，並綁架其父。搶黃家沙窯教民黃仁慶、劉連傑兩家衣物，打壞鐵鍋。搶玉皇廟教民趙文燦、趙山、趙文篤、趙登殿四家牛馬，燒毀房屋。後又搶劫王麻仔莊一家教民。[79]

---

[74] 《籌筆偶存》，第150頁。

[75] 《籌筆偶存》，第359頁。

[76] 《籌筆偶存》，第435、454頁。

[77] 《山東義和團案卷》上冊，第20-21頁。

[78] 《籌筆偶存》，第131頁。

[79] 《山東義和團案卷》上冊，第390、392頁；《籌筆偶存》，第283頁。

7月，該縣以孫慶有、劉玉臣、尹東海等為頭目的義和團，「到處滋擾」。[80]

團民馮五「因與趙克明有仇，捏稱趙克明係屬教民，邀同康四等強劫洩忿」。劫去趙克明家牛驢衣物。趙克明喊叫鄰居李文法、馮玉環等捕拿，均被擊傷，李文法旋即死去。[81]

肥城縣的拳首帶人搶劫該縣「張莊教民一家錢文、糧食、牛隻，變賣共得京錢一百二十千。」[82]

冠縣：

閻書勤為梨園屯義和團十八魁之首，1898 年被官軍打傷，逃往直隸藏匿。1900 年 1 月，他與王十、王振裕等在邱縣常屯盤踞，捉擄冠縣帶隊曹中明、馬勇張金得，挾逼凌虐，並捉擄常屯教民許法興，燒毀其房屋。後來領著團民返回梨園屯，與官軍打仗，王十將張金得牽至陣前，用刀砍傷，又將許法興殺死。閻書勤遂又招集直隸、山東各股義和團嘯聚十八村一帶，「殺人放火，恣意訛搶。並迫令各村供給糧草，且不准十八村及威縣、曲周附近各村練團。」[83]7 月，威縣、館陶的團民分路進入冠縣，將小里固、孫家莊、固獻村、蔣家莊、陳固、陳家莊、紅桃園、梨園屯、宋家屯、中興集、趙村、小王曲、小莊、鴨窩等處教堂、教民房屋，分別焚拆無存。[84]8 月 17 日，閻書勤被官軍捕獲。

義和團大受挫折以後，教民乘機尋仇報復，殺斃團民十幾人，且收割他們的秋禾，佔據紅桃園李老紹家房屋。團民報復，10 月

[80] 《山東義和團案卷》上冊，第 417 頁。
[81] 《山東義和團案卷》上冊，第 373 頁。
[82] 《山東義和團案卷》下冊，第 563 頁。
[83] 《山東義和團案卷》上冊，第 458、381 頁。
[84] 《籌筆偶存》，第 355 頁。

11 日夜殺死教民孫明山等十六名，並將李老紹空房三間燒毀，搶掠衣物。[85]

據冠縣 1900 年 11 月 12 日稟報，自本年 7 月閻書勤「聚眾滋擾，教堂以及教民房屋大半被匪焚拆無存，教民四出逃亡」。「教民先後被匪擾害者，共一百二十五戶。」[86]

館陶縣：

1900 年 7 月，六七百團民向張官寨等村各富戶強索盤川，搶奪馬匹及槍炮，晝夜滋擾。經各富戶斟酌，開發京錢十數千或二、三十千不等。其後，他們「麇屯蟻聚，執持槍炮器械，猖獗愈甚。以前止強索硬取，日來則恣意剽掠，馴至放火傷人，居民徙避，又復沿途截搶。」繼而竄入大章堡、汪家堤等處，將十數家村民「入室搜劫一空」，拒捕傷人，放火燒死米富榮三歲幼女。到范堡村「勒索銀錢、馬匹、軍械。村眾固守，不令進莊，該匪等開放槍炮攻打」。該縣典史督飭練勇鄉團上前圍定，與村民內外夾擊，始將他們打散。[87]

與此同時，河西尖莊及附近一帶，也有義和團「劫掠勒索莊民，出借馬匹。」[88]

8 月 6 日，數百團民從直隸分竄入境，「在各村滋擾」[89]。

泰安縣：

該縣向無學拳之人，1900 年 8 月 9 日，忽有外縣義和團竄入縣境跑馬莊，綁架教民男二名、女六口，燒毀教堂瓦屋七間，草屋一

85 《山東義和團案卷》上冊，第 458-459、465 頁。
86 《山東義和團案卷》上冊，第 451 頁。
87 《山東義和團案卷》上冊，第 435-438 頁。
88 《籌筆偶存》，第 304 頁。
89 《籌筆偶存》，第 419 頁。

間。教民均係極貧，而團民勒索贖金每名二百兩。又派被綁架人的家屬「持義和團名帖至侯村地方東莊教民家借銀，不借，即將焚架」。此次共搶教民十家，平民一家，搶去的東西有糧食、衣物、馬匹。[90]

9月，教民王錫堯家被「搶焚」[91]。

肥城縣：

1899年12月，燕家莊教民燕鳳梅等，被掠去衣物，勒索銀錢。燕巨川、燕照川被訛。袁家道口莊教民袁稀有被綁架勒贖及掠賣衣物。[92]

1900年1月，王登雲率領團民捉住石頭溝莊的地保李明海，逼令他向各教民索銀二百兩。李明海答稱，教民均早躲避，無從索銀。團民毆打他，燒毀教民空房、土房、小廠棚十餘間，聲言再不給銀，定將各家教民之屋全行燒盡，並行搜殺。教民徐士俊之妻、安長林之母均在外莊躲避，聞知畏懼走回，請人再三懇求，王登雲始允減為京錢一百五十千。兩個婦女借了京錢五十千一百文交上。王登雲聲明下欠之錢，數日後再來取用。[93]

7月，外縣義和團竄入該縣，「任意滋擾」。他們聲言中泉莊教民王丕厚「家道殷實，何得隨教，非給錢不能免禍」。王丕厚畏懼，托鄰人懇求，給予京錢五百千。附近榮莊教民趙某等亦畏懼，給錢數十千。後到孝里鋪滋擾。[94]

8月，大刀會突至石頭溝莊，搜尋曾為洋人教書的陳漢廷，未找著，便將其弟陳漢選砍傷身死，劫去衣物。[95]

[90] 《山東義和團案卷》下冊，第497、498頁；《籌筆偶存》，第405頁。
[91] 《籌筆偶存》，第494頁。
[92] 《籌筆偶存》，第133頁。
[93] 《山東義和團案卷》下冊，第503-504頁。
[94] 《山東義和團案卷》下冊，第510頁；《籌筆偶存》，第387頁。
[95] 《山東義和團案卷》下冊，第511頁。

義和團搶劫「衡魚莊一帶教民衣物，變得京錢二十五千。」[96]

平陰縣：

1899 年 12 月，團民將阮二莊各家教民全行搜括，並燒毀教堂一座，房屋三間。1900 年 1 月，燒毀喬口莊教民房屋。[97]搶掠王家莊並羅山套等處數家教民糧粒、錢財、衣物，焚燒柴草、教堂、房屋。[98]

1900 年 2 月，該縣查明被義和團擾害的教民、平民，共五村十五戶，內教民十一戶，平民四戶。[99]

7 月下旬至 8 月上旬，外地義和團陸續進入該縣，「赴有教民各莊，燒搶訛索，擄人勒贖，無惡不作」。掠去城南英國教堂的零星木器等物，砸壞木器玻璃門窗。燒毀阮爾莊教民草房四間，殺害教民丁姓一人。並搶兩家教民衣物，「變賣得京錢二十餘千」，「劫掠同莊的陳姓教民家衣物，綁架一人，經人說合，用京錢四十千贖回」。「拆賣阮爾莊教民房屋木料數十間，得京錢六十千。」搶劫王家莊王國臣家，經莊長說合，給錢三百千，已付一百六十千。搶劫前當鋪邱姓家。搶劫毛家鋪一家教民衣物，賣得京錢九十千。搶劫孝里鋪教民朱光詩等六家衣物，賣得京錢二百餘千，並殺害平民一人。[100]

8 月 9 日，外地二千多團民到城邊騷擾，「訛索借糧」。[101]「聲稱如不開城借糧，即來大隊人馬攻城。」[102]次日，一千多團民圍攻羅山套莊石圩，被官兵打敗。

---

[96] 《山東義和團案卷》下冊，第 553 頁。
[97] 《籌筆偶存》，第 72 頁。
[98] 《山東義和團案卷》下冊，第 541 頁。
[99] 《山東義和團案卷》下冊，第 542 頁。
[100] 《籌筆偶存》，第 376、405-406、433-434 頁；《山東義和團案卷》下冊，第 553-554、563 頁。
[101] 《籌筆偶存》，第 414 頁。
[102] 《山東義和團案卷》下冊，第 545 頁。

1900 年 12 月 20 日平陰縣稟報：全縣被擾二十三個村莊，八十七戶，教堂九處，被殺一人，被傷一人，拆焚華式法教堂六處，英教堂二處，教民房屋三十七戶，平民房屋二戶，訛索錢文，搶掠衣物，遺失器具者，不一而足。[103]

東阿縣：

東莊東慶盛與其年逾八旬的母親東高氏務農度日，家景蕭條。1899 年 12 月，聊城縣的義和團闖入其家，逼令東高氏反教，否則不與干休。東慶盛恐母親年老受驚，央求莊長說合，允許立刻出教，並給團首京錢十五千，作為盤費。胥家寺莊胥盛才、齊培傳、齊學純、劉瑞雲、王長興五人均已反教，被勒索去京錢五十千。八里堂的莊民楊金城喜歡供神念經，被勒索去京錢一百千。[104]

1900 年 7 月 10 日，外縣義和團竄入該縣八里堂莊，尋找莊長，聲稱「聞莊內住有教民，應即借給盤費錢文，否則放火焚燒房屋。」莊長「先用好言排解，嗣因眾勢洶洶，難以理喻，當即齊集團丁抵禦，彼此相持」。縣令聞信，立即帶領勇役馳往彈壓。義和團首先「開放洋炮，並用刀矛逞兇拒敵，砍斃團丁一名」。後來不敵，退出莊外。[105]

臨清直隸州：

1900 年 3 月，小村五家教民被搶掠[106]。

5 月，「拳匪煽動莠民焚毀殺掠，州境大擾。」[107]

---

[103] 《山東義和團案卷》下冊，第 567 頁。
[104] 《山東義和團案卷》下冊，第 528-529 頁。
[105] 《山東義和團案卷》下冊，第 530 頁；《籌筆偶存》，第 321-322 頁。
[106] 《籌筆偶存》，第 190 頁。
[107] 《臨清縣誌》，《義和團史料》下冊，第 1035 頁。

7 月，焚毀席廠、果子巷各教堂，「指良民為奸細，戮於碧霞宮。」[108]

以李三、王學文等人為首的數百團民，從直隸威縣敗回臨清，「欲再糾眾報復，因無馬匹川資，起意每起糾集數十人馬，分赴各處搶掠。」[109]他們在小爐燒毀教堂瓦房九間，教民四十餘戶。燒毀城外席廠街教堂東院房屋大小三十六間，教民住房二十二間，西院醫院一所，大小房屋十八間。後在白地、破廟等村搶掠。[110]團練勇隊圍剿，擊斃李三，活捉王學文，其餘敗逃。

8 月，「時方歲饑，莠民與拳匪合，以均糧為名，砍毀電桿，劫掠郵政商船。」[111]

夏津縣：

1899 年 12 月，賀屯教堂財物並大車一輛、騾子三匹，被搶掠一空。教民賀殿寅家被搶，平民賀殿周家被搶錢文、衣物、牲口，估計值銀五百餘兩。團民得贓大部散去，鄭天佑、張海二人未走，將賀殿周家的婦女按倒在地，搶奪首飾。莊眾齊心協捕，將他們拿獲。[112]

1900 年 1 月，焚燒韓莊，殺死教民一人，平民一人。[113]

3 月，將師堤莊法國教堂三間器具砸毀，搶去教民李士典、李興典、李慶祥、王永信、王金、王九思、王保成等七家錢文衣物，焚毀李士典草屋二間。[114]

---

[108] 《臨清縣誌》，《義和團史料》下冊，第 1035 頁。
[109] 《山東義和團案卷》上冊，第 441 頁。
[110] 《籌筆偶存》，第 380、424 頁。
[111] 《臨清縣誌》，《義和團史料》下冊，第 1035 頁。
[112] 《籌筆偶存》，第 72、60 頁。
[113] 《籌筆偶存》，第 114 頁。
[114] 《籌筆偶存》，第 165 頁。

7月，該縣有兩股義和團，一股是本縣的，他們進入縣城，「索借馬匹錢糧」。[115]

另一股二百多人是外來的，以何洛有為首。他們將韓莊平民韓邦基、韓占榮家的糧食、衣物、牲口搶掠一空，並將韓占榮男女五人，以刀壓項，逼索銀錢，放火燒毀房屋兩座。[116]接著進入賀屯，「託名仇教，實肆劫掠」。村民賀殿福忿不能忍，格斃一人。鄉長賀殿海率領村民奮勇齊擊，又斃二人，擒二人，其餘的鼠竄。[117]

縣誌記載說：「義和團肇亂，以仇教為名，民不聊生。」[118]

邱縣：

1900年1月，直隸威縣王玉振率領二百多團民來到該縣常屯，燒毀法國華式教堂一所十一間和教民隨文明等七家房宅，拆毀魏永思等六家房宅，共七十九間。並將教民許興發捉去，割去一隻耳朵。[119]

在邱縣、冠縣、館陶縣，有一股以直隸曲周縣拳首鄭洛耀為頭目，由「饑民」和「遊民」組成的數百人的隊伍，「到處搶掠」。6月末，搶去馬莊張淑德家的錢文衣服，被格斃三名。7月2日，鄭洛耀率人至馬莊報仇，放槍滋搶。次日又來千餘人。經官兵與團練竭力抵禦，始將他們擊退。[120]不久，他們又闖入馬莊監生張俊德家，搶去錢文。莊民鳴鑼聚眾，他們攜贓四散，放火延燒房屋數間。隔日四更，他們再次闖至張俊德家，因官兵及團練竭力堵禦，未能得

[115] 《籌筆偶存》，第353-354頁。
[116] 《籌筆偶存》，第376頁。
[117] 《夏津縣誌續編》，《義和團史料》下冊，第1037頁。
[118] 《夏津縣誌續編》，《義和團史料》下冊，第1036頁。
[119] 《籌筆偶存》，第117、100頁。
[120] 《籌筆偶存》，第367、298頁。

手，便乘風放火焚燒馬家房屋而逃。至 7 月下旬，這股義和團被官兵打得不敢再公然聚集，但仍分散開來，「晝伏夜劫」。[121]

武城縣：

1900 年 6 月 23 日，直隸省義和團至呂滑莊搶掠。教民呂成武家幸有準備，被劫去的衣物不多。教民呂克忠被砍死，呂克德被砍傷。[122]

7 月 10 日晚，義和團將大鹽村教民劉學思、王文澤及王萬年家的衣物糧食搶掠一空，門窗器具概行焚燒。劉學思及其妻子、兩個兒子、一個兒媳全家人一併被殺害。[123]

同月 13、14 日，一千多團民焚燒搶掠呂滑莊、呂窪、徐窯莊、潘莊、楊莊、董莊、草口莊教民七十餘家，殺死平民、教民二十多人，勒令督銷鹽局釋放私鹽販子，縣裏開庫放錢。16 日，又有一千多團民入城焚燒東門里教民房屋十餘間，殺死反教教民二名；並向縣令勒索馬匹、刀械。攻打十二里莊時，被集合在這裏的全縣教民壯丁擊敗。義和團即「藉此為名，肆意訛詐，稍不遂意，非燒即殺，商民同被其害」。先鋒後路前營參將方致祥親督隊伍鎮撫，團民非但不聽解散，反而「入城殺燒，逼索號馬。又復派人赴縣送信，備送口糧，否則進城騷擾，且敢赴營逼借後膛槍百桿。」「並要脅鹽局，指為某某欠鹽帳已還，某某巡應去，勒放鹽犯李鴻如。」李鴻如釋放後，立即率領團民闖入甲馬營子店，向夥友掄刀殺砍。聲言要其原驢口袋，並罰官鹽一包，錢四十千，始能饒命。繼而他們在各集鎮嘯聚，「鄉間索米，鹽店索鹽，皆須供給」。這股義和團「多係梟販盜匪混跡其中，覓隙尋仇，托神附體，視殺人為兒戲，目法

---

[121] 《山東義和團案卷》下冊，第 854-855 頁；《籌筆偶存》，第 315、367 頁。
[122] 《山東義和團案卷》上冊，第 105 頁；《籌筆偶存》，第 277 頁。
[123] 《山東義和團案卷》下冊，第 842 頁；《籌筆偶存》，第 336 頁。

紀若弁髦。」在另一股中，被擊斃的頭目曹寅亮是武城縣學的武生，「平日武斷鄉曲，無惡不作。」被俘虜的幾個頭目都承認，他們均曾「拒捕，砍鋸電桿，並迭次燒殺搶訛民教財物」，「到各處打糧」。[124]

陽穀縣：

1899 年 10 月以後，義和團擾害辛家莊教民李廣武家，其親戚袁振峰被打傷身死。燒毀徐可振家草房數間，並綁架其子。劫去王家坑莊肖仕高家錢文衣物。[125]

1900 年 5 月該縣稟報：此前全縣被滋擾三十三戶[126]。

7 月，焚毀坡李莊小教堂，燒死教民李長春。該莊王大幹及其子勾結汶上縣義和團，闖進本莊孀婦王張氏家，搶去牛、驢各一匹，銀耳挖一支。五六百團民在老莊焚燒教民王興邦房屋，「肆行搶掠」。[127]

寧陽縣：

1900 年 1 月，義和團綁架步南村馬家老幼三人，勒索紋銀二千兩。又至安子溝、石橋村、黃家莊等處，「先後騷擾攫取財物」。[128]

8 月，「竄擾寧陽耿家平六村，掠搶教民耿傳典、耿元敏家車驢、衣物、糧食。」[129]

---

[124] 《山東義和團案卷》上冊，第 108、109 頁；下冊，第 841、843-844、851 頁；《籌筆偶存》，第 331、343、389 頁。
[125] 《籌筆偶存》，第 63、114 頁。
[126] 《籌筆偶存》，第 253 頁。
[127] 《籌筆偶存》，第 346、341 頁；《山東義和團案卷》下冊，第 866-867 頁。
[128] 《籌筆偶存》，第 110、115 頁。
[129] 《籌筆偶存》，第 440 頁。

壽張縣：

縣令稟報：1899 年 8 月，紳民被搶一百零四家，其中教民只有李忠臣等三家，其他均為平民。焚燒洋式教堂一處，餘皆平民土房。[130]

《壽張縣誌》寫道：「（光緒二十五年）秋七月，拳匪起，名大刀會，四處滋擾，托與洋教為仇，愚氓無知，多被蠱惑，實則鄉里胥受其害。民有驚逃搬移者，拳匪皆指為教民，沿途奪劫衣物牛馬，並擾及縣城南門外。結黨成群，放肆無忌。」[131]

嶧縣：

1900 年 7 月，「民間有受教民欺訛者，各處紛紛將其房屋器具毀壞，並將銀錢衣物搜掠一空。」[132]

滕縣：

1900 年 7 月 31 日，大刀會訛去西灣村教民錢文。復闖入教民張成格家欲行搶劫。張成格聚集家屬、團練與之互鬥，其父與兩個弟弟均被打傷，先後身死，六名團練受傷。[133]

9 月，教民王敬璧被搶去錢物，其叔被打傷身死。[134]

荷澤縣：

1900 年 7 月 4 日，一千多人聲言天旱皆城內「教堂沖壞風脈所致，非拆不可」，紛紛砸窗揪瓦，拉柱倒樑，進行搶劫。[135]繼之，金堤頭、趙莊一帶，幾百團民搶劫平民賈中義等數家。

---

[130] 《籌筆偶存》，第 169 頁。

[131] 《壽張縣誌》，《義和團史料》下冊，第 1039-1040 頁。

[132] 《籌筆偶存》，第 370-371 頁。

[133] 《山東義和團案卷》下冊，第 875 頁。

[134] 《籌筆偶存》，第 486 頁。

[135] 《山東義和團案卷》下冊，第 886 頁；《籌筆偶存》，第 291 頁。

大刀會將許家都田橋團長王嵐峰家搶掠一空，並大車一輛，驢三匹。[136]

城武縣：

1900 年 7 月，外縣的義和團竄入該縣，「時或糾領數十人、百十人，借仇教為名，在邊境一帶遊弋，要脅多端。偶不隨意，搶架勒贖，無所不為。」[137]

巨野縣：

該縣 1900 年 4 月 27 日稟報：此前全縣被擾民教應恤一百七十四家。其中包括教民梁安平等家被掠去衣物，教民蔣林魁家被搶去牛驢，何家堂教堂被燒毀，教民岳鳳鳴家被掠去牛隻，宗效瑞家被搶去煙土，劉成止家被掠去錢物，李家樓李省思被掠去錢物，孫家莊孫內南等被掠錢物，孫為南等十四人被掠；搶劫劉崇臣家糧食、衣物、牛車、門床等物，並將鍋碗等物砸毀；李家莊教堂和教民器具被砸毀、搶走。[138]

1900 年 7 月 4 日，汶上縣的三百多團民至該縣磨盤莊焚燒教堂。教民竭力抵禦，仍燒毀教民趙秀迎等家房屋二十多間，並延燒平民趙秀連等家房屋十間。13 日，團民千餘人再次焚燒磨盤莊教民房屋一百餘間，「教堂內門窗木料及什物，俱已拆運一空。」[139]

7 月 10 日，團民郭其芝因與李家莊教民李體固有仇，邀約同夥前往剽搶。正在搶掠財物之際，縣裏勇隊趕來捕拿，他們僅搶去白布三匹，白布小褂、褲各一件，其餘均被奪回。[140]

---

[136] 《籌筆偶存》，第 366 頁。
[137] 《籌筆偶存》，第 325 頁。
[138] 《籌筆偶存》，第 225、121、140、164、217 頁。
[139] 《籌筆偶存》，第 291、301 頁。
[140] 《山東義和團案卷》下冊，第 909 頁。

縣誌記載說:「邑境大刀會咸以仇教為名,糾眾搶劫,被害者百數十村。」[141]

鄆城縣:

王西布、王心折同供:他們均為巨野縣人,分別充當大刀會大頭目和副頭目,在鄆城縣開設拳廠,與沈潮擱、徐花山、李黑等股聯絡聲勢。1899 年,他們分往各處,「訛搶教民,不記其數」。1900 年 1 月 1 日夜,「搶架杜義秋幼妹勒贖」。次日夜,殺死一個姓于的仇人。5 月,「夥眾械竊」劉幹緯家財物,將其打傷。7 月,「夥眾行竊,臨時強劫教民屈鵬翔家得贓」,打死屈家工人張餘。「又往各處訛搶平民、教民多起」。[142]

7 月,大刀會訛搶童家莊童月迎家車輛、牲口、衣物,訛搶習家莊平民駱長安、劉玉崗等家,打死平民習倩標。徐花山等人在雷莊劫奪富戶雷成秋家時,勇隊團練將其擒住。[143]徐花山供認:帶人「各處訛搶洋人,不記次數。伊復起意訛搶平民。」[144]

觀城縣:

1900 年 7 月,外縣義和團到該縣「煽誘饑民」,焚掠姜莊教民趙心廣、趙心朝兩家。[145]

朝城縣:

1900 年 7 月間,攜帶財物逃往陽谷坡李莊避難的教民二十餘家,多被搶掠。[146]

---

[141] 山東歷史學會編:《山東近代史資料》第 3 分冊,第 330 頁。
[142] 《山東義和團案卷》下冊,第 919-920 頁。
[143] 《籌筆偶存》,第 364-365 頁。
[144] 《山東義和團案卷》下冊,第 916 頁。
[145] 《籌筆偶存》,第 368 頁。
[146] 《山東義和團案卷》下冊,第 936 頁。

9 月 27 日袁世凱在箚中說：范縣、觀城、朝城三縣境內，「仍有拳匪聚眾搶劫，教民轉徙流離，不敢回家安業。其迭次被匪擄掠焚殺、家產蕩盡及餓莩者，不可勝計，情形極為困苦。」[147]

濟寧州：

該州有一股以「杆首國振起、大刀會首孟傳禮、曹守賢」為頭目的隊伍，開始時有二百多人，一向在外遊蕩。1899 年秋間，他們商議搶劫江蘇省沛縣城內教堂。尚未進城，即被縣令訪聞，帶隊將他們打跑。他們逃到大屯莊，將小教堂拆毀。1900 年夏間，孟傳禮、曹守賢糾邀了數百人，商議仍往沛縣城內教堂搶掠，未及動身，沛縣縣令又帶隊打得他們逃散，他們又商議到濟寧搶掠。據被擒的蔡川、呂五妮等人供認，6 月，曾搶劫沛縣孟家樓事主得贓；7 月，搶劫沛縣馬家市莊事主十九頭牲口，掠走兩個幼孩；8 月，搶劫魚台縣南陽鎮事主；9 月，搶劫滋陽縣城西十多里之莊內染坊布匹。[148]

金鄉縣：

1899 年 8 月，團民李夫禮等訛索羊山教民劉學孟銀兩。[149]

1900 年 7 月 12 日，高崇元因前被田口莊教民勒訛錢文，心懷忿恨，請其師傅大刀會首蕭心榮帶人闖入教民李運舉家搶掠，並掠取教民李瑞勤家及路過的街上攤曬的麥糧等物。團練堵拿，他們開槍拒捕，轟傷李趙氏。[150] 7 月 22 日，大刀會砸了魚台縣城千古道

---

[147] 《籌筆偶存》，第 527 頁。
[148] 《山東義和團案卷》下冊，第 816-817 頁。
[149] 《籌筆偶存》，第 147 頁。
[150] 《山東義和團案卷》下冊，第 820-821 頁；《籌筆偶存》，第 330 頁。

源附近的教堂,「搶走了信教人家的東西,也搶走了教堂裏值錢的東西。」[151]

嘉祥縣:

1900 年 1 月,姚家莊教民高純和、小姚家樓教民高二被綁架。[152]

7 月,義和團至顧家莊,焚燒麥垛,將工人王俊起殺死。在王家橋、鳳凰山「勒索不遂,即焚掠」。在王家樓勒索京錢三十千,又到長溝豆腐趙、大張家等莊和鳳凰山滋擾,將杏花村李廷彩家搜括一空。[153]

費縣:

1900 年 4 月,教民魏幸被殺身死[154]。

7 月,沂唐、雨林村、甘霖、升平莊四處教堂被拆毀[155]。

蘭山縣:

1900 年 7 月,教民李清平在途被搶。梁家屯平民陶鳳林等八家被搶劫錢物,燒毀房屋。陶鳳林之父追捕,被打死。十里鋪教民苗露湛家被搶。9 月,教民黃鳳祥被擾害。[156]

武定府:

1900 年 7 月,反教的孫在田被團民捉去殺害[157]。

---

[151] 山東大學歷史系:《山東義和團調查報告》,第 83 頁。
[152] 《籌筆偶存》,第 109 頁。
[153] 《籌筆偶存》,第 299、300 頁。
[154] 《籌筆偶存》,第 236 頁。
[155] 《籌筆偶存》,第 371 頁。
[156] 《籌筆偶存》,第 311、396、411、525 頁。
[157] 《籌筆偶存》,第 338 頁。

1901 年 1 月 9 日武定府稟報：義和團「始以仇教為名，故鄉愚無知，被其煽惑；其繼聚眾既夥，志在得財，遂至民、教不分，專事搶掠，到處勾結，荼毒生靈。郡屬九縣一州，幾無完土。」[158]

利津縣：

縣誌記載說：「焚殺搶掠，無惡不作。官府不能制止，全縣沸然。」[159]

沾化縣：

1900 年 7 月，濱州頭目靳盛然率眾到沾化，與該縣頭目趙玉慶在流鍾口共安濱州、沾化、陽信、利津、蒲台五處總拳廠。他們在附近各處搶掠，兵來則散，兵行復聚。武衛右軍先鋒隊後路左營張勳親自帶隊追剿，7 月 27 日將靳盛然緝獲。靳盛然對到馮王莊、商家、陳家「搶掠奸戮」供認不諱，被就地正法。張勳在總拳廠「起獲槍械、旗幟、銀錢、貯物、糧食、車馬、牲口、妖符多件」。[160]

陽信縣：

1900 年 8 月，義和團在北營莊等處焚掠[161]。

蒲台縣：

活動在該縣的是流鍾口總拳廠的團民，1900 年 7 月靳盛然被鎮壓以後，他們在金玉勝、李軍師、祁大師兄等的領導下，「在蒲

[158] 《山東義和團案卷》下冊，第 617 頁。
[159] 《利津縣續志》，《義和團史料》下冊，第 1035 頁。
[160] 《山東義和團案卷》上冊，第 42-43、44 頁；《籌筆偶存》，第 378 頁。
[161] 《山東義和團案卷》上冊，第 50 頁。

台各縣肆行搶掠,殺戮無辜,其慘毒之狀,仿之明賊張獻忠亦不是過。」[162]

8月,該縣大刀會會首李鳳五殺死拳首范永昌的人。范永昌約一千多團民前往報復,將李鳳五格斃。次日又殘無人道地大肆殺害沿堤一帶的無辜良民,計「被害共七十一戶,內傷斃良民男丁六十八名,葦坑內淹斃婦女二十一口,又受傷身死婦女十七口,幼女八口。此外,又有受傷不能扭動者男丁二十名,婦女八口。」[163]

濱州:

1900年8月,大師兄金玉勝、軍師夏振河率人「同搶寧莊、單家寺等六莊」,「焚掠各村莊」[164]。

海豐縣:

1900年7月,拳首李從善率團民「至蓋得勝家搶掠」,又「搶蓋天一家衣物四箱,錢四百餘千文」,蓋天一被綁架至陽信縣殺害。[165]

9月,席金嶺勾結直隸團民在蘆家馬村「焚燒房屋八十餘家,殺斃良民三十餘名。」[166]

陽信縣:

「勒逼官長賞錢三十千,並斂捐鹽當各富商錢銀,肆行搜括而去。」[167]

---

[162] 《山東義和團案卷》上冊,第60頁。
[163] 《籌筆偶存》,第456、490頁。
[164] 《山東義和團案卷》上冊,第64-65頁。
[165] 《籌筆偶存》,第408頁;《山東義和團案卷》上冊,第55頁。
[166] 《籌筆偶存》,第472頁。
[167] 《山東義和團案卷》上冊,第34頁。

德平縣：

「向官強索佈施，並於鋪戶勒派供應。」[168]

樂陵縣：

1900 年 8 月 5 日，孔家莊團民搶劫平民高福遠，許錢二百三十千，尚未交付，即被孟恩遠率隊擊敗，繳獲騾馬、衣服四十多件。[169]

拳首郝蓮軒、劉義二人供認：「搶劫居民，拒捕殺人不諱。」[170]「任意搶殺，將徐家莊徐文明父子三人殺害，並砍傷七歲幼子。」[171]

團民趙三王供認：曾焚訛趙家廟教民。蘇慶雲供認：曾焚燒擄殺於貨郎莊、韓家莊、趙家廟各處教民。鄭金和供認：曾搶劫小鄭莊教民。胡豹、邵皂供認：曾燒殺李明揚莊、韓家莊、小蘇莊、魏家倉各處教民。邵皂、胡豹、趙三王供認：曾迭次糾搶竊劫李英華、梁書林、梁慎修、杜潤等家錢文、衣物、牲口。[172]

1901 年 2 月 11 日樂陵縣會稟：經過確查，全縣共被擾一百七十六戶，被訛二十七戶，被戕擄六十二人。另外，直隸寧津、獻縣教民在該縣小鄭莊被殺害十四人。[173]

商河縣：

1900 年 7 月 30 日，臨邑拳酋李元台以仇教為名，率團民數百人焚毀該縣「小張莊天主堂，慘殺教民百餘人，教首張鵬齡全家遇

---

[168] 《籌筆偶存》，第 416 頁。
[169] 《籌筆偶存》，第 399 頁。
[170] 《山東義和團案卷》下冊，第 716 頁。
[171] 《籌筆偶存》，第 400 頁。
[172] 《山東義和團案卷》下冊，第 751-752 頁。
[173] 《山東義和團案卷》下冊，第 754 頁。

害。」[174]另據商河縣稟報，教民除逃避外，被殺約有三四十口，房屋大半被毀，「資財亦歸烏有」[175]。

青城縣：

1900 年 8 月，團民焚燒水牛李家莊教堂及教民郭德純家房屋，延及教民于學芹、焦振鐸家；焚燒南段家莊、王家莊教堂及教民房屋。9 月，燒毀教民于榮光房屋。[176]

縣誌記載說，凡是教民，團民「皆目為漢奸，任意屠殺」，「並捕風捉影，屠殺無辜。」[177]

益都縣：

1900 年 7 月，義和團赴張家莊，刀傷教民僕婦二名甚重。砍傷石家莊教民石鳳鳴，打死做飯女工李李氏、高韓氏，搶去騾馬衣物，砸毀器具。[178]

安邱縣：

1900 年 7 月，安太社、孫泮莊教民被搶，解戈莊平民張迎良、西召莊平民潘景清或被牽去牲畜，或被掠去衣物錢財。[179]

臨淄縣：

1900 年 7 月 12 日，大刀會找教民王可傳尋釁未遇，將其器物打毀。同日，團民至安樂店王姓、李姓各家，打毀門窗鍋灶。次日

---

[174] 《商河縣誌》，《義和團史料》下冊，第 1034 頁。

[175] 《山東義和團案卷》下冊，第 760 頁。

[176] 《籌筆偶存》，第 439、407、414、535 頁。

[177] 《青城續修縣誌》，《義和團史料》下冊，第 1032 頁。

[178] 《籌筆偶存》，第 308、351 頁。

[179] 《籌筆偶存》，第 350 頁。

晚，大刀會將辛店民婦李孫氏家門窗器具全部打毀，將其賣粥的丈
夫砍死。[180]

臨朐縣：

　　1900 年 8 月，臥牛石官莊教民張洪路家房屋被焚燒。9 月，張
家又被搶走糧食。教民鍾德吉被搶走牛羊。[181]

平度縣：

　　1900 年 7 月，一所美國教堂被團民搶掠一空，其頭目向教民
勒索錢二千吊，復大言恫嚇，若不速付，即概殺教民。[182]

濰縣：

　　1900 年 6 月，「焚李家莊樂道院，焚死教民朱東光、劉作哲二
人，樓房四十二間，瓦房一百三十六間。」[183]
　　關於全省教民、平民受害的情形，據巡撫袁世凱奏報，1899
年「春夏間，在曹州、濟寧各屬，掠教民一千一百餘家，並掠及平
民二百餘家。秋冬間在東昌、濟南各屬，掠教民六百餘家，亦掠及
平民百餘家。內多擄架勒贖之案，直與盜匪無異。故教民既被其殃，
而平民亦多受其害。」[184] 1899 年 5 月到 1900 年 1 月，僅濟南、東
昌、泰安、臨清三府一州，就發生焚搶教民一百二十七案，共三百
二十八家，架擄傷斃教民二十三名；焚搶平民十九案，共二十八家，
架擄傷斃平民七名。[185] 1900 年 1 月以後的具體數字未見到上報，

---

[180] 《籌筆偶存》，第 371 頁。
[181] 《籌筆偶存》，第 433、525 頁。
[182] 徐緒典主編：《義和團運動時期報刊資料選編》，第 19 頁。
[183] 山東歷史學會編：《山東近代史資料》第 3 分冊，第 335 頁。
[184] 《義和團檔案史料》上冊，第 94 頁。
[185] 《義和團檔案史料續編》上冊，第 505 頁。

但他認為平民受害情形更甚于教民。3 月 28 日他在答覆英國領事時指出：曹縣、長清、茌平、博平、齊河等縣所報各案，「係平民居其大半，非專搶教民可知。」[186]在 8 月 15 日的告示中亦指出：義和團「到處任意焚殺，擾害閭閻。實則教民被害不過什之二三，而平民被害仍居什之七八。苛派良善，訛索富紳，商旅為之梗阻，四民為之失業。」[187]

（2）直隸

A. 殘酷野蠻地燒殺搶掠教民

景州：

1899 年 12 月 18 日，和尚武修帶領團民一千多人，往攻朱家河教堂。防營應州官之請，派管帶范天貴率隊幫助攔阻彈壓。范天貴率隊到後加以勸諭，團民不服，「輒行整隊拒捕，槍傷勇丁。官軍開槍還擊，當斃拳匪三十餘人，並當場拿獲八十餘眾，生擒拳首武修和尚，奪獲槍炮器械無算，餘匪各如鳥獸逃散。」[188]搜查武修身上，獲得符籙，武修尚且大言「吞後刀槍不入」。當即「迫使吞符，試以刃，血流不止。知其說妄也，遂訊明正法。」[189]

1900 年 6 月，義和團攻打朱家河教堂多日未破。7 月，陳澤霖統領官兵勤王過境，義和團請其幫助，教民抵擋不住官軍的炮火，村莊被攻破，「計焚殺教民四千餘名之多，華北教案以此為最。」[190]無論婦孺，只要是天主教的人，義和團「就視如寇仇，非斬草除根

[186] 《籌筆偶存》，第 185 頁。
[187] 《籌筆偶存》，第 412 頁。
[188] 勞乃宣輯：《庚子奉禁義和拳彙錄》，《義和團》4，第 480 頁。
[189] 龍顧山人：《庚子詩鑒》，《義和團史料》上冊，第 35 頁。
[190] 《景縣誌》，《義和團史料》下冊，第 981 頁。

不能解他們的心頭之恨。所以朱家河被攻破以後，村中的教友大概都被拳匪殺害了。至於被官兵殺害的，甚是有限。」[191]

吳橋縣：

　　1899 年 12 月 31 日夜，義和團焚毀龐家橋教堂，焚搶六家教民房屋，打傷教民二人，殺害平民一人。[192]

　　1900 年 1 月，官兵在辛集擊殺團民九人，生擒十幾人。內有二師兄節小廷，號稱能降神附體。縣令勞乃宣升堂審問，任老百姓參觀，令節小廷當眾實驗。節小廷「踞坐，口作神言，捽下笞之，號呼不能」。勞乃宣下令將其斬首示眾。「民間有被誘習者，改悔免罪，各村皆取結不得信從，闔境隨皆絕跡。」[193]

故城縣：

　　1899 年，義和團焚毀教堂一所。縣令開庭審訊時，一百多名團民前來恐嚇。縣令恐懼，給錢三百吊。義和團又至劉八莊焚燒教堂，殺死教民一人，打傷數人。接著到獻縣東大過及張家莊兩處行劫，圍攻陽太西河頭天主堂，搶掠附近六處村莊。西河頭堂姓李的司鐸乘亂逃走，被義和團追到，李給錢二百五十吊，圍始解。[194]

淶水縣：

　　1900 年 5 月 12 日，團民一千多人在閻洛福指揮下圍住南高洛村天主教堂，「拿去教民二名」，[195]焚毀華式小教堂七間，教民房屋七十五間，並將「房屋財貨焚掠一空」。[196]

---

[191] 黎仁凱主編：《直隸義和團調查資料選編》，第 405 頁，河北教育出版社，2001 年。
[192] 勞乃宣：《勞乃宣自訂年譜》，《義和團史料》上冊，第 416 頁。
[193] 勞乃宣：《勞乃宣自訂年譜》，《義和團史料》上冊，第 416 頁。
[194] 徐緒典主編：《義和團運動時期報刊資料選編》，第 25-26 頁。
[195] 林學瑊：《直東剿匪電存》卷 2，第 26 頁，光緒三十二年。
[196] 《義和團檔案史料》上冊，第 89 頁。

對於教民被殺害的人數，記載不一。鑒於下面仍要提到此事，這裏多說幾句。艾聲說，殺害「天主教民三十餘家，男婦大小數十百名，將屍身填塞井窖中，不露一屍，火其房屋，情狀甚慘。」[197]《中國旬報》記述說：「殺斃教民三十餘名，其匿於堂中之男婦七十餘口皆被燒死。附近定興縣等村教民聞難赴救，亦被格殺九人。」[198]定興縣令羅正鈞說：「燒殺教民六七十人」[199]。法國主教樊國梁致函總理衙門稱，「教民殺斃六十八名」。[200]調查資料說，教堂內有「從徐水縣安格莊邀來教徒近百名」，「七間華式大教堂付之一炬，全部坍塌」，教堂內外只有三名教徒竄逃，「其餘的均葬身火海」。[201]《拳亂紀聞》說，「內中教民共七十三人，大半為所焚斃，有欲脫逃者，亦被截殺斃命。」[202]根據這些記載和調查，可以斷定，此次慘案殺害的教民至少有六十多人。

有的論者認為，「拳教發生衝突，約有二、三十人在鬥爭中被傷」；艾聲卻「把死者全部說成是被義和團殺害之教民，並大大誇張了死亡人數」。其根據一為淶水縣令祝芾向直隸總督裕祿的稟報：教民房屋「放燒約四五十間；並在井內見有殺傷男女大小約二三十口，是教民抑是拳民，無從確查，亦無人認屍報案。」二為候補直隸州夏詒垣、臨城知縣呂增祥的調查報告：「查得焚燒華式小教堂七間，教民房屋七十五間，未見暴露屍身」，後「僅在教民屋角刨出男屍一具」，另有人供曾將被捉教民三人「砍殺埋於廟內閑院」。[203]

[197] 艾聲：《拳匪紀略》，《義和團》1，第448頁。
[198] 徐緒典主編：《義和團運動時期報刊資料選編》，第33頁。
[199] 羅正鈞：《劬庵官書拾存》，《義和團史料》上，365頁。
[200] 《義和團檔案史料》上冊，第89頁。
[201] 黎仁凱主編：《直隸義和團調查資料選編》，第154頁。
[202] 左原篤介、漚隱輯：《拳亂紀聞》，《義和團》1，第113頁。
[203] 李文海等：《義和團運動史事要錄》，第103頁，齊魯書社，1986年。

其實，祝芾等人的說法均不能作為依據。上面祝芾所說，只是事發後次日聽到的傳聞之詞。因為「欲至南高洛，必須由北高洛經過，現在拳匪盤據北高洛村，凡往來行路及面生之人，均不得過，以故不能前往勘驗。」[204]尚未進行調查，自然不能得出準確的結論。以後他向上稟報時說過「戕斃多命」，[205]但未講明人數。而在一封答復道員李鞠生的信中則明確說，「殺死教民約二十餘人」。[206]此說與上面所說「殺傷男女大小約二三十口」基本相符。然而亦不可信，因為他身為縣令，害怕案情過大會受到嚴處，極有可能隱瞞實情，將大事化小。夏詒垣、呂增祥的調查報告更無價值。14 日他們和祝芾前往高洛村調查時，「該村南頭地保本係教民，已無下落；而北頭地保亦並匿入拳中，無人可喚。至聚觀村民，衣服辮繩綴繫紅布者，已居八九，乃向無紅記者覓借轆轤鍬鎬等物，無敢應聲，無從吊撈刨挖。」次日找到「自稱管事之李勤及口稱挑水做飯之閻喜兒、閻玉、閻自敬等四人，喚出，訊以廟內尚有若干人，據稱，僅止幼孩數十。訊以何人首欲設廠，何處所邀教師，均不吐實。及詰以習此何為，則同聲盛氣云，保甲團練，保護身家。及問以十四日（12 日）焚殺之事，答以燒由天火，屍身不知。至問以提入廟中二人，則更佯然。」[207]由於當地群眾沒有一人敢說實話，他們這兩天均未瞭解到真實情況，調查報告根本不足為憑。故只能依據前面的記述和調查資料進行判斷，確定此次慘案殺害的教民至少有六十多人。

定興縣：

1900 年 5 月 13 日，在淶水縣高洛村製造了一起巨大慘案的團民轉往定興縣倉巨村，由於縣令事先令教民躲避，團民只燒毀「楊

[204] 祝芾：《庚子教案函牘》，《義和團》4，第 371 頁。
[205] 祝芾：《庚子教案函牘》，《義和團》4，第 381 頁。
[206] 祝芾：《庚子教案函牘》，《義和團》4，第 383 頁。
[207] 祝芾：《庚子教案函牘》，《義和團》4，第 373-374 頁。

老和等房十數家」,「八十餘間」。[208]後來該村的教民李洛萬「被河內村義和團抓住,挖坑活埋,埋了半截身子,有許多人替他說情,才向神棚罰跪,罰款一百多吊完事。」「苟老利、李瀚世等教民全家被殺,婦孺不免。」[209]

保定府:

　　1900 年 5 月該府團民開始打洋教,凡教堂悉付一炬,「見教民即殺,不留一人。」[210]有個來順村,「一村天主教民殺戮殆盡」,「被殺者共七十三人」。[211]

　　當地駐軍調赴天津以後,團民在保定城內「公殺教民,官不敢問。」北關的教堂被焚,「附近村民乘機剽掠,幾於比戶有教堂之物。」南關教堂的「教士教民數十百人,焚殺淨盡,無一脫者。」[212]「城內教堂,由官拆毀,未至放火,然殺人如故。其城外教堂洋人,則較京師焚殺尤酷。拳匪又逼官軍會合攻殺教民聚集之各村莊。」[213]7 月 25 日,團民圍攻長老會教士住宅,殺死教士戴勒爾等八人。[214]

　　沒有被殺害的教民,親鄰懼怕連累,不敢收留。他們無處躲藏,「均如喪家之犬,無主之孩」,全都逃至京城的西什庫教堂。[215]

任邱縣:

　　1900 年春,團民攻打教堂,某千總帶隊彈壓,為義和團砍傷。知府王守塈前往理論,見團民不聽,只好調來梅東益的防軍。團民

---

[208] 艾聲:《拳匪紀略》,《義和團》1,第 449 頁。
[209] 黎仁凱主編:《直隸義和團調查資料選編》,第 121、95 頁。
[210] 佚名:《綜論義和團》,《義和團史料》上冊,第 160-161 頁。
[211] 徐緒典主編:《義和團運動時期報刊資料選編》,第 30-31 頁。
[212] 劉春堂:《畿南濟變紀略》,《義和團史料》上冊,第 310、348 頁。
[213] 趙聲伯:《庚子紀事長箚》,《義和團史料》下冊,第 654 頁。
[214] 轉見李文海等:《義和團運動史事要錄》,第 322 頁。
[215] 包士傑輯:《拳時北堂圍困》,《義和團史料》下冊,第 625 頁。

見清軍至，「群向東南叩首畢，嗥然狂嘯，出刀槍迎敵，士卒發空槍警之，見槍不能傷，謂其術神也，益奮力猛撲，官軍幾不敵，亟發槍斃十餘人，餘眾始突圍遁。」[216]

該縣娘娘宮村有一土棍王平，圍攻正洛時他家有人受傷身死，心懷仇恨，率領團民去剿滅東西兩八方的教民。西八方的教民為數太少，扶老攜幼前往東八方避難。團民進了西八方村以後，「將教民的財物搶掠一空，將教堂房屋付之一炬。」[217]

經過義和團的洗劫，「闔縣各聖堂，教民各住宅，皆被焚毀，無一倖存。男女教友，或避難遠方，或慘遭殺戮。家敗人亡者，不可勝數。段家塢一村，雖孑然獨存，然被圍百餘日，死者百餘人，困苦艱難皆達於極點。」[218]

段家塢教民劉王氏極其貧窮，以賣燒餜子為生。一天到長洋村叫賣，遇見一幫團民，問她是否信奉洋教。她回答說：「奉教有什麼不好呢？我是奉天主教的，該怎麼樣呢？」團民一擁而上，把她捆在一棵樹上，「也不管她的經念完與否，就下了毒手。先割去她的兩乳，然後又傷殘她別的肢體。每砍一刀，就問她一回說，『你還奉教嗎？』劉王氏隨問隨答，清清白白的答應說：『我還奉教，至死奉教，總不能反教。』」團民用盡一切辦法，竟不能使她屈服，「滿腔子的惡氣無可發洩，遂用刀劃了她的膛，挖了她的心。」[219]

段家塢還有一個男教民傅發，團民逼他反教，他不同意，團民就把他捆在樹上。有一個叫李豹的，先拿起一把刀舉著向他說：「好你個二毛子，你真是吃迷糊藥了，我看你迷糊到什麼程度。」說罷就先剮了他一刀，然後團民「一齊動手，你一刀，我一刀，剮來剮

[216] 龍顧山人：《庚子詩鑒》，《義和團史料》上冊，第 35-36 頁。
[217] 黎仁凱主編：《直隸義和團調查資料選編》，第 229 頁。
[218] 黎仁凱主編：《直隸義和團調查資料選編》，第 227 頁。
[219] 黎仁凱主編：《直隸義和團調查資料選編》，第 246-247 頁。

去，剮的他身無完膚，不成人樣了」。團民「見自己費盡力氣，總不能教他說出一句反教的話來，都咬牙切齒，怒如瘋狂，還是李豹下了最後的毒手，照準他的腹部一刀砍去，把他的膛劃了，五臟六腑全傾流在地。」[220]

清苑縣：

「初，謝莊附生張玉瑢為南鄉望族，嘗與教民構訟，不得直，村民為之調停，親詣教民謝罪，備受凌辱，忿不欲生，日思所以報之，然蓄怨未有以發也。會山東義和拳蔓延直隸，乃迎師立廠，與教民格鬥于張登鎮，殺傷數十人，伏屍流血，遠近震駭。」[221]

據一位路過的目擊者說，他到現場時，「教男已逃，惟留婦女，皆燒死房屋中。有少婦逃出，被拳以刀破其腹，舂然有聲，數拳攫其股肱，拋入火中，慘不可言，臭聞數里。」[222]

另有記載說，團民「得其婦女，則挖坑倒置填土，露其下體，以為笑樂。其絕無人理如此。」[223]「得其婦女五人，則挖坑倒栽填土，而裸其下體，入一蠟燭，取火燃之，以為笑樂。又或取婦女，裸其下體，以槍尖入其中，捩機發射，轟然一聲，糜爛而死，其殘酷如此。」[224]

安平縣：

1900 年夏間，義和團「披猖無忌，殺教民無數。」[225]

---

[220] 黎仁凱主編：《直隸義和團調查資料選編》，第 269 頁。

[221] 劉春堂：《畿南濟變紀略》，《義和團史料》上冊，第 308 頁。

[222] 艾聲：《拳匪紀略》，《義和團》1，第 456 頁。

[223] 佚名：《綜論義和團》，《義和團史料》上冊，第 195 頁；左原篤介、漚隱：《拳事雜記》，《義和團》1，第 290 頁。

[224] 柴萼：《庚辛紀事》，《義和團》1，第 307 頁。

[225] 《獻縣天主堂資料》，《義和團史料》上冊，第 447 頁。

滄州：

滄州知州商作霖和當地駐軍統領梅東益均敵視義和團，義和團對他們非常怨恨。1900 年 6 月，青縣著名拳首王之臣率萬餘團民突入滄州，握刀橫行。梅東益、商作霖顧慮禍及教堂，致礙國交，遂將英國教士及其眷屬等護送天津。「王之臣率眾焚教堂，竟無所得，始移怒於梅、商。」[226] 遂借為口實，「咎其通洋縱敵，勒罰百萬，又屢圍攻梅營。」[227] 25 日早晨，「王之臣派令拳黨嚴守五城門，不放進水，又填塞城內各井，擬渴斃城內居民。適有賣菜人息肩樂軍營門，有數拳追至，不許賣給營兵，以刀亂砍賣菜者。」[228] 弁兵憤甚，幫統范天貴面見梅東益，剖析利害，要求攻打義和團。梅東益見義和團如此相逼，下令出擊，擊斃團民多人，王之臣慌忙逃竄。官軍乘勢追殺，打死二千多人。次日又到王之臣的家鄉青縣山呼莊，將其房屋焚毀。9 月，龐芸生又打出為王之臣復仇的旗號，聚眾二萬人，進攻州城。經官軍兩次截擊，團民死傷極多，於是撤壇匿械，不敢再公然自稱義和團。

廣宗縣：

「是歲義和拳仇教事起，縣屬饑民乘機焚毀教堂，搶掠教民財物。」[229]

遷安縣：

1900 年 6 月，「拳首有名九江者傳法於三屯，妖僧谷長泰傳法於興城鎮。……到處搜查教民，見輒殺其人，火其廬。」[230]

---

[226] 《滄縣誌》，《義和團史料》下冊，第 965 頁。
[227] 龍顧山人：《庚子詩鑒》，《義和團史料》上冊，第 37 頁。
[228] 《滄縣誌》，《義和團史料》下冊，第 966 頁。
[229] 《廣宗縣誌》，《義和團史料》下冊，第 956 頁。
[230] 《遷安縣誌》，《義和團史料》下冊，第 988 頁。

新河縣：

　　1900 年 8 月 9 日，義和團迫令小屯村教民葛廷柱等九人反教，葛等拒絕，被處死。[231]

固安縣：

　　1900 年 5 月 18 日，燒毀公村教堂，殺害傳道者二人。[232]

霸州：

　　1900 年 5 月 25 日，焚燒善來營村，殺斃教民男女十三人。[233]5 月 31 日，殺教民數家，棄諸河。[234]

永清縣：

　　1900 年 6 月 1 日，縣城的教堂遭到團民襲擊，一名傳教士被殺死，另一名傳教士被擄走，次日處死。其後，馬家場、范莊、洪家墳、牛房、宛莊、韓村各教民家，均被焚毀。[235]

　　8 月 17 日夜，真武廟團民將已出教的周姓、鄭姓兩家六口殺死。北京陷落以後，該縣義和團致函各壇，要對教民斬盡殺絕，斬草除根。其函曰：「各壇師兄遵（尊）鑒：現在各國洋兵攻破北京，無人能擋。不久出隊往各州縣城鎮村莊，剿殺義和拳，給天主教人報仇。爾壇見傳單之後，速備刀槍，定於本月二十三日晚三更天動手，凡背教者，並未背教者，一律殺害，剪草除根，以免後患。不

---

[231] 轉見李文海等：《義和團運動史事要錄》，第 358 頁。
[232] 鹿完天：《庚子北京事變紀略》，《義和團》2，第 397 頁。
[233] 鹿完天：《庚子北京事變紀略》，《義和團》2，第 397 頁。
[234] 《霸縣誌》，《義和團史料》下冊，第 945 頁。
[235] 徐緒典主編：《義和團運動時期報刊資料選編》，第 114 頁。

然洋兵來到，替他們報仇，領著剿殺，咱們就沒命了。先將他們殺害，洋兵來到，咱就沒事了。」[236]

蠡縣：

1900 年 6 月 1 日，焚毀高家莊教堂[237]。

易州：

「教民王麻子全家九口被殺，小女孩被立劈，三歲的胖小子被梁五套提著兩腿摔死在北關石橋翅上」。半壁店一名教民少婦和孤山村數名教民均被殺害，「城廂內外之教民皆逃外地。」[238]

大城縣：

團民把教民王坦子抓住剁成肉醬。閆家務教民高士珍全家十一口被殺八口，其中有十歲以下的兒童四人，五六十歲的老人二人。[239]

大興縣：

1900 年 6 月 13 日，團民郭寶等人將本村教民李傻子一家男女四口砍斃，又砍死教民韓家婦女二口，霍家一口，並將姓劉、韓、霍、高、趙、姜、喬各姓家教民的房屋一併燒毀。[240]

---

[236] 轉見陳振江、程歊：《義和團文獻輯注與研究》，第 72 頁，天津人民出版社，1985 年。
[237] 轉見李文海等：《義和團運動史事要錄》，第 122 頁。
[238] 黎仁凱主編：《直隸義和團調查資料選編》，第 95、55 頁。
[239] 轉見李玉川：《津南義和團運動的興起與失敗》，《義和團廊坊大捷》，第 220-221 頁。
[240] 《義和團檔案史料續編》下冊，第 1100-1101 頁。

衡水縣：

　　1900 年 7 月，團民砍殺教民，搶教民的東西，焚燒教堂和教民的房子。[241]

武邑縣：

　　1900 年 6 月 24 日縣令稟報：此前縣城內被義和團焚毀教堂房屋九間，其餘十七間以及土廈、車門，均被拆毀。殺害洋人二名，頭顱均被割去無存。[242]

安次縣：

　　貧農李永茂說：1900 年 6 月 6 日，團民抄小韓村，「董家一家子七八口藏在貯藏白薯的土井子裏頭，讓義和團給看見了，就給扎死在井裏頭了。」貧農蔡殿士說：抄小韓村時，「我正在東口放牲口哪，就看見義和團從南邊殺殺地來了，一直奔街裏，不大會兒，就看見村裏頭冒煙了。義和團他們還套著大車來的，想搶東西。……那回差不多年青的都跑了，剩下的……在蔡家的東山房那裏，一下子就砍了四十八口。……蔡士林、李永海新蓋的房也燒了。義和團他們砍小孩，兩人拉著，一個人掣一隻胳膊，一個人砍，一劈就是兩半啊！」[243]

無極縣：

　　1900 年 7 月間，朱家莊義和團頭目張大環率眾赴莊裏村焚燒教堂，殺死教民二人，又焚毀黃台村教堂，率眾進縣城索款。[244]

---

[241] 轉見路遙、程歙：《義和團運動史研究》，第 424 頁。
[242] 黎仁凱主編：《直隸義和團調查資料選編》，第 444 頁。
[243] 黎仁凱主編：《直隸義和團調查資料選編》，第 466、465 頁。
[244] 《無極縣誌》，《義和團史料》下冊，第 955 頁。

成安縣：

1900 年 6 月 29 日，艾束村教堂被焚。該村教民大都聞風先逃，房屋什物多遭焚掠。[245]

寧津縣：

南皮縣潞灌、辛集的團民到該縣老君堂燒毀房子十多間，殺死教民九人。宋莊燒死教民老婦一名，燒毀教民房屋二十間。[246]

南宮縣：

「殺掠教民，時有所聞。」[247]

延慶州：

據官府詳查，1900 年 5、6 月間義和團勢盛時，「計焚毀教堂及教民房屋一千四百四十八間，傷害教命八百五十二名口。」[248]

蔚州：

1900 年 7 月 28 日，義和團燒毀楊家莊教民房屋，殺死教民十四人。[249]

宣化縣：

縣誌記載：義和團「仇視教民，以殺人放火為能。」[250]

---

[245] 《成安縣誌》，《義和團史料》下冊，第 959 頁。
[246] 《寧津縣誌調查材料摘抄和補充》，《義和團史料》下冊，第 979 頁。
[247] 《南宮縣誌》，《義和團史料》下冊，第 991 頁。
[248] 《義和團檔案史料續編》下冊，第 1090 頁。
[249] 轉見李文海等：《義和團運動史事要錄》，第 330 頁。
[250] 《宣化縣新志》，《義和團史料》下冊，第 983 頁。

深州：

　　1900 年 6 月 23 日，義和團焚抄洛泊村教堂、教民房屋什物[251]。

　　西河頭、王樂寺「兩處教堂並教民十二家曾被砸搶」，「傢俱雜物搬搶一空」。[252]

河間府：

　　1900 年 7 月 4 日，團民殺死桃園村教民趙秉鈞一家，趙外出得免[253]。

　　次日，團民開始往攻范家圪墱教堂，合圍兩月之久，終未攻開。范家圪墱四外的各堂口，「或因為奉教的家數不多，或因為業已逃避一空，拳匪們任意焚燒搶掠。」逃難的「河間縣小店村教友中途被劫，死傷過半。」[254]

威縣：

　　1900 年 7 月 21 日，團民至馬家莊抄拆教民房屋財產，殺死教民數人。[255]

　　「一般義和拳殺教民，不分大小，斬草除根。李萬里（小里固村）的雙親因奉教被殺，李萬里還是個小孩子，因有村民為其求情，才免一死。」[256]

新樂縣：

　　1900 年 7 月 31 日，團民焚毀閔鎮教堂。次日，焚燒王村及行唐縣安香村教民房屋。[257]

---

[251] 轉見李文海等：《義和團運動史事要錄》，第 197 頁。
[252] 《獻縣天主堂資料》，《義和團史料》上冊，第 425、422 頁。
[253] 轉見李文海等：《義和團運動史事要錄》，第 240 頁。
[254] 黎仁凱主編：《直隸義和團調查資料選編》，第 325、230-231 頁。
[255] 轉見李文海等：《義和團運動史事要錄》，第 309 頁。
[256] 轉見路遙、程歗：《義和團運動史研究》，第 375 頁。
[257] 轉見李文海等：《義和團運動史事要錄》，第 337 頁。

懷來縣：

　　1900 年 8 月 17 日，抄拆太平堡教民房屋。[258]

盧龍縣：

　　1900 年夏，團民至九百戶莊某教民家，「不問男女，咸繫至神壇，候神審判」。拳首「定罪曰：殺無赦」，即下令擁某全家去村外沙河灘上，「亂砍而慘死」。[259]

肅寧縣：

　　1900 年 6 月，尚村教民行至商家林村，被活埋。團民攻破該村教堂，共殺死教民一百六十七人，其中婦女孩子四五十，而且皆被活埋，殘酷無比：「拳匪一聲號令，命女教友們都下車跳坑……那三個更排場的婦女，連那兩個小孩先跳下去了，以後別的婦女孩童，被拳匪拉著推著的，轉眼之間，都送到墳坑中去了。及趕王禿子等剛一拋土填埋的時候，女教友們都掀起自己的衣襟來，蒙頭遮面，有高聲念經的，有哀聲痛哭的，……那個啃菜瓜的小孩子，……放聲哀號說：『娘啊，俺迷了眼咧！』他娘安慰他說：『不要緊，一會兒就升天堂了。』……又有更大的土塊，連二並三地拋去。不久哀聲熄滅，人也不見了。親身在場的幾個外教老太太，不但從來未曾見過，連聽也未曾聽見過這樣殘酷兇狠的景況，一時驚寒顫慄，憐憫悲傷得如同魂不附體了一樣，不禁不由得就咒罵拳匪過於殘忍，作這樣虧心的事，將來必不能得好云云。」[260]

---

[258] 轉見李文海等：《義和團運動史事要錄》，第 381 頁。
[259] 《灤縣誌》，《義和團史料》下冊，第 989 頁。
[260] 黎仁凱主編：《直隸義和團調查資料選編》，第 231、292 頁。

饒陽縣：

楚留村兩戶教民，「被拳民訛去錢財」[261]。

交河縣：

「大樹閣村有一戶村民信天主教，義和團殺了他們一家老少九口，連一個懷孕的媳婦都殺了。」[262]

定縣：

1900 年，官紳率義和團與募勇「炮攻」北車寄教堂，教民男女老幼數百人逃避，行至高蓬鎮，為團民「截殺而屠戮之，至慘。」[263]

通州：

1900 年，通州被殺死的教民，共有四十四名男人，四十六名女人和四十名兒童，但遠非全部。[264]

宛平縣：

1900 年 7 月 21 日夜間，馬蘭村團民將教民「張進廉兄弟四家房屋一併燒毀，家肆財物搶掠一空」，「傷害男女人命十一口」。[265]

還有記載直隸教民被燒殺搶掠的情況說：「某處拳黨，掠教民數十人，掘一巨坑，驅之盡入，實以土石，呼號之聲，淒慘之狀，不忍矚目。」[266]

---

[261] 《獻縣天主堂資料》，《義和團史料》上冊，第 449 頁。
[262] 黎仁凱主編：《直隸義和團調查資料選編》，第 143 頁。
[263] 《定縣誌》，《義和團史料》下冊，第 994 頁。
[264] 北京、天津市政協文史資料研究委員會編：《京津蒙難記》，第 295 頁，中國文史出版社，1990 年。
[265] 《雜錄》，《義和團》4，第 153 頁。
[266] 管鶴：《拳匪聞見錄》，《義和團》1，第 483 頁。

「余出津後，沿河所見，浮屍甚多，或無頭，或四肢不全，婦人之屍，往往乳頭割去，陰處受傷，男婦大小，憺形萬狀，不忍屬目。且有攔淺河邊，鴉雀集喙者。氣味臭惡，終日掩鼻，而竟無有出而收瘞者。或謂此皆教民，為拳匪所殺，平人不敢過問也。」[267]

「近畿一帶，所有教堂，盡付之一炬。教民之被殺者，難以數計。」[268]

教民即使是團民的親戚，義和團也不放過。有個調查材料說：廊坊西邊新莊有個叫李四的，他們老兩口及一個兒子都奉教。古縣村的邵宗玉是李四的外甥，加入了義和團。「一天黑夜，邵宗玉領著他們村的義和團就上新莊去了，到那兒就把房子給圍起來，進去就把人給砍了，又連人帶房子也給燒了。嘿！就是那個年頭吧，沒遠沒近，邵宗玉不去也不行啊！就是下毒藥也得吃，你不去行嗎？」[269]

運動高潮期間，直隸的義和團不僅燒殺搶掠本省的教民，而且越境燒殺搶掠山東的教民。除上面已經提到的外，尚有直隸寧津縣義和團七八百人，1900 年 7 月 10 日進入山東樂陵縣張家橋村，「將張姓教民房屋三所縱火焚燒；轉入鄭家莊，焚燒鄭姓教民房屋一所，並燒斃王姓教民男婦八人；此外尚燒斃自寧津遷來教民六人。」7 月 11 日夜，滄州義和團二千餘人竄入樂陵縣李名揚莊，焚毀教民房屋數處，生捆教民十數人，攜至三間堂，齊行斬首。大師兄劉振河、劉中正等奉南皮縣潞灌總拳廠總大師兄潘榮祚之命，9 月 15 日到樂陵縣崔玉堂家，將他捆綁，搶去京錢一百吊，又訛京錢一千

---

[267] 管鶴：《拳匪聞見錄》，《義和團》1，第 482 頁。

[268] 楊典誥：《庚子大事記》，見中國社會科學院近代史研究所近代史資料編輯室編：《庚子記事》，第 82 頁，中華書局，1978 年。

[269] 黎仁凱主編：《直隸義和團調查資料選編》，第 490 頁。

吊，作銀三百三十餘兩，始將他釋放；並擄去同莊平民二人。劉中正供稱：曾跟隨潘榮祚將張化亭家抄搶擄掠，勒贖銀錢；與同夥搶訛焦連城、宋毅然、徐有義等家。[270]

　　山東的義和團同樣到直隸搶掠教民。大刀會頭目田寶聚、李大標供認：1900 年 7 月 20 日，他們率人抵達直隸清豐縣七季馬村，劫得教民趙乘軒家衣物、錢文、車輛，殺死追捕的趙乘軒之父和弓懷朋、尹起雲等三人，並將韓登朝等殺傷。[271]

天津：

　　義和團在天津興起之後，「日有焚毀教堂，捉殺教民之事。」[272]「四處屠殺教民，捉獲奸細，大有應接不暇之勢」，「焚殺相望」。[273]

　　1900 年 6 月 15 日，天后宮附近教民開設的某藥鋪被搶，房屋被拆毀。[274]

　　6 月 21 日，曹福田拿獲教民三人，「殺斃，屍骸暴露，肢體不全，慘不忍視。」7 月 1 日，又在北浮橋前船上拿獲奉教者男女九人，其中一婦女懷裏抱著小孩，帶回壇中殺死。[275]

北京：

　　1900 年 6 月 7 日，外州縣義和團開始陸續進入京師。次日早晨，團民前往永定門外信教多的東管村，「戕殺老少男女數百名，並火其村。」[276]

---

[270] 《山東義和團案卷》下冊，第 707-709、725、733 頁；《籌筆偶存》，第 305 頁。
[271] 《山東義和團案卷》下冊，第 921-922 頁。
[272] 管鶴：《拳匪聞見錄》，《義和團》1，第 471 頁。
[273] 僑析生：《拳匪紀略》卷 1，第 5 頁，光緒二十七年。
[274] 劉孟揚：《天津拳匪變亂紀事》，《義和團》2，第 13 頁。
[275] 劉孟揚：《天津拳匪變亂紀事》，《義和團》2，第 20-21、28 頁。
[276] 左原篤介、漚隱輯：《拳亂紀聞》，《義和團》1，第 125 頁；徐緒典主編：

11 日，義和團大規模進入京師，「燒殺南西門內姚家并奉教呂姓全家」。[277]

13 日，焚燒西城根奉教魏姓房二所，約數十間，擒殺男婦數人。焚燒八面槽、雙旗杆等處教堂、施醫院、講經堂。[278]西堂被燒，「近巷皆教民所居，積屍無算，或裂軀數段，或身首異處，有全家俱盡而子存者，有恐嚇而成瘋瘓者。」[279]焚燒右安門內教民房屋，「無老幼婦女皆殺之」。[280]

14 日，義和團與清軍至南堂，「先搶後燒」，守堂的學生、教民被殺死多半。東堂被燒毀，兩個司鐸被燒死。[281]焚燒順治門（宣武門）大街耶穌堂，同和當鋪奉教的房屋，順治門內天主堂並施醫院兩處，及四周群房約有三百多間，燒死教民不計其數。焚燒西城根拴馬莊、油房胡同、燈籠胡同、松樹胡同教民房屋數百間，砍殺男女教民無數。[282]

當焚燒羅馬天主教堂時，團民捆了一個婦人，「以火燒之，拋置路旁為照路之用」，「身已半焦，油臭之氣撲鼻，然尚未全死，微微呻吟」。有一個看門人「所遭尤慘，其家人、什物均已無存，其父母、妻子及其親戚共十三人均被燒死，皆拳匪執刀逼之以投於火。此人乾哭無淚，呻吟如病狗，面容常帶恐懼，無時或釋。」[283]

15 日，義和團開始圍攻西什庫教堂，焚燒西單絨線胡同教堂和西交民巷教民房屋。[284]

《義和團運動時期報刊資料選編》，第114頁。
[277] 仲芳氏：《庚子記事》，見《庚子記事》，第12頁。
[278] 仲芳氏：《庚子記事》，見《庚子記事》，第12頁。
[279] 龍顧山人：《庚子詩鑒》，《義和團史料》上冊，第40頁。
[280] 李希聖：《庚子國變記》，《義和團》1，第12頁。
[281] 包士傑輯：《拳時北堂圍困》，《義和團史料》下冊，第597頁。
[282] 仲芳氏：《庚子記事》，見《庚子記事》，第13頁。
[283] 普特南‧威爾：《庚子使館被圍記》，《義和團》2，第222頁。
[284] 轉見李文海等：《義和團運動史事要錄》，第157頁。

17 日，義和團將柵欄墳塋、嬰孩院、養病院一併焚毀，「所留看堂之大嬰孩二十餘人、工人十餘人皆死於匪手。」[285]

20 日，團民「擁三百餘人於御河橋，皆手刃之。一匪呼曰，某某我所素識，非教民，勿殺。持刀者曰，令其死後奉教可也，卒殺之。」[286]

23 日，焚燒兵部灣等處教民房屋，「殺京師教民數百人於莊邸門外」。[287]

25 日，焚燒繳家坑、打磨廠等處教民房屋。在各街巷搜殺教民，「男婦被殺者不計其數，皆棄屍於寬敞之地，無衣無棺，骸骨暴露。時在火暑，臭氣薰蒸，遠聞百步之外，屍親不敢埋葬，腐爛淨盡而後已。」[288]

30 日，「于莊邸門外殺教民九百餘。……中多無辜枉死者，雖稚幼亦不免。」[289]

充當茶役的旗民孔恩普供認：6 月，他設立乾字團，充當師兄。13 日，「率團眾將八面槽並鴉兒胡同教堂各一座，椿樹胡同、燈市口洋堂二處，及教民馬姓房間，暨教民所開小藥鋪燒毀，並殺斃二條胡同口內教民一口。十八日（14 日），將燈市口施醫院，六條胡同教堂，東直門城根，後海並大街講經堂，及六條胡同口外教民所開鐘錶鋪，驢肉胡同西口教堂，帝王廟東講經堂，平則門外教堂，嘎嘎胡同教民房間，一併燒毀。走至河沿地方，適遇教婦二人，當即砍斃。十九日，又將景兒胡同三聖庵廟內居住教民砍斃四口。二十並二十九等日，又將驢肉胡同口外教民房間，及後門方磚廠劉姓

---

[285] 包士傑輯：《拳時北堂圍困》，《義和團史料》下冊，第 596 頁。

[286] 僑析生：《拳匪紀略》卷 5，第 2 頁。

[287] 龍顧山人：《庚子詩鑒》，《義和團史料》上冊，第 49 頁。

[288] 仲芳氏：《庚子記事》，見《庚子記事》，第 17-18 頁。

[289] 龍顧山人：《庚子詩鑒》，《義和團史料》上冊，第 49-50 頁。

所開鐘錶鋪燒毀，砍斃劉姓男女三口，並將教民魏姓婦女砍傷平復。」[290]

類似的無明確時間的記載還有許多，諸如：

「各處城廂大小街巷，所有天主、耶穌奉教之人，盡被團匪搜拿砍殺不絕，而家產皆搶掠焚毀一空。」[291]

團民攻宣武門內教堂不下，「遂縱火焚之。教民數百，男婦老幼無得脫者，焦爛薰蒸，過者掩鼻。」[292]

「逢吃教者，無論男婦老少，隨意殺在當街矣，無人過問。教民之屋，無論市房住宅，任意焚燒毀拆，無人敢救。」[293]

「遇教民輒屠其一門」，「搜殺教民，上至七八十翁媼，下至二三歲小兒，殺輒付之以火，白晝橫行，莫敢誰何。」[294]

「京師城內兩翼地面，城外五城地面，所有教堂及教民住戶房產等，焚毀殆盡。教民之被戕者無日無之，棄屍於御河中。」[295]

「遇天主教及耶穌教均不能放過，俱以亂刀剁之。後又開膛，其心肝五臟俱同豬羊一樣，屍身任其暴露，犬鳥奔吃，目不忍觀。天橋壇根一帶屍橫遍野，血肉模糊。」[296]

「團又殺一人，取其心而手弄之以過市。」[297]

即使明、清兩代並非隨侵略來中國傳教的著名教士的墳墓屍骨，也「悉遭發掘，若利馬竇、龐迪我、湯若望、南懷仁諸公遺骸，無一免者。」[298]

---

[290] 《義和團檔案史料續編》下冊，第 1101 頁。

[291] 洪壽山：《時事志略》，《義和團》1，第 90 頁。

[292] 龍顧山人：《庚子詩鑒》，《義和團史料》上冊，第 43 頁。

[293] 張黎輝輯：《義和團運動散記》，《義和團史料》上冊，第 252 頁。

[294] 袁昶：《亂中日記殘稿》，《義和團》1，第 347 頁。

[295] 楊典誥：《庚子大事記》，見《庚子記事》，第 83 頁。

[296] 包士傑輯：《拳時北堂圍困》，《義和團史料》下冊，第 628-629 頁。

[297] 高枬：《高枬日記》，見《庚子記事》，第 160 頁。

[298] 柴萼：《庚辛紀事》，《義和團》1，第 307 頁。

B. 肆無忌憚地禍害平民

義和團肆無忌憚地禍害平民，大致用驗證二毛子，誣指平民為二毛子，假借「滅洋」燒殺搶掠，濫燒濫殺濫搶濫勒索幾種辦法。

義和團稱洋人為大毛子，教民為二毛子或直眼，意思是說教民入教後，常吃洋人的藥物，其眼即直，與平常人的目光活動有異。「義和團欲殺人，必曰此二毛子也，萬刃齊下，頃刻化為肉泥，其殘忍無復人理。」遇到不承二毛子者，就加驗證。方法有二：一為「焚香，取黃紙燒之，如紙灰不升，即目為真二毛子，必殺無赦。」[299]二為看腦門上有無十字：「凡是奉教者，其腦門皆有十字」，平常人「凡眼不能見」，團民「一上法，即能辨別清楚。」[300]看到腦門有十字的人，便「視如殺父深仇，眾團民槍刀並下，即時殺斃，屍骸擲露道旁，無人敢為掩埋，竟為豬犬所食，慘不可言。」[301]

這兩種方法都是「定人生死之法也」[302]。焚黃表時如果一點風都沒有，紙灰能否升起，實在難說得很。因此，人之生死，全憑一點運氣。「平民之誤殺者亦多，因誣為奉教之人，到壇焚表不起，覓保不得，而竟受冤死。」[303]至於「謂教民額有十字紋，平人不能見，惟上法者見之」，那就是「彼云教民則教民矣，彼云奸細則奸細矣。」[304]「指殺任意，不能與之辨也。」[305]義和團想叫誰死，誰就不能活了。

---

[299] 柴萼：《庚辛紀事》，《義和團》1，第 332、312 頁。

[300] 劉孟揚：《天津拳匪變亂紀事》，《義和團》2，第 15 頁。

[301] 仲芳氏：《庚子記事》，見《庚子記事》，第 12 頁。

[302] 劉孟揚：《天津拳匪變亂紀事》，《義和團》2，第 13 頁。

[303] 楊典誥：《庚子大事記》，見《庚子記事》，第 83 頁。

[304] 僑析生：《拳匪紀略》卷 1，第 6 頁。

[305] 管鶴：《拳匪聞見錄》，《義和團》1，第 479 頁。

　　1900 年 6 月 17 日，梁士詒由通州乘船沿運河南下，抵木莊，不通行，返回河西務。在船上他看到「沿途無村非壇，無人非拳。所過輒被迫拜壇焚黃。凡焚黃時紙灰不揚，即目為漢奸，殺無赦。」[306]

　　「沿途匪氛遍地，滄州、獨流間尤甚。遇之即須詣壇焚香上表，拳眾意為生殺，往往全家俱盡，浮屍塞流，行舟為滯。」[307]

　　一日，天津兩個團民頭目正在行走，「遙見一婦人，指而呼曰：『直眼往何處逃』。婦人聞而跪曰：『我非直眼，乃某處某人之妻也』。匪曰：『爾額有紋，安能諱耶』？捉至壇門外，呼其黨，立殺之。」[308]

　　誣指良民為二毛子的事情尤其多。「于民間則指稱教民，勒令捐助銀米，不遂即焚殺從事。」[309]「其魚肉富室亦以直眼論，必輸多金饜其欲乃免，否則全家俱盡。」[310]「凡有富厚之家，指為教民，則所掠無算。過往之客，指為間諜，則所殺滋多。盜賊所不敢為者，彼乃公然為之。」[311]

　　對於往昔有點小怨小恨的，義和團尤其睚眥必報，誣為「二毛子」，殘酷屠戮。「夙所不快者，立殲之，不曰教民，則曰漢奸。其殺人刀矛齊下，肌體分裂，或攫其心肝以嬉，小兒未匝月者亦殺之，慘酷無人理。每壇殺一人，必眾刀濡血。童子十餘齡以上甫能執刀者，皆入匪，即皆津津以殺人為快。民彝泯滅，開闢未有。」[312]「凡夙昔略有微嫌，即誤（誣）指為二毛子，或一人，或全家，必搜尋

[306] 鳳岡及門弟子編：《三水梁燕孫先生年譜》上冊，第 33 頁，1939 年版。
[307] 龍顧山人：《庚子詩鑒》，《義和團史料》上冊，第 59 頁。
[308] 管鶴：《拳匪聞見錄》，《義和團》1，第 489、471 頁。
[309] 趙聲伯：《庚子紀事長箚》，《義和團史料》下冊，第 656 頁。
[310] 龍顧山人：《庚子詩鑒》，《義和團史料》上冊，第 33 頁。
[311] 楊慕時輯：《庚子剿辦拳匪文錄》，《義和團》4，第 354 頁。
[312] 李超瓊：《庚子傳信錄》，《義和團史料》上冊，第 211 頁。

砍斃，甚至三五歲幼童亦不留一線之延，慘不忍聞。因而屈死者不可勝記，被害之家無處伸冤。」[313]

義和團以「滅洋」為口號，對於來自資本主義世界的一切物品，均極端痛恨，他們就是假借這個口號，大肆燒殺搶掠平民。「當團黨起時，痛恨洋物，犯者必將殺無赦。若紙煙，若小眼鏡，甚至洋傘、洋襪，用者輒置極刑。」[314]「團中云最惡洋貨，如洋燈、洋磁杯，見即怒不可遏，必毀而後快。於是閒遊市中，見有售洋貨者，或緊衣窄袖者，或物仿洋式，或上有洋字者，皆毀物殺人。」[315]

北京和天津的洋物最多，義和團假借「滅洋」燒殺搶掠平民的行為主要發生在這兩地。

1900年6月義和團就飭令京城各行鋪戶與居民避忌「洋」字，如「洋燈」改為「亮燈」，「洋藥局」改為「土藥局」，「洋貨」改為「廣貨」，「洋布」改為「細布」，並將東交民巷改名「切洋雞鳴街」。「又哄傳各家不准存留外國洋貨，無論巨細，一概砸拋；如有違抗存留，一經搜出，將房燒毀，將人殺斃，與二毛子一樣治罪。」他們拆搶觀音寺中西大藥房、琉璃廠豐泰照相館；焚燒西單牌樓鐘錶鋪；「騾馬市大街廣升客店因其代賣洋貨，團民將欲焚燒，被土匪乘間搶劫一空。」[316]「甚至一家有一枚火柴，而八口同斃者。」[317]經過他們這一「滅洋」行動，北京「所有城內外凡沾洋字各鋪所存洋貨，盡行毀壞，或令貧民掠取一空。」[318]「凡洋貨店、照像館之類，悉付一炬。」[319]鋪戶、居民無不使用洋貨，棄之可惜，留

[313] 仲芳氏：《庚子記事》，見《庚子記事》，第22頁。
[314] 徐緒典主編：《義和團運動時期報刊資料選編》，第59頁。
[315] 佚名：《天津一月記》，《義和團》2，第146頁。
[316] 仲芳氏：《庚子記事》，見《庚子記事》，第12-13、16頁。
[317] 柴萼：《庚辛紀事》，《義和團》1，第305頁。
[318] 楊典誥：《庚子大事記》，見《庚子記事》，第86頁。
[319] 趙聲伯：《庚子紀事長箚》，《義和團史料》下冊，第653頁。

之不敢，故「各街巷拋棄煤油如潑髒水一般，各種煤油燈砸擲無數。」[320]

天津的情況同樣，「洋貨不准買賣，洋貨店多被抄掠。」[321] 6月19日，「南門外瑞和成機器磨坊，被拳匪搶掠一空，遂將房屋縱火焚燒。蓋因機器是洋制，故連累及之。由是各街市鋪面有售賣洋貨者，皆用紅紙將招牌上洋字糊上，改寫一廣字，如洋貨鋪則改為廣貨鋪之類，以防拳匪焚掠。即各家日用之物，如洋燈、鐘錶等類，亦多掩蔽不敢用。」[322] 義和團先搶洋行，「繼又推及於各鋪戶，凡售洋貨者皆搶之。又推及於各錢店，因其曾與洋行交易也。有一藥鋪資本甚豐，指其為教民所開，合街鋪戶出為緩頰，僅搶掠財物，留其屋未焚。」[323]「針市聯茂號向為太古通貨，則謂其與洋人往來，相聚搜劫。」[324] 同發祥屯貨棧，素與太古洋行起撥貨物，故懸有太古上行牌號。義和團「指為奸細，擁入搜查，適攫得洋賬數事，遂誣以與洋通信，反接其鋪掌去。截留往來大小車輛數十，掠貨載車上，擁之至壇所，往來數四，遷運一空。」[325] 其中有「鐵銀櫃一個，指以示人曰：此係地雷。隨抬至避靜處，砸開櫃門，將銀分取一空。」[326]「旋掠宮北，新泰洋行與恒慶錢局為鄰，掠洋行一空，隨入錢肆，見有存銀鐵櫃，匪又喘而呼曰，此地雷鐵箱也，揮六匪舁而行。肆中人阻之曰，此銀櫃，內藏鏹盈萬，如不見信，可啟驗之。匪持刀嚇禁，竟舁而去。旋劫估衣街播威鐘錶行，誤花露水為洋酒，

---

320 仲芳氏：《庚子記事》，見《庚子記事》，第 13 頁；洪壽山：《時事志略》，《義和團》1，第 92 頁。
321 管鶴：《拳匪聞見錄》，《義和團》1，第 471 頁。
322 劉孟揚：《天津拳匪變亂紀事》，《義和團》2，第 18 頁。
323 佚名：《天津一月記》，《義和團》2，第 146 頁。
324 徐緒典主編：《義和團運動時期報刊資料選編》，第 60 頁。
325 僑析生：《拳匪紀略》卷 2，第 4 頁。
326 劉孟揚：《天津拳匪變亂紀事》，《義和團》2，第 33 頁。

一飲而盡，殊不甘旨，怒而碎其餘。又指得律風為地雷機器，掇得皮人一具，……群匪昇之而去，播威罄矣，金錶皆入匪腰。並欲火其房，鄰右叩求而止。又劫順全隆洋行，亦如之。後又知某行乞張匪保險，某行經曹匪保險，彼此妒忌，各劫其所保，以互為報復。」7月6日，官兵與八國聯軍戰鬥正酣之際，義和團前往三岔河口薩寶實洋行，「擁入搜捕，無所獲，見有藏貨地窖曰，此中藏洋人無數，飭匪數十名駐守，並攜水灌之，縛鋪掌劉桂山及家屬二十餘人赴壇，初擬駢戮，經商人環求，始罰銀四萬兩贖罪。凡此皆搶劫勒贖之最著者也。其餘搶劫勒贖時有所聞，日凡十餘家，皆張（德成）、曹（福田）兩壇所為，貨物衣飾皆載之去，銀則半屬票據，後並快槍快炮亦載舟西行。」[327]格致書室以及仁記各行，都被搶劫一空。

團民從窮鄉僻壤到了大城市，許多東西見所未見，聞所未聞，遇物詫怪，連名字也叫不出來。焚掠京城老德記藥房時，「得瓶貯藥水，誤為酒，恣飲之，俱攢眉疾首。嗣又掠豐泰照像館，館存洋酒甚多，莫敢飲，悉擲而碎之，酒香流溢，行路嗟惜。又謂攝照必以人眼，縛其主者刑迫之，務令指出藏睛處。」[328]天津的團民「見店鋪招牌用銅片晶瑩，則呼為金，輦之而去。見牛膝，則以為人參，大肆嚼啖。又取西洋糖霜食之，甫入口，旁人曰礬也，則又哇出。其無知如此。」[329]

對於洋學與文化用品，義和團同樣極為仇視。早在5月26日就發出揭帖說：將拆毀北京的同文館、大學堂，「所有師徒，均不饒放。」[330]6月10日，「數十人到大學堂尋覓西人，閽者拒不使入，

---

[327] 僑析生：《拳匪紀略》卷2，第4-5頁。

[328] 龍顧山人：《庚子詩鑒》，《義和團史料》上冊，第131頁。

[329] 柴萼：《庚辛紀事》，《義和團》1，第307頁。

[330] 轉見陳振江、程歗：《義和團文獻輯注與研究》，第20頁。

團匪不允，旋搶去物件無數而散。」[331]「曾有學生六人，倉皇避亂，因身邊隨帶鉛筆一枝，洋紙一張，途遇團黨搜出，亂刀並下，皆死非命。」[332]7月6日，「又傳言殺盡教民後，將讀洋書之學生，一律除去。於是學生倉皇失措，所有藏洋書之家，悉將書付之一炬。」[333]

人民倘若穿著有點洋氣的衣服或攜帶洋物被團民看見，情形更慘。「士民有攜西洋貨物入市者，多為匪徒所毀，甚至並其人殺之。」[334]「遇有緊衣窄袖以及平素所稱洋務人員，必以刀刃相向。」[335]

北京「拳匪初起，每藉端害人，有因《格物入門》一書全家被害者。」[336]

7月1日，「保安寺僧入壇後，妄殺讀洋書者數人。」[337]

「有一大車載一文弱書生，偕妻一子一，蒙紅巾者數十押之赴壇，云獲得二毛子也。問其憑證，即舉一花露水瓶，曰此確證也。」[338]

6月初，天津義和團「日益強橫，凡讀書之洋學生，及著瘦小衣服者，皆不敢在街行走，若令拳匪見之，則指為奸細，揮刀亂刺。」[339]

「拳眾謂學堂肄業者為二毛子，經人指出，往往罹害，北洋諸生殘戮尤慘，陳石遺長子與焉。」[340]

---

[331] 左原篤介、漚隱輯：《拳亂紀聞》，《義和團》1，第128頁。
[332] 徐緒典主編：《義和團運動時期報刊資料選編》，第59頁。
[333] 楊典誥：《庚子大事記》，見《庚子記事》，第86頁。
[334] 佚名：《庸擾錄》，見《庚子記事》，第253頁。
[335] 左原篤介、漚隱輯：《拳亂紀聞》，《義和團》1，第137頁。
[336] 華學瀾：《庚子日記》，見《庚子記事》，第128頁。
[337] 高枬：《高枬日記》，見《庚子記事》，第149頁。
[338] 毓盈：《述德筆記》，《近代史資料》總79號，第83頁，中國社會科學出版社，1991年。
[339] 劉孟揚：《天津拳匪變亂紀事》，《義和團》2，第9-10頁。
[340] 龍顧山人：《庚子詩鑒》，《義和團史料》上冊，第73頁。

「武備學堂前為拳黨所圍，經肄業生力戰始解。而天津各堂學生被害者，頗不乏人。」羅熙祿在運動高漲以後自河南赴天津省視家屬，隨身攜帶洋書兩箱。「舟次新安，為拳匪所遮，搜出西書，遂指為教民，實則豔先生之箱籠也。牽至大師兄處，不容置辯，遂被害。……兩僕亦被殺，以其包袱內有洋錢故也。其一僕甫十三四齡，經舟子跪保乃免。」[341]

有人攜帶留聲機乘船逃難，為團民所見，「謂留聲機是埋伏，欲將其人殺斃」。攜帶者解釋不是「埋伏」，安上一管，及唱出，是洋語。團民曰：「你顯係奸細，此與洋人傳話之物也。遂不容分辯，將是人拉至岸上殺斃。」[342]

濫燒濫殺濫搶濫勒索的現象更是多得難以想像。請看：

「順直地方，自本年五月拳匪倡亂以來，每勒有力之家捐助錢米，稍不遂欲，輒加以二毛之名，任意燒殺，官司不敢過問，以致兇焰日張，良懦窮民亦被擄掠牲畜財物。」[343]

「為教堂服役者，為教民佃田結婚者，皆莫保性命。」[344]

「各團皆旗書奉旨二字，在各村鎮，按戶抽丁斂錢。有不願者，闔家性命不保。」[345]

固安縣「自拆毀涿縣鐵路而後，兇焰益張，不分鄉民與本黨，一言不合，動即慘殺。如馬村之張景良，流勺村之鮑姓男女十一口，均遭該匪仇殺橫死。」「劫索富商，蔓延迫脅。至六月，幾於無村無之。」[346]

---

[341] 管鶴：《拳匪聞見錄》，《義和團》1，第 475、485 頁。
[342] 劉孟揚：《天津拳匪變亂紀事》，《義和團》2，第 49-50 頁。
[343] 《義和團檔案史料》下冊，第 929 頁。
[344] 《周馥年譜》，《義和團史料》上冊，第 414 頁。
[345] 佚名：《天津一月記》，《義和團》2，第 156 頁。
[346] 《固安縣誌》，《義和團史料》下冊，第 942-943 頁。

新城縣的數千團民至高碑店「拆毀鐵路，焚燒民房，殺斃良民多命。」[347]「燒街市居民房屋並順和莊董姓房，殺武生溫某及民人數人。」[348]

大名府的團民「白晝公然行劫，新並舊治一帶，放火殺人，巨案迭出。」[349]

淶水縣的團民「到各村，凡有所需，莫不責供于富戶。」「遇有過路商人，亦時出而劫掠，甚或指為教民，殺傷滅跡。行旅惴惴，咸有戒心。」[350]

安次縣的團民「吃的米麵靠攤派，地主家或有餘糧的，或二百斤、一百五十斤、一百斤不等，而且必須送到。」「誰家門口沒有香桌子，就是奉教。有錢兒的不當義和團，就說他奉教，給他的雞犬不留。」[351]「挾仇殺人，人心惶恐。」[352]

霸州的團民「藉端仇殺，日有所聞。」[353]

臨榆縣的團民「以地方官為傀儡，以鄉民為魚肉。」[354]

棗強縣的團民「到處劫殺擄掠而簫（囂）張」。[355]

靜海縣「境內稍有富裕者，即目為直眼。……本城已有全家無辜被害者。」[356]拳首劉十九（劉呈祥）在管鋪頭村一天殺了三百多人，其中有些就是被誣為「直眼」慘遭殺害的。[357]

---

[347] 祝芾：《庚子教案函牘》，《義和團》4，第 382 頁。
[348] 艾聲：《拳匪紀略》，《義和團》1，第 456-457 頁。
[349] 《大名縣誌》，《義和團史料》下冊，第 955 頁。
[350] 祝芾：《庚子教案函牘》，《義和團》4，第 378 頁。
[351] 黎仁凱主編：《直隸義和團調查資料選編》，第 3、466 頁。
[352] 《安次縣誌》，《義和團史料》下冊，第 943 頁。
[353] 《霸縣誌》，《義和團史料》下冊，第 945 頁。
[354] 《臨榆縣誌》，《義和團史料》下冊，第 989 頁。
[355] 《棗強縣誌》，《義和團史料》下冊，第 991 頁。
[356] 《靜海縣誌》，《義和團史料》下冊，第 964 頁。
[357] 轉見李玉川：《津南義和團運動的興起與失敗》，《義和團廊坊大捷》，第 220 頁。

河間府的團民「均以仇教為名，持械聚眾，擾害鄉村，甚至放火殺劫，等法令若弁髦，視長官如草芥，肆無忌憚。」[358]

懷來縣有一個和尚對人說了幾句義和團的壞話，就被團民誣為白蓮教徒黨燒死。[359]

定興縣的團民「韓老祿欲倚拳致富，遂苛罰鄉民，每家多則千餘緡，少亦數緡，忤之即殺掠，良懦含冤莫訴。」[360]

青縣史家莊的拳首「或殺某人，或掠某村，皆發令行之。」[361]「初，運河左近，匪黨騷擾，除教民外，多及紳富少康之家，每指為通洋人，或誣為在洋教，必出重資賂之，乃無事。青邑富商大小七十餘家，匪黨均列之教民冊內，雖未盡肆騷擾，而各家流離遷避，財業已空。」一日「數十人皆為拳匪所戕。……傳聞係一商船，皆由津而返晉豫者，挾貲不少。」[362]

滄州「村中有不練習者指為在教，橫加燒殺；富室錢穀悉出供匪，莫能自保。」[363]青縣山呼莊義和團首領王之臣，6月間率萬餘團民進入滄州，「凡地方富室，概指為洋教，焚劫殺掠，兇橫異常。」[364]南運河兩岸，團民「攔流設卡，搜索行舟，商旅裹足。」[365]「團匪專事殺人奪物，號為黑團。五月下旬，滄州附近之薛家窪地方，有自天津來之某觀察家眷船數號，行李頗多。該匪故借檢查為名，登舟行劫，繼竟肆意殺人。計共死各船上人百餘，奪去什物計值千餘金。」[366]

---

[358] 馬毓桂：《武垣定亂稟牘》，《義和團》4，第 400 頁。

[359] 吳永：《庚子西狩叢談》，《義和團》3，第 392-393 頁。

[360] 艾聲：《拳匪紀略》，《義和團》1，第 451 頁。

[361] 龍顧山人：《庚子詩鑒》，《義和團史料》上冊，第 71 頁。

[362] 管鶴：《拳匪聞見錄》，《義和團》1，第 483、482 頁。

[363] 羅正鈞：《劬庵官書拾存》，《義和團史料》上冊，第 362 頁。

[364] 《滄縣誌》，《義和團史料》下冊，第 965 頁。

[365] 管鶴：《拳匪聞見錄》，《義和團》1，第 483 頁

[366] 佚名：《綜論義和團》，《義和團史料》上冊，第 169 頁。

吳橋縣的團民「已殺不奉教之人矣」[367]。

景州的團民「已勒索不奉教之家矣」[368]。

宛平縣長辛店有個二師兄，「桀悍好殺，專事劫掠，日遣其黨赴各村擄劫。」[369]

通州「四鄉村落被其擄掠，慘不忍言。」[370]7月16日，「各村有兵、團搜殺擄掠」[371]。8月11日，「拳匪殺平民無算而歸」[372]。次日通州失守，「拳匪易裝，大肆搶掠。」[373]

文安縣「附郭村莊均被焚掠」[374]。

寧津縣的團民「在村攤款拿錢」[375]，讓富戶供應糧食，「前寨子富戶張敬先不答應，該村團民上了法，砍了他的肩膀，隨將糧食獻出。」[376]

慶雲縣的團民「借言仇教，向四鄉抄掠。始而教民受害，繼而平民遭殃。其終也，拳匪與回民結仇，拳匪與拳匪亦為敵。」[377]

鹽山縣「凡稍殷實者皆目以教民，……境內殺人無算，罹害數千家。」[378]張村的團民一次殺傷舊縣的群眾七十餘人。崔家城州莊有個崔哲甫，素日擾害鄉里，人人切齒。充任拳首後，6月末率人搶掠崔家口文生劉鴻恩、大屯堆民人劉青雲家的財物、馬匹，燒毀他們的房屋，殺死他們的生母。[379]

[367] 勞乃宣：《拳案雜存》，《義和團》4，第459頁。
[368] 勞乃宣：《拳案雜存》，《義和團》4，第459頁。
[369] 徐緒典主編：《義和團運動時期報刊資料選編》，第235頁。
[370] 左原篤介、漚隱輯：《拳亂紀聞》，《義和團》1，第126頁。
[371] 高枬：《高枬日記》，見《庚子記事》，第155頁。
[372] 李希聖：《庚子國變記》，《義和團》1，第22頁。
[373] 僑析生：《拳匪紀略》卷5，第8頁。
[374] 徐緒典主編：《義和團運動時期報刊資料選編》，第38頁。
[375] 《寧津縣誌調查材料摘抄和補充》《義和團史料》下冊，第978頁。
[376] 《寧津縣誌稿》，《義和團史料》下冊，第972頁。
[377] 《慶雲縣誌》，《義和團史料》下冊，第968頁。
[378] 《鹽山新志》，《義和團史料》下冊，第968頁。
[379] 《山東義和團案卷》上冊，第121-122頁；下冊，第680頁。

　　慶雲、鹽山和寧津的義和團還經常率領大隊人馬到臨近的山東大肆搶掠。受害最重的是樂陵和海豐兩縣。他們在樂陵縣的朱家寨、三間堂、黃街等莊屢次「劓掠」，「焚殺徐家」；並「專事訛索。如縣屬之茨頭堡、小吳家、張牌家、宋家集一帶，與匪巢毗連，均被擾。張牌家保練被匪害割兩耳，首事被毆重傷。」逼得「該處莊民均已結團」[380]，與他們對抗。他們搶去馬鐵匠家莊平民武丕承家三大車財物，「除拉車之牛騾馬外，餘均米糧、木器等項。」[381]又「竄入交界之蘆郭莊地方，搶掠居民。」[382]

　　遵化州城內設一總團，由翰林院庶吉士楊錫霖主持其事。「初尚藉口義忿，專與教民為難。繼乃橫起貪心，魚肉良民，藉端索詐，稍不遂意，逞兇殘害。甚至過境兵隊指為逃勇，戕殺委員兵丁，截奪火炮軍械。蔑法妄為，莫此為甚。」[383]

　　任縣的「拳匪仇教，向各村逼索財粟。」[384]

　　易州的「義和團人吃馬餵，一切開支，全係向財翁富戶索取而來，名曰『化齋』。『遵者不入其門，違者全家不保。』例如西陵義和團去南石婁村九品鄉官陳老一家化糧食兩大車。豸泉社義和團李老存等去南白馬村楊財主家化去不少錢糧。保定府義和團大元帥周老昆帶隊回家，即向裴莊本村財主劉老印家索取兩石黑豆餵馬。」「凡有不悅於團者，便呼為二毛子，即有身家性命之憂。」小龍華綠營西門外財主郭老芝和榆林莊財主康老玉，均被殺害。上岳各莊曹老桂一家五口，亦遭滅門之禍。義和團失敗後，當地流傳著這樣一首歌謠：「義和團，不說理，大師兄，把眼兒擠，見了財主就附

---

[380] 《籌筆偶存》，第 481、301、370、384 頁。

[381] 《山東義和團案卷》下冊，第 720 頁。

[382] 《籌筆偶存》，第 451 頁。

[383] 《義和團檔案史料》上冊，第 656 頁。

[384] 《任縣誌》，《義和團史料》下冊，第 958 頁。

體。又要錢，又要米，你要是不給，二毛子就是你。」[385]把團民的強橫惡霸行徑描繪得淋漓盡致。

武清縣河西務的團民「列械要索，每船繳費三百兩。」[386]

張家口的團民「在下堡燒洋樓，亦有鋪戶十數家。……在口外元寶山燒洋行買賣家，有二三十家。並在營房傳萬全縣挑眼，罰幾十斤糖，幾十斤綠豆糕，又罰一百五十身褲子、汗沙兒；各鋪戶要佈施。」[387]

交河縣齊家堰的團民「搶劫富商船只三起，殺害一百數十命。」[388]

大興縣十八里店「每家斂錢五千」，後來「因學拳人眾，食用不給，與韓得福等商令團眾，往馬家堡搶拉麥子一次。」[389]

馬家堡糧棧林立，米糧百萬，團民「裝運入城者甚多，猶不下數十萬石也。一日，某壇拳匪來，指糧棧而大言曰，此累累者皆外國糧台也。棧中人跪求萬狀，出肆簿與觀，匪又焚香升表，始無異說，又索香資，增至數十金。恐其久而失也，浼其同里某團代運入城，插旗露刃，轔轔而來。城匪見之，以為同匪劫糧也。宣武門外某壇為首，各壇響應，驅空車數百輛出城，至馬家堡入棧劫糧。保護者止之。眾匪曰，汝等飽欲死，我等饑欲死矣，諸君勿為棧主所愚，劫之之計較優也。保護者既叛於言，又歆其計之善，乃並力搶掠，運三日乃盡，每石售銀一兩。」[390]

新河縣的團民「時以均糧為名，聚眾強搶」，「日事仇殺」。「由是累及無辜」，「鄉民苦之」，「地方擾亂，盜賊因而蜂起。」[391]

---

[385] 黎仁凱主編：《直隸義和團調查資料選編》，第 39、117、55、93 頁。

[386] 鳳岡及門弟子編：《三水梁燕孫先生年譜》上冊，第 33 頁。

[387] 桂豐：《張家口庚子年拳匪日記》，《義和團》1，第 528 頁。

[388] 《義和團檔案史料》上冊，第 584 頁。

[389] 《義和團檔案史料續編》下冊，第 1100、1101 頁。

[390] 僑析生：《拳匪紀略》卷 5，第 6 頁。

[391] 《新河縣誌》，《義和團史料》下冊，第 992 頁。

安平縣的團民「殺平民無數，殺來往行旅又無數。」[392]

深州的團民「所至焚殺攘奪」[393]。

武邑縣的「鄉村善良，受其嚇詐，不能安業，甚有一身一家，多為所害。」[394]

南皮縣祿官莊拳首「每率眾出劫掠，……冤殺亦百餘人。」[395]潞灌拳首五隻虎搶掠殷家屯殷紹宗閨女，並大車二輛。[396]

任邱縣的團民「人多乏糧，向各村富戶索要糧柴，向錢鋪借錢五十吊。」[397]

故城縣的團民見「有販賣草帽辮及落花生等船隻」由境經過，「以洋貨為名，即將全船貨物燒搶一空。」[398]

此外，容城、新城交界之白溝河，靜海之獨流鎮，文安之勝芳蘇橋一帶，「均為拳匪巢穴，動聚數萬人，廣有快槍，斂捐糧草，水旱各路，盤詰來往，輕則劫留財物，甚則人命草菅。」[399]

御河附近某村，「一巨舟載難民一百零五名，男婦老幼不一，行至該處，拳匪阻不使行，登船查閱，牽一人輒縛之曰，『暫縛汝，查迄即釋之』。合舟遍縛，運舟中物於岸，乃揮刀一一砍之，屍骸沉諸河，曰此皆奸細也。舟中只二人善鳧水，見勢不佳，投水遁去。」[400]

「距天津八英里之某村，竟被搶劫一空，該村房屋亦均遭縱火焚毀。」[401]

---

[392] 《獻縣天主堂資料》，《義和團史料》上冊，第 447 頁。

[393] 《深州風土記》，《義和團史料》下冊，第 993-994 頁。

[394] 馬毓桂：《武垣定亂槀牘》，《義和團》4，第 399 頁。

[395] 龍顧山人：《庚子詩鑒》，《義和團史料》上冊，第 71 頁。

[396] 《山東義和團案卷》下冊，第 721 頁。

[397] 林學瑊：《直東剿匪電存》卷 2，第 7 頁。

[398] 《山東義和團案卷》下冊，第 839-840 頁。

[399] 《義和團檔案史料》上冊，第 584-585 頁。

[400] 僑析生：《拳匪紀略》卷 4，第 6-7 頁。

[401] 徐緒典主編：《義和團運動時期報刊資料選編》，第 35 頁。

「自天津以南，民大徙，乃候於道遮殺之，曰『防奸細』，坐死者又十數萬人。」[402]

天津的團民「找紳商富戶要住處，要錢糧，要富戶進行攤派。」[403]「逐日食物，皆責之鋪民。」[404]「初猶勒民供給，並索官餉，久之眾謗沸騰，不能自立，乃欲示威於民，殺戮日甚。……旋以示威不足以充囊橐，乃肆意搶掠。」[405]「焚殺任意，搶掠無禁。甚至搶衙署，劫監獄。」[406]「各處肆行，殺人如戲。」[407]「生殺任意，無辜受戮者，不知凡幾。」[408]「在各城門嚴查出入，有攜帶物件皆截留，惟先以銀米贈壇，派團護送，則出城無礙。團每夜必出，或焚教堂，或搶鋪戶，或執途人而殺之。」「夜則巡更，遇形跡可疑者，指為奸細，即殺之。」[409]「行走街巷，令人跪道旁，有不從者，則揮刀亂刺，婦人躲避不及，亦如之。」[410]「沿街搜查行人，或指為教民，不由分辨已殺之。」[411]

團民「不令婦人出門，防污穢也，違則殺之，不知而被害者甚多。」[412]行經河東小關，「有婦女不知逃避，以為沖神，當用刀砍傷二人。」[413]「嘗有婦女坐轎出門，被拳匪將轎剁碎者，蓋因其未蒙紅布也。並有婦女在街行走，被拳匪將頭面剁破者。」[414]

---

[402] 李希聖：《庚子國變記》，《義和團》1，第18頁。
[403] 南開大學歷史系編：《天津義和團調查》，第154-155頁，天津古籍出版社，1990年。
[404] 管鶴：《拳匪聞見錄》，《義和團》1，第470頁。
[405] 僑析生：《拳匪紀略》卷2，第4頁。
[406] 佚名：《天津一月記》，《義和團》2，第144頁。
[407] 董作賓：《庚子佚事》，《義和團史料》上冊，第506頁。
[408] 管鶴：《拳匪聞見錄》，《義和團》1，第471頁。
[409] 佚名：《天津一月記》，《義和團》2，第143頁。
[410] 劉孟揚：《天津拳匪變亂紀事》，《義和團》2，第9頁。
[411] 汪聲鈴：《枕戈偶錄》，《義和團史料》上冊，第486頁。
[412] 管鶴：《拳匪聞見錄》，《義和團》1，第474頁。
[413] 左原篤介、漚隱輯：《拳亂紀聞》，《義和團》1，第129頁。
[414] 劉孟揚：《天津拳匪變亂紀事》，《義和團》2，第19頁。

團民「燒城外教堂及大胡同教民藥店，延及左右前後鄰居，其勢洶洶。」[415]燒劉家胡同教堂，「延燒二十餘戶，計房數百間。」[416]

團民殺害「督署親兵吳大個全家老幼男女八名口，並同伴親兵一名。初，吳有妹，年未及笄，美而豔。一日立戶外，適附近惡少年三五人過其門，相與評頭品足，嘲笑之。女聞，怒罵，哭而入。吳歸，訊得實，持械往尋毆，且將送之官。經父老勸止，使諸惡少負荊請罪焉。拳亂作，惡少入其黨，誣吳為天主教中人，取其父母弟妹並妻與子女盡殺之，遂執吳於督署中，同伴某代為剖白，並縶而殺諸鐵橋北之大胡同中。」[417]

「團開遊至蘆莊，倏遇洋兵，被槍斃三人，因即謂該莊藏奸，率眾往屠之。」[418]「良民被害者甚多」[419]，「人死無算。後至六月初間，竟全行焚毀。」[420]

義和團為替丁字沽土棍報仇，將穆家莊圍住，「遠則用洋槍轟擊，近則用刀劍殘殺，該處居民，無敢抗禦，被焚者數十家，亦有死者。」[421]

「陳家溝為津門大鎮，富室鉅賈，人煙稠密，團指為奸細，焚掠於前。」[422]

當官軍與聯軍激戰時，天津的義和團依然搶掠平民：「拳匪怯不臨敵，無以自立，乃以搜捕奸細為名，而搶掠商家，勒索財賄。」[423]

---

[415] 張廷驤：《不遠復齋見聞雜誌》，《義和團史料》下冊，第 649 頁。
[416] 僑析生：《拳匪紀略》卷 1，第 4 頁。
[417] 劉孟揚：《天津拳匪變亂紀事》，《義和團》2，第 20 頁。
[418] 佚名：《天津一月記》，《義和團》2，第 145 頁。
[419] 劉孟揚：《天津拳匪變亂紀事》，《義和團》2，第 28 頁。
[420] 僑析生：《拳匪紀略》卷 1，第 7 頁。
[421] 劉孟揚：《天津拳匪變亂紀事》，《義和團》2，第 35 頁。
[422] 佚名：《天津一月記》，《義和團》2，第 145 頁。
[423] 僑析生：《拳匪紀略》卷 2，第 4 頁。

「縣城內外炮彈橫飛，拳匪趁勢搶掠鋪戶。」[424]「武庫之軍械，督署之餉銀，街市之鋪戶，搶劫一空。」[425]「津城將陷之前一日，遂劫掠錢店、鐘錶行數家，一哄而散。」[426]「或掠良家財帛，或奪勇丁槍械，甚至搶劫衙署，焚燒街市。」[427]

「郡城西南王春甫者，向為著名鍋匪，當拳匪倡亂時，遂在范莊召集子弟，設壇惑眾，遇難民帶有洋元者，即指謂代洋人買物，立行殺死。受其害者，不知凡幾。失城後，攜帶財物，遁跡山東。」[428]

楊柳青鎮有一條河，「經拳匪用船節節攔住，凡是往來之船，皆須搜索一番，以查奸細為名，任意劫掠。且有誣為教民，被殺投屍河中者。甚至連殺數人，河水為之變色。」[429]「每登舟搜索，遇有財物，即不免留難，甚至目為直眼，殺而取其資。」[430]有的「詐稱某富戶奉教，饋以財物得贖罪。」[431]「有一居民，夫婦之外，上有老父，下二女，一子年方六歲，兩女一十六，一十八，均有美貌，為團所聞，夜入其家，指其曾與教民往來，殺其夫婦，以幼子交其父撫養，挾其二女以去。」[432]各處團民「覬覦青鎮之富，凡來者多所要脅，予以重金始去。」[433]

北京的義和團「分段設壇之後，藉口保衛地方，向鋪戶人等捐助，或日輸米麵，或助以香資。然甲壇募寫方畢，而乙壇又至。」[434]「挨戶索資，一千、二千、十千、八千不等。」[435]

---

[424] 《天津政俗沿革記》，《義和團史料》下冊，第 962 頁。
[425] 楊慕時輯：《庚子剿匪電文錄》，《義和團》4，第 354 頁。
[426] 管鶴：《拳匪聞見錄》，《義和團》1，第 478 頁。
[427] 《義和團檔案史料》上冊，第 366 頁。
[428] 左原篤介、漚隱：《拳事雜記》，《義和團》1，第 275 頁。
[429] 劉孟揚：《天津拳匪變亂紀事》，《義和團》2，第 18 頁。
[430] 管鶴：《拳匪聞見錄》，《義和團》1，第 479 頁。
[431] 柳溪子：《津西毖記》，《義和團》2，第 80 頁。
[432] 佚名：《天津一月記》，《義和團》2，第 152 頁。
[433] 僑析生：《拳匪紀略》卷 4，第 8 頁。
[434] 楊典誥：《庚子大事記》，見《庚子記事》，第 85 頁。
[435] 僑析生：《拳匪紀略》卷 5，第 2 頁。

　　「各團皆存生財之私心，或真係教民房產，或本係良民產業，因與團中人夙有嫌仇，即誣指為奉教之房。團民虛張聲勢，必欲燒殺，旁人則代為婉求，從中調楚（處）。必須報效壇中鉅款，便可免遭荼毒。由此視為利藪，百弊叢生。」「尋仇焚掠，指良人為教民，搶人勒輸，劫取行人財貨，種種私心，不可枚舉。」[436]

　　「尋仇焚殺之事，在在有之。」[437]「日日毀教堂，殺教民，株連無辜。」[438]「波及平民較教民尤多」[439]。

　　「拳匪殺人放火，靡日無之。」[440]「所至縱火，遇人即殺，火光熊熊亘里許。」[441]

　　「西安門內有當店兩座，早被拳匪搶掠一空。」[442]

　　5月26日，「有匪黨八人，至西城南橫街某錢鋪搶劫一空，刃傷數人。」[443]

　　6月8日，「匪黨將南西門外居民殺死數人，並焚燒房屋。」[444]

　　15日，「妄拿平民男婦百餘名，指為學道會邪教，駢戮於市。有稍為異議者，輒家亡身喪。」[445]「西安門內有義和團前來燒西什庫洋樓，道經門內路北小廟，團上燒香舉火。往前正走之間，撞遇路北棚鋪掌櫃郭五之妻，身已有孕，在鋪外看熱鬧，衝壞義和團火，即延燒棚鋪，一家無存。」[446]

[436] 仲芳氏：《庚子記事》，見《庚子記事》，第21、20頁。
[437] 左原篤介、漚隱：《拳事雜記》，《義和團》1，第272頁。
[438] 惲毓鼎：《崇陵傳信錄》，《義和團》1，第47頁。
[439] 僑析生：《拳匪紀略》卷5，第2頁。
[440] 陳夔龍：《夢蕉亭雜記》卷1，第40頁。
[441] 龍顧山人：《庚子詩鑒》，《義和團史料》上冊，第39頁。
[442] 陳慶恒：《清季野聞》，《義和團史料》下冊，第638頁。
[443] 佚名：《庸擾錄》，見《庚子記事》，第247頁。
[444] 佚名：《庸擾錄》，見《庚子記事》，第249頁。
[445] 繼昌：《拳變紀略》，《義和團史料》下冊，第559頁。
[446] 包士傑輯：《拳時北堂圍困》，《義和團史料》下冊，第627頁。

16 日，義和團謂前門外大柵欄老德記大藥房中有洋貨，縱火焚燒，不許鄰近鋪戶及水會相救，「曰斷不連燒民屋」。[447]「自命其火為神火，謂越救越凶。」[448]「如有救火者，即指為奉教之人同黨，立刻擒捉處死。」不料縱火之後，火勢蔓延其他鋪戶，越燒越猛。團民還是「不許撲救，仍令各家焚香，可保無虞，切勿自生慌擾。既至火勢大發，不可挽救，而放火之團民，已趁亂逃遁矣。是以各鋪戶搬移不及，束手待焚，僅將賬目搶護而已。」這次大火延燒了一日一夜，連正陽門城樓亦被殃及，三四千家店鋪俱成灰燼。「計其所燒之地，凡天下各國，中華各省，金銀珠寶，古玩玉器，綢緞估衣，鐘錶玩物，飯莊飯館，煙館戲園，無不畢集其中。京師之精華，盡在於此；熱鬧繁華，亦莫過於此。」受害的當然都是平民，幸而火起在白晝，僅傷二、三人。「被燒者如醉如癡，未燒者心驚膽戰。城內城外錢鋪銀號因各爐房被焚，來源既竭，盡行關閉，人心愈覺惶恐。各行買賣，無論生意大小，俱閉門暫停交易，菜肉糖果各市，亦皆罷市。」[449]經此大火，「京師二百數十年菁華掃地盡矣。」[450]「官因之輟政，商因之罷市，長攜幼而走，壯扶老而行，都城車馬為之一空。」[451]此次大火燒的都是前門大街以西。當時「某水會會長率百餘人各持洋槍，與義和團打了一仗，才把前門東一帶保住。」[452]

17 日，「焚西單牌樓講書堂，又延燒千餘家。東城一洋貨鋪被匪縱火，又延燒四千餘家。」[453]

[447] 《袁昶奏稿》，《義和團》4，第 160 頁。

[448] 張黎輝輯：《義和團運動散記》，《義和團史料》上冊，第 252 頁。

[449] 仲芳氏：《庚子記事》，見《庚子記事》，第 12、14 頁。

[450] 李超瓊：《庚子傳信錄》，《義和團史料》上冊，第 209-210 頁。

[451] 《義和團檔案史料續編》上冊，第 631 頁。

[452] 齊如山：《八國聯軍進京見聞錄》，《京津蒙難記》，第 21 頁。

[453] 僑析生：《拳匪紀略》卷 5，第 2 頁。

18 日,「地安門外煙袋斜街附近各鋪戶,被團民焚燒四十餘家。」[454]

20 日,「西四牌樓一帶火又大起,因燒教堂又延燒數十家鋪面。」[455]

6 月 20 日義和團與官兵攻打各國駐京使館後,「炮聲每夜不絕,然所傷甚微。其附近民房,則攻毀殆盡。」[456]「遭魚池之殃者不可勝計。東城一帶,京官私宅,劫掠殆盡。」[457]「洋人受傷無多,我國難民被兵勇、團民燒殺者何止萬計,東交民巷一帶,屍積如山。」[458]

21 日,「義和團焚燒西單牌樓鐘錶鋪,連及四鄰鋪戶,被燒一百餘家。」[459]「西單牌樓二道街火又起,即趙姓所設之鋪也,延燒二十餘家。」[460]

22 日,「前門內各軍與團民縱火焚掠。」[461]「東城大火,槍炮聲竟日不絕,……是日所毀皆民廬也。」[462]

28 日早晨,團民「先在公門外西臨近家縱火,意欲延燒公門,奈將鄰街房燒完。」[463]

30 日夜,「保安寺團藉口廣升店為教民之產,率眾將該店搶劫一空。」[464]

---

[454] 仲芳氏:《庚子記事》,見《庚子記事》,第 14 頁。
[455] 張黎輝輯:《義和團運動散記》,《義和團史料》上冊,第 252 頁。
[456] 趙聲伯:《庚子紀事長篇》,《義和團史料》下冊,第 656 頁。
[457] 袁昶、許景澄:《請速謀保護使館維持大局疏》,《義和團》4,第 163 頁。
[458] 仲芳氏:《庚子記事》,見《庚子記事》,第 18 頁。
[459] 仲芳氏:《庚子記事》,見《庚子記事》,第 16 頁。
[460] 葉昌熾:《緣督廬日記鈔》,《義和團》2,第 445 頁。
[461] 仲芳氏:《庚子記事》,見《庚子記事》,第 16 頁。
[462] 龍顧山人:《庚子詩鑒》,《義和團史料》上冊,第 136 頁。
[463] 包士傑輯:《拳時北堂圍困》,《義和團史料》下冊,第 602 頁。
[464] 楊典誥:《庚子大事記》,見《庚子記事》,第 86 頁。

據記載，7月10日，義和團拿獲白蓮教五十餘名，15日拿獲八十餘人，17日拿獲一百餘人。拿到即「送步軍署，逼請梟首，曰此為白蓮教，而媒孽其證據，有紙人、紙馬、鞘刀之屬。紙人、紙馬者，村市所鬻小兒玩具，鞘刀則工藝所需，婦孺皆知其誣捏也。時載勳代崇禮任步軍統領，以入奏，有旨交刑部處決。」[465]又據記載，7月15日斬白蓮教男婦老幼七十八名，19日斬三十餘人，25日斬七十餘人，31日斬三十餘人。證之逮捕的人數，這些記載大致是可信的。「有婦人寧家，亦陷其中，雜誅之，兒猶在抱也。」[466]「臨刑時呼兒喚父，覓子尋妻，嚎痛之聲，慘不忍言。」[467]而團民則「意氣揚揚，幫同行刑，以逞一時之快。」死於非命的都是老實善良無辜的平民百姓。義和團為何要拿獲並逼刑部殺害這麼多的人呢？「有言得罪於義和團；有言勒捐不送，致受誣陷者。」[468]有的說義和團「攻交民巷、西什庫，既屢有殺傷，志不得逞，而教民亦合群自保，拳匪不敢前，乃日於城外掠村民，謂之『白蓮教』。」[469]

7月12日，「團民聚集二三十人，無拘鋪戶、住戶，所居之房，硬指為教民之產，立欲燒毀，虛張聲威。住房者與左右鄰居自然恐懼，勢必大眾跪求。或許在壇中獻銀若干，或助米糧若干石，約家業之豐饒，以定捐款之多寡。團民飽欲俯從，遂至院中用刀劍假為劈畫，凡存有洋貨等物，搜搶一空，飽載而歸，謂之淨宅。此壇團民才去，彼壇團民又來。城內城外居民鋪戶，遭逢此難者，每日數十起。貧人尚無妨礙，稍有名望之富人，皆為團民覬覦，時耽驚恐，日不聊生。」[470]

---

[465] 李超瓊：《庚子傳信錄》，《義和團史料》上冊，第215頁。
[466] 惲毓鼎：《崇陵傳信錄》，《義和團》1，第50頁。
[467] 仲芳氏：《庚子記事》，見《庚子記事》，第27頁。
[468] 楊典誥：《庚子大事記》，見《庚子記事》，第89頁。
[469] 李希聖：《庚子國變記》，《義和團》1，第20頁。
[470] 仲芳氏：《庚子記事》，見《庚子記事》，第22頁。

20 日，「又殺二十餘人。八姑娘，六團拿者，謂其所念經有『天公天母』字樣。」[471]

25 日，「有義和團前往妞妞房，將尹姓即醋尹者家內箱櫃打開，並失物不少。」[472]

義和團每日換班攻打西什庫教堂，到 8 月 1 日，「僅將四圍群房燒拆數十間，大樓毫無傷損。附近之鋪戶居民，則焚搶無遺矣。」[473]

許多市民為躲避義和團野蠻瘋狂地燒殺搶掠，只得外出逃難，但仍難逃劫運。「近畿一帶皆團民，出京無不被劫，兼有死者，惟隻身無行李，尚得苟全性命耳。」[474]即使結夥逃難，命運也是同樣。「逃生良善之民，或車馬，或步行，略帶行李川資，結伴上路。離京一二里，即遇義和團，富者指為官宦，違旨出京；貧者指為教民，遠揚逃竄。所有行囊包裹，無論巨細，逐件搜查，稍有金珠、銀錢、洋貨之物，盡數扣留，輕則空身釋放，重則解送莊王府究懲。貧苦小民或可捐資賣放，富厚之家無一倖免，性命依然未逃，錢財大半蕩盡，忍氣吞聲，不敢伸訴。不唯一處如是，到處皆然。近十數日以來，相識親友中被此禍者已數十起，其不識更不知凡幾矣。此見聞城外鄉團大意也。」[475]

「此一大劫，都中傷人不少，皆為義和團所害。茶店被燒者三十餘家，被搶者四十餘家。東華門一帶住戶均搶盡。」[476]「拳匪之殺教民也，謂之二毛子，其實十九皆平民。」「京師盛時，居人殆四百萬，自拳匪暴軍之亂，劫盜乘之，鹵掠一空，無得免者。」[477]

[471] 高枬：《高枬日記》，見《庚子記事》，第 158 頁。
[472] 包士傑輯：《拳時北堂圍困》，《義和團史料》下冊，第 633 頁。
[473] 仲芳氏：《庚子記事》，見《庚子記事》，第 28 頁。
[474] 劉福姚：《庚子紀聞》，《義和團史料》上冊，第 224 頁。
[475] 仲芳氏：《庚子記事》，見《庚子記事》，第 25 頁。
[476] 張廷襄：《不遠復齋見聞雜誌》，《義和團史料》下冊，第 649 頁。
[477] 李希聖：《庚子國變記》，《義和團》1，第 18、24 頁。

「各家進項毫無，商民交困，苦不可言。」[478]「京畿村市，無論民教，概被團黨搶劫焚毀。村民扶老挈幼，爭先逃難，哭聲遍野。」[479]

（3）燒殺搶掠回民

義和團不僅燒殺搶掠信奉與不信奉基督教的漢民，也燒殺搶掠信奉伊斯蘭教的回民。他們管回族人民叫「三毛子」，說：「殺了二毛子，就殺三毛子，非要吃三毛子的肉餡不可。」[480]只是這種情況較漢民為少。

1900 年 6 月 20 日，義和團焚燒了北京「前門內回子營教堂，並殺教民數人。又焚燒中街、旗手衛、永光寺街、爛面胡同等處奉教之房。」[481]

山東省海豐縣的北營有回民二百餘家，內有一些土匪，曾在直隸搶劫。7 月 13 日，直隸鹽山、慶雲的三千多團民前往圍攻，「共焚毀房屋十分之八，殺大小男女三百餘口，三尺幼孩亦被誅戮，搶去牛驢、糧食、衣物無算。」官軍兩哨趕到，團民方竄回慶雲。之後，該村婦女老弱外出逃避，僅留壯丁七八十人守莊。同月 19 日，四五千團民「又到北營莊滋擾，並毗連北營之崔家莊、武家莊在教回民良莠不齊者，房屋一併焚燒。四更後匪去。此次被燒三十餘家，並傷斃男丁五十。」[482]

天津穆家莊的回教清真禮拜寺講堂也遭義和團焚燒。拳首劉十九從天津逃走後，率眾在西南鄉一帶活動。「揚言曰：天津城失守，皆因回民與洋人通氣之故，如奪回天津城，非殺盡回民不可。天津

[478] 仲芳氏：《庚子記事》，見《庚子記事》，第 26 頁。
[479] 徐緒典主編：《義和團運動時期報刊資料選編》，第 37 頁。
[480] 黎仁凱主編：《直隸義和團調查資料選編》，第 471 頁。
[481] 仲芳氏：《庚子記事》，見《庚子記事》，第 15 頁。
[482] 《籌筆偶存》，第 334、353 頁。

回教人由該處經過，被其擒殺者四五人。蓋伊等聞津城破後，回教人所居地方皆得安全，而回教人又素不信邪，嘗謂伊等為邪教，故仇之也。」[483]

2.燒殺搶勒官署官員

官署官員雖然不是教堂教民，義和團照樣燒殺搶掠。北京喜鵲胡同的電報局遭到焚燒。「翰林院衙門亦被拳匪所焚，中藏歷代秘本書籍、古畫等物，均毀壞無遺。」[484]還要焚燒官書局，「司事許炸子橋團米十包，香百把，乃允。」[485]

天津的官電局被義和團「搗毀一空，沿街電桿皆砍斷。」海關道署因辦華洋交涉之事，義和團指道員黃建元為二毛子，搜索不著，將道署「自大門以迄內宅，搶奪砍劈，無一完物。」又「至縣署搶奪，並開獄放囚。又入府署、道署，肆行踐躪，並在道府縣大堂設壇」。向各署索馬，各署有馬者，「皆為團牽去」。[486]他們還齊集督轅，向總督裕祿索要洋槍洋炮。裕祿令向城內軍械所自取之。「各壇聞令，齊赴軍械所，一擁而入，紛紛攫取，或一人數枚而無一彈，或抬彈數箱而無一槍，並行軍快炮及格林炮亦挈之而去。二十年北洋積蓄，一朝而罄。」沒有吃的，就「群集制軍署索供給。制軍飭下北洋支應局按日每人給錢三百。」[487]天津碼頭上招商局的糧米，被「搶去一千數百擔，其糧米棧房亦皆被焚。碼頭上堆積之洋貨雜物，以無人管理，致被搶劫淨盡。」[488]

[483] 劉孟揚：《天津拳匪變亂紀事》，《義和團》2，第35、51-52頁。

[484] 佚名：《綜論義和團》，《義和團史料》上冊，第168頁。

[485] 高枬：《高枬日記》，見《庚子記事》，第155頁。

[486] 佚名：《天津一月記》，《義和團》2，第142、143頁。

[487] 僑析生：《拳匪紀略》卷1，第6頁；卷2，第3頁。

[488] 左原篤介、漚隱輯：《拳亂紀聞》，《義和團》1，第136頁。

　　直隸定興縣的拳首王洛耀率眾入城，「勒罰縣公白米二百石」。該縣牛家莊的團民「來殺縣官，勢極兇悍」。經人勸阻，「罰城內錢千緡，官紳齊赴東林寺叩頭，拜壇謝罪，始散。」「東林寺團始舖時，已給二百竿，又許以月給五十竿」，8月「又索增，擬月給百竿。」[489]

　　固安縣的義和團「向官索米四百石，後又索銀二萬。」[490]

　　永清縣的義和團「一進城就把守備的兵全給打跑了，一直地就趕到縣衙門裏去了，逮住了縣太爺。……大夥把縣衙門裏的東西，用大車都給拉走了。」[491]

　　高邑縣的義和團「侵犯縣署」[492]。

　　河間府的義和團「聚眾至縣署索要槍械」[493]。

　　蠡縣的義和團「赴縣勒借槍炮，並云，如不允，必當劫署、搶獄。」[494]

　　遷安縣的義和團進城，「搶取警局槍枝」[495]。

　　義和團從貧窮的懷來縣經過，向縣令「乃需索乾折，累費至數百金。」[496]

　　山東某些州縣亦然。海豐縣的拳首楊子明「挾制官長，肆意要索。」[497]青城縣的義和團則「搗毀縣署，威逼縣尊。」[498]

　　京城的官員有許多遭到義和團焚劫。大學士徐桐雖然極端讚揚義和團，力保義和團之足恃，但義和團對他非但不知感恩戴德，反

---

[489] 艾聲：《拳匪紀略》，《義和團》1，第 459、460、463 頁。

[490] 高枬：《高枬日記》，見《庚子記事》，第 196 頁。

[491] 黎仁凱主編：《直隸義和團調查資料選編》，第 553-554 頁。

[492] 《高邑縣誌》，《義和團史料》下冊，第 993 頁。

[493] 轉見李文海等：《義和團運動史事要錄》，第 203 頁。

[494] 林學瑊：《直東剿匪電存》卷 4，第 51 頁。

[495] 《遷安縣誌》，《義和團史料》下冊，第 988 頁。

[496] 吳永：《庚子西狩叢談》，《義和團》3，第 376 頁。

[497] 《山東義和團案卷》上冊，第 32 頁。

[498] 《青城續修縣誌》，《義和團史料》下冊，第 1032 頁。

而恩將仇報，擄劫其家眷。他「見勢不佳，不得已長跪團匪頭目之前，始免一死，惟房屋、什物付諸一炬矣。」[499]其他官員如軍機大臣榮祿和王文韶的府第悉數被焚。尚書孫家鼐家被搶劫一空，「其公子所存僅一短衫，下體盡裸，而匪猶未滿，以槍擬尚書，令交出黃白物。」[500]尚書徐用儀「被逮之頃，其邸第即為拳匪搶劫一空。」[501]尚書立山「以會議忤載漪，拳匪利其財，誣為漢奸」[502]，又誣指他接濟西什庫教堂、奉教，「將其宅焚劫一空」[503]。貝子溥倫等家的府第亦皆罹劫。副都統慶恒的眷屬皆被義和團殺死，本人亦被凌虐斃命。翰林院侍讀學士黃思永臥病在床，義和團不由分說將其押走，兩個頭目「時來恐嚇，並稱該團有乞恩釋放之權，但非認罰不可。」黃思永沒給他們錢，被送往刑部監禁[504]。學士黃慎之、翰林院編修杜本崇、檢討洪汝源、兵部主事楊芾、詹事府詹事李昭煒等人，不是被監禁、受傷，就是家屬遇害。有一個保送入京的姚提督，在街上聽到團民聲言須殺鬼子，叱責了幾句，竟被當作「二毛子」殺死。「姚身攜三百金，及金鐲馬匹等物，咸入匪手。姚親友等有來撫屍慟哭者，均為匪所殺。」[505]

非但如此，義和團還出入禁中，要殺光緒皇帝。揚言「願得一龍二虎頭，一龍謂上，二虎慶親王奕劻、大學士李鴻章也。」[506]

天津的四門千總任裕升以捕盜起家，家人大部遭到殺害[507]。

---

[499] 佚名：《綜論義和團》，《義和團史料》上冊，第 166 頁。
[500] 柴萼：《庚辛紀事》，《義和團》1，第 307 頁。
[501] 朱壽彭：《安樂康平室隨筆》卷 4，第 223 頁，中華書局，1982 年。
[502] 胡思敬：《驢背集》，《義和團》2，第 492 頁。
[503] 趙聲伯：《庚子紀事長箚》，《義和團史料》下冊，第 656 頁。
[504] 《義和團檔案史料續編》上冊，第 803-804 頁。
[505] 柴萼：《庚辛紀事》，《義和團》1，第 311-312 頁。
[506] 李希聖：《庚子國變記》，《義和團》1，第 12 頁。
[507] 劉孟揚：《天津拳匪變亂紀事》，《義和團》2，第 25-26 頁。

統領楊福同陣亡後，定興縣令購棺殮之，義和團銜恨，欲將其殺害。縣令逃至易州，又逃到山西，才免於被追殺。[508]

懷柔縣知縣焦立奎及其妻室子女六人，幕友一人，家丁二人，勇役、更夫等五名，被義和團「一併殺害，並將衙署倉庫、監獄劫掠縱釋一空。」[509]

饒陽縣的拳首李昆率人突入縣署三堂，知官有快槍，不敢入內，「乃殺班官家人宋福，又欲殺其全家」。經幕友代為央求，「給以倉谷錢一千五百千」，並拉走一些武器。[510]

韓國鈞進京引見，行至靜海，知道不能抵京，遂折回大名縣龍王廟，拳首至其車前說：「我搜洋人耳，車無洋人即放行。」韓國鈞前行，「而後車八輛已盡為所劫，殺死男婦幼小共八人，舉車騾一切飽載而去。」[511]

道員任之驥由天津行至靜海縣以南，突遇義和團，「將家人一百餘口次第殺戮，劫去貲財數萬金。」[512]

新簡貴州巡撫鄧華熙出京時，遇到義和團，問明前後車輛皆其所有，便「褫其衣，揮之去」。「眷屬及家丁等共十二人，則均為匪所害矣。」[513]

3.破壞鐵路電線

北京至天津、北京至保定以南的鐵路全部被義和團破壞，車站和橋樑、料廠等亦然，直隸、山東兩省許多州縣的電線被割走，電線桿被拔掉。

---

[508] 艾聲：《拳匪紀略》，《義和團》1，第 452 頁。
[509] 《義和團檔案史料續編》上冊，第 832 頁。
[510] 汪寶樹：《太行阻戰記》，《義和團史料》上冊，第 386 頁。
[511] 韓國鈞：《永憶錄》，《義和團史料》上冊，第 418 頁。
[512] 佚名：《綜論義和團》，《義和團史料》上冊，第 171 頁。
[513] 柴萼：《庚辛紀事》，《義和團》1，第 312 頁。

4.脅迫良民為其賣命

義和團之所以能造成轟轟烈烈的聲勢，除了欲求一飽的大量饑民附和外，就是頭目和骨幹們脅迫良民，為其賣命。他們懂得人數越多威脅性越大的道理，因此不擇手段地到處脅迫良民隨己燒殺搶掠。

直隸義和團在活動的初期，就定下極為苛酷的紀律。武修、大貴、節小廷等「供明」：「彼教規例，一入其教，即應聽其調度，遇有聚眾滋事之時，傳單一到，立須前往，違者抄家滅門，割頭為令。」[514]這種狠毒殘酷至極的紀律，目的就在於挾制團民去為他們賣命。良民一旦加入團中，不論頭目們去幹什麼壞事，都不敢不遵，沒有擺脫的可能。

有些青少年為了「保衛身家」，曾學拳棒。但看到官府的嚴禁告示以後，不再學習。對於這些人，義和團頭目們大肆進行威脅。如山東的陳十五仔、張中賢跟著郭書卿學過幾天拳，郭書卿糾邀他們赴濟陽縣玉皇廟聚會，就「聲言如不到者，滿門殺害」。陳十五仔、張中賢只得「被脅勉從」。朱西蚣等人是被王玉振等「逼脅」，「無奈同行」的。十五歲的李麥，是被梁得功「逼脅同行」的。王立中、張長立、常法順、劉太阿、劉文祥、張八、徐彥臣七人，小的十四歲，大的二十二歲。他們供述，「曾經習拳，因有告示嚴禁，都曰不學，在家務農。」李長嶺等來邀他們，他們不願去。李長嶺等說：「黑〔赫〕虎臣在彼等著，不去有禍，立逼同行。」他們的父兄怕禍，將他們推出，他們無奈隨同去了。十八歲的蕭七金仔供稱：曾經習拳，魏輩仔勸他入夥，同去玉皇廟聚會，他「因曾聞示

---

[514] 勞乃宣輯：《庚子奉禁義和拳彙錄》，《義和團》4，第487頁。

禁，未允」。魏輩仔聲言：「如不同去，定將伊全家殺戮，伊被恐嚇，無奈同去。後來乘隙逃跑，被陳雲嶺追回，受責一百軍棍，令伊在廟內分散饅饃。」程立會供稱：曾學拳數日，拳首邢兆陸等帶人攻打羅山套教民時，「凡平日學過拳之人，均令隨同前往，如有不願去者，即欲罰錢。伊遂被逼勉從。」平原縣杠子李莊拳首楊傳文帶領二十多人持械對蘭懷亭聲言，其子「前曾習拳，勒令隨同出外打仗」。蘭懷亭與其爭辯。「楊傳文即向勒索京錢二百千，否則定行燒搶。」蘭懷亭見情勢洶洶，以好言誆留，比及夜半，邀集莊眾捕捉，拿獲四人，楊傳文傷重身死。[515]

對於搶掠行為不滿，不願跟著行動的團民，義和團更不放過。山東省海豐縣蘆家馬村的朱二、朱均等人，俱因年輕無知，被直隸的拳民煽惑，與席家莊席金嶺、席貴等一同學習拳技。「嗣因同往鹽山拳廠領香，見眾匪日出搶掠，朱二等始知學拳並非好事，遂各回家安度。而席金嶺等糾合羽黨自回本莊安設拳廠，復邀伊等相從。伊等未允。席金嶺遂硬向伊莊索要糧食，伊等未給。莊眾知各匪不能甘心，遂嚴加防範」。席金嶺即勾結直隸義和團四五百人，持械蜂擁到莊。莊眾見眾寡不敵，正欲逃跑。「該匪一齊進莊殺掠焚燒」，「統共被燒八十餘家，或則房屋焚燒俱已無存，或因救護撲滅尚未全毀。並殺斃莊民徐永成等三十三名」，其中只有「前學拳技者二人」。[516]所幸各家已有預備，將傢俱、糧食搬運一空，老幼婦女寄居別的村莊，僅留壯丁在家守圍，鄰莊聞警來救，不然，受害就更慘了。

為了增加力量，義和團甚至脅迫青年學拳。如在樂陵縣拿獲的王長會、陳仲五、孟兆先、田玉等青年，均是在師兄的「迫脅」之下學拳的，父母並不知道。[517]

---

[515] 《山東義和團案卷》上冊，第 166、471、391、161 頁；下冊，第 837、574、
603 頁。
[516] 《山東義和團案卷》下冊，第 674-675 頁。
[517] 《山東義和團案卷》下冊，第 712-713 頁。

運動爆發以後，頭目們更是挾其聲勢，脅迫良民加入他們的隊伍，誰不參加，就慘遭焚殺搶掠。在直隸，「那時候哪村沒有團，哪村就是黑村子。」[518]「一村不習此術，則斥為黑村；一人不習此術，則誣為教民。」[519]「村中有不練習者指為在教，橫加燒殺。」[520]涿州更厲害，「城廂村鎮，一時蜂起，一村不設壇，群起攻之，焚殺搶掠，必罄其村而後止。城廂一街一巷一家一人，亦如之。故人數極眾。」[521]天津「蘇橋一帶，拳黨肆意橫行，逼令該處居民歸其黨類，男子令歸義和拳，幼女令歸紅燈照，少婦令歸花燈照。或不願歸附，竟將房屋燒毀，雞犬不留。慘毒情形，不可言狀。」[522]在這種極端白色恐怖之下，沒有人敢於公然拒絕。「蓋匪勢正盛，民皆懼其禍己，不敢不響應景從。」[523]所以在義和團的隊伍中，許多是「為匪所迫，有不得不為者。」[524]「畏禍附拳自衛者亦有之」[525]。那些殷富良懦之家更不用說了，「當時不權相比附，則身家性命立見傷亡，是爾日之相從，誠迫於無奈也。」[526]如固安縣，「拳起時，全境富民無一人敢不設壇者。」[527]

山東的情況大體類似。1896 年大刀會「始露形色，藉端滋事」時，就出現了這樣的局面：「百姓有不隨己者，群起而攻之。兵丁偶有觸犯，鳩眾而擊之。」[528]1900 年運動處於高潮時，更是「狼奔豕突，池毀魚焚，聲勢日張，肆行無忌。一人道拳之非，一家必

[518] 黎仁凱主編：《直隸義和團調查資料選編》，第 554 頁。

[519] 《文安縣誌》，《義和團史料》下冊，第 947 頁。

[520] 羅正鈞：《劬庵官書拾存》，《義和團史料》上冊，第 362 頁。

[521] 僑析生：《拳匪紀略》卷 5，第 4 頁。

[522] 徐緒典主編：《義和團運動時期報刊資料選編》，第 102 頁。

[523] 祝芾：《庚子教案函牘》，《義和團》4，第 378 頁。

[524] 馬毓桂：《武垣定亂禀牘》，《義和團》4，第 401 頁。

[525] 《義和團檔案史料續編》上冊，第 873 頁。

[526] 高紹陳：《永清庚辛記略》，《義和團》1，第 428 頁。

[527] 《固安縣誌》，《義和團史料》下冊，第 941-942 頁。

[528] 山東歷史學會編：《山東近代史資料》第 3 分冊，第 183 頁。

遭其禍。一戶拒拳之擾，一村皆受其屠。民不隨其教，則曰民人（入）教矣。官或拂其為，則曰官向教矣。」「或有入其會而不肯附從為匪者，即焚掠其家，割其兩耳，甚至置諸死地。」[529]

這種情況還可從一些沒有學過拳的人的供述中得到證實。劉平、趙瑞田、張得明三人「僉稱係被劉旺誘脅勉從」，孫廣慶等二人，被「勒令送飯」，成六仔有鐵匠手藝，被「勒令打造器械」。郭同仔在家讀書，被「逼令」赴濟陽縣做飯。楊山嶺、許倫仔、陳照奪、劉桃仔四人「聽糾嚇詐平民資財，亦系被脅勉從。」還有一些人是義和團在途中裹脅的。如朱其運等五十四人，分隸朝城、莘縣、聊城、東阿、長清、博平等縣，「均被拳匪朱士明、韓禿仔由朝城縣沿途輾轉裹脅同行，朱士明等並分給伊等槍刀，聲稱隨同赴東邊攻打洋人。」張光祥、翟如春也是在途中被裹脅的。[530]

5.擾亂社會治安

此種狀況，凡鬧義和團的城鎮鄉村，各地皆然，而以北京、天津為最。

北京團民數萬，「城內城外，庵觀寺院，客店空房，無一處非義和團設壇居住，幾至無巷無之。」[531]

他們「焚燒教堂或民房時，在場觀者，無論男女老幼，皆令環跪，同聲大叫：『燒燒燒！殺殺殺！』呼聲震天，助其逆勢，有不從者，則指為二毛子，頃刻剁為肉糜。」[532]

---

[529] 《山東義和團案卷》上冊，第 267、94 頁。
[530] 《山東義和團案卷》上冊，第 129、167、293、395 頁；下冊，第 802、837 頁；《籌筆偶存》，第 239 頁。
[531] 仲芳氏：《庚子記事》，見《庚子記事》，第 21 頁。
[532] 吳永：《庚子西狩叢談》，《義和團》3，第 391 頁。

　　白天，他們「三五為群，紅巾黃系，執持刀械，遊行街市，殺人放火，無敢顧問。」[533]「殺氣凜凜，驅逐行人，閃開神路，並須跪送跪迎。」[534]清廷褒獎為義民以後，「拳眾益橫，呼噪過市，聲勢鴟張，一紙書可啟內城，其捕辱朝官，屠戮良善，雖載勳等不能制也。」[535]

　　「每薄暮，什百成群，呼嘯周衢，令居民皆燒香，無敢違者。香煙蔽城，結為黑霧。入夜則通城慘慘有鬼氣。」[536]

　　到了黑夜，「則執香照耀，滿巷皆紅，大眾喊嚷，令家家戶戶燒香，隨聲接應，犬吠人騰，一夜數驚。」[537]「或云：『供淨水一盂』；或云『今夜勿睡，以防妖邪之入人家』，由初更至天明止。」[538]有時「令各家用紅布縫作小口袋，內裝朱砂、綠豆、茶葉等物，或釘門頭上，或帶身邊。又令家家每晚燒香，各供淨水一盞，內泡花椒七粒。」前天「傳奉教之人在各胡同門前抹血，遇者即有不祥之災，今又哄傳挨門改抹白油。」有時「令街巷鋪戶住戶，每晚門前各點紅燈籠一盞，違者即按二毛子治罪」。「團民於半夜沿街查看，偶有疏忽未點者，砸門令點。並三五成群，大聲喊嚷曰『家家燒香點燈籠』，人聲喧嘩，各戶不安。」[539]還「傳語：有洋人雇人在各巷住戶街門上抹血，十八天闔家人口均瘋，大有拔劍自刎之心。其法可防，用胡椒九粒、蘇子九粒、石灰一塊，用紅布口袋裝柳條一枝，掛在門口，可解此災。」[540]

---

[533] 楊典誥：《庚子大事記》，見《庚子記事》，第 84 頁。

[534] 仲芳氏：《庚子記事》，見《庚子記事》，第 13 頁。

[535] 龍顧山人：《庚子詩鑑》，《義和團史料》上冊，第 46 頁。

[536] 《清朝野史大觀》卷 4，第 134 頁，江蘇廣陵古籍刻印社，1994 年。

[537] 仲芳氏：《庚子記事》，見《庚子記事》，第 13 頁。

[538] 唐晏：《庚子西行記事》，《義和團》3，第 473-474 頁。

[539] 仲芳氏：《庚子記事》，見《庚子記事》，第 13、19、22-23 頁。

[540] 包士傑輯：《拳時北堂圍困》，《義和團史料》下冊，第 626 頁。

他們「哄傳各家不准存留外國洋貨，無論巨細，一概砸拋；如有違抗存留，一經搜出，將房燒毀，將人殺斃，與二毛子一樣治罪。」[541]

各壇團民，每日「縱橫四出，無敢攖其鋒者。而焚掠之事，日以滋多，皆此輩為之。」[542]「城中日焚殺，火光連十餘晝夜，煙焰漲天，出行市中，人無敢正視者。自官僚及商民爭輸之金錢，晨夕焚香門首，冀免其禍。」[543]「各住宅日日被團匪派人搜查，並稱須焚香磕頭迎接。」[544]

團民的瘋狂行動，搞得北京「非奉教安善良民，亦無不心驚膽落，終日民不聊生。」「人人惶恐，合城不安。」[545]

天津的義和團「霸居民宅，欺凌商戶，無所不至。」[546]「行走街巷，令人跪道旁，不從者則揮刀亂刺。」[547]

他們下的命令遠過皇帝的聖旨，人人都得遵從，不得有任何異議。「懸燈則懸燈，助威則助威，焚香叩頭則焚香叩頭，稍一遲疑，亂刀齊下，並妻孥財貨而不能保。」[548]「津城內外，惟聞萬眾喊聲，或云義和團大獲全勝，或云洋人殺盡，欲雨喚雨，欲晴叫晴，終日供水拈香，拜跪叩禱，違者殺之。」[549]

義和團諱言洋，天津人呼人力車為太平車。事急出走，「車中必蒙紅被，婦女尤必蔽以紅布或紅巾冪首，否即指為污穢而殺之。

[541] 仲芳氏：《庚子記事》，見《庚子記事》，第12-13頁。
[542] 左原篤介、漚隱：《拳事雜記》，《義和團》1，第271頁。
[543] 李超瓊：《庚子傳信錄》，《義和團史料》上冊，第211頁。
[544] 左原篤介、漚隱輯：《拳亂紀聞》，《義和團》1，第160頁。
[545] 仲芳氏：《庚子記事》，見《庚子記事》，第17、13頁。
[546] 僑析生：《拳匪紀略》卷2，第3頁。
[547] 《天津政俗沿革記》，《義和團史料》下冊，第961頁。
[548] 僑析生：《拳匪紀略》卷4，第3頁。
[549] 左原篤介、漚隱：《拳事雜記》，《義和團》1，第290頁。

男子出行者，襟前各掛紅布數寸，以示信匪。途遇匪至，呼曰跪，則皆跪，婦女有叩頭不止者。」[550]更有甚者，「且不令婦女出至階墀，且不准在窗欞內向階墀窺看。」[551]「團忽出令，凡鋪戶居民之有婦女者，七日不可入市，七日不可立門外，七日盤膝坐炕上，足不可履地，七日不可梳頭洗面，七日不可纏足。男女七日內宜著紅衣褲，男女七日內宜蔬食。且歌曰：『婦女不梳頭，砍去洋人頭，婦女不裹腳，殺盡洋人笑呵呵。』沿街喊唱，一倡百和。」[552]

　　義和團的花樣多得驚人。起初，號令「各家夜夜燒香，又令各家門懸紅旗，上書『義和團大德（得）全勝。』」[553]繼又「沿街聲喊，令人送得勝餅，各家焚香供楊老師位，向東磕頭，晚間需每家懸一紅燈。」「令人家燒香勿間斷，需向東南時時磕頭。無何，又喊令每家均將糞桶倒置，插紙花於上。」「夜間，匪眾傳呼，令人家煙囪上蓋以紅紙。諸如此類，花色甚多。」[554]「一夜，戶戶高敗（懸）紅燈，迎紅燈照仙姑也。拳令甫下，隨又令曰，高懸紅燈有礙仙姑雲路，城內外萬炬高張，倏忽如萬星之齊落。少許又喧呼曰，適言紅燈宜低者，乃奸細也，仍宜高懸，以助神威。乃戶戶又高舉如故。」有的團民則「捐資飲啖，夜則令商民持械登城巡街支更，不從者輕則罰出鉅資，重則身家不保。」[555]

　　6月25至27等日，義和團「傳令各家，將煙囪用紅紙蒙嚴，不許動煙火，不許茹葷，三更時在院中向東南方上供饅頭五個，涼水一碗，銅錢百文，行三拜九叩禮。據云：如起黑風時，即將饅首

[550] 龍顧山人：《庚子詩鑒》，《義和團史料》上冊，第73頁。
[551] 管鶴：《拳匪聞見錄》，《義和團》1，第475頁。
[552] 佚名：《天津一月記》，《義和團》2，第147頁。
[553] 佚名：《天津一月記》，《義和團》2，第143頁。
[554] 管鶴：《拳匪聞見錄》，《義和團》1，第474、475頁。
[555] 僑析生：《拳匪紀略》卷1，第5頁；卷5，第4頁。

吃一口，將涼水飲一口，可免災難」。「晚間用竿高挑紅燈一個，並插一小紅旗，名曰得勝旗。」[556]

　　6月29日，「拳壇下令，戶戶皆書義和拳大得全勝于黃紙，貼門首；輾轉相傳，取黃紙，書快馬神騎、八卦來吉八字，貼門首……又遇衣長衣者，令襭之。又謂白衣者近洋派，一律禁著白衣。」次日晚，「壇下令曰，戶戶懸燈燒香，向東南跪，叩首三十六數，今夕燒洋樓矣。又曰，齊喊殺洋人以助神威，不聽者即奸細，凡閉門無聲息無燈火光者即奸細，殺無赦。一時家家門開，聚立門首，喊聲震天動地，香煙人氣凝結不散，對面不辨誰何。又下令曰，著灰布衫者奸細也。旋又令曰，藍色衣者亦奸細也。著此二色衣在途行走者，枉死不知凡幾矣。……又呼曰，此紅燈照仙姑破黑沙陣時也，而洋樓一時灰燼矣，門不得閉，燈不得息，香不得止，擾擾終夜。」7月1日，「下令曰，家家持白齋，並鹽一粒，不准下嚥。不聽者必罹兵災，自是貽戚。又令曰，家家焚香，案供清水一盂，饅首五枚，青銅錢若干。家置一秫秸，用紅紙粘裹，供香案上，五日後持之臨陣，但向洋人作遠擊之勢，其首自落。違令者即奸細，殺無赦。」同日，「向夕，拳壇又令曰，懸燈焚香，今夕殺盡洋人，毀盡洋樓矣。旋又令曰，洋樓所以不能毀者，東南風故也，人人持扇向東南扇之，便可掉轉風頭，改東南而西北矣。卒無驗。」[557]

　　「每開仗，皆東南風，敵在東南，我軍逆風，不能開目，團乃沿街呼令鋪戶居民各焚香乞西北風。團又令各家夜夜焚香，不許間斷，每上香叩首三百六十個，桌中供清水五碗，饅首五個，不許撤，不許婦女執香行禮，恐破其術。」[558]

---

[556] 劉孟揚：《天津拳匪變亂紀事》，《義和團》2，第11頁。
[557] 僑析生：《拳匪紀略》卷1，第5-6頁。
[558] 佚名：《天津一月記》，《義和團》2，第147-148頁。

「近日有人傳云：各家煙囪，須常用紅紙蒙嚴，不然閉不住洋人槍炮，於是家家皆急將煙囪蒙上。又有人傳云：不可蒙煙囪，若蒙住煙囪，乃是將仙姑之眼蒙上矣，仙姑何能在空中行走，於是家家又皆上房將煙囪上紅紙撕去。」[559]

農村和中小城鎮雖無北京、天津那樣的混亂，但燒殺搶掠給安善良民帶來的同樣是驚悸恐慌，提心吊膽，寢食不安。

（二）「扶清滅洋」是假，掠奪財富是真

在中國歷史上，凡是領導起事的，一般皆有所假託，提出一個口號，如藩臣起兵奪取中央政權，多以清君側為名；草野揭竿起義，多以誅汙吏為名。公開的口號如同一面旗幟，多是標明起事宗旨或戰鬥綱領、政治宣言。無論什麼樣的公開口號，都是為了號召人民群眾，取得支持擁護，所以無不說得天經地義，美好動聽，從無標明叛逆暴亂的，更無自稱盜匪的。

口號有真假之分。如何判斷真假呢？馬克思說：「在歷史的戰鬥中更應該把各個黨派的言辭和幻想同它們的本來面目和實際利益區別開來，把它們對自己的看法同它們的真實本質區別開來。」[560]恩格斯說：「對頭腦正常的人說來，判斷一個人當然不是看他的聲明，而是看他的行為；不是看他自稱如何如何，而是看他做些什麼和實際是怎樣一個人。」[561]列寧說：「假使判斷人們的時候，不是看他們給自己穿上的漂亮禮服，不是看他們給自己取的動

---

[559] 劉孟揚：《天津拳匪變亂紀事》，《義和團》2，第 19 頁。
[560] 《馬克思恩格斯論歷史科學》，第 334 頁，人民出版社，1988 年。
[561] 恩格斯：《德國的革命和反革命》，《馬克思恩格斯選集》第 1 卷，第 560 頁，人民出版社，1995 年。

聽的名字，而是看他們的行為怎樣，看他們在實際上宣傳的是什麼，就可以明白。」[562]又說：「在市場上常常可以看到一種情況：那個叫喊得最凶的和發誓發得最厲害的人，正是希望把最壞的貨物推銷出去的人。」[563]分析義和團的「扶清滅洋」口號，也應如此。就是說，不但要聽其言，而且要觀其行，不能只看其口號說得如何動聽，更應看其實際行為、本來面目和真實本質。

1.騙子的話絕不能信

天下什麼樣的人都有，最可信的為誠實君子，最不可信的為騙子小人。義和團的頭目們都是騙子，而且是巨騙，欺騙行徑表現在方方面面。

其一，假借神的旗號「滅洋」，胡說神怪助戰。

他們供奉的「正神」極少，崇拜的偶像既多又雜，主要是野史演義和戲劇中的人物，如姜太公、諸葛亮、趙雲、關聖、周倉、張天師、孫行者、沙僧、豬八戒、黃天霸、黃飛虎、黃三太、竇爾敦等等。荒誕不經，鄙俗萬狀，虛妄至極。

他們聲言洋教「欺神滅聖，忘卻人倫，怒惱天地，收住之（雲）雨，降下八百萬神兵，掃滅洋人」，[564]「收滅邪教」，「傳教義和團神會。特借人力扶保中華，逐去外洋，掃除別邦鬼像之流。」「上天大帝垂恩，諸神下降，赴垣設立壇場，神傳教習子弟，扶清滅洋，替天行道。」[565]「仙出洞，神下山，附著人體把拳傳」。「愚蒙之體仙人藝，定滅洋人一掃平。」[566]他們明知神不存在，卻把「滅洋」

562 《怎麼辦？》《列寧選集》第 1 卷，第 296-297 頁，人民出版社，1995 年。
563 《馬克思恩格斯列寧史達林論歷史科學》，第 556 頁，人民出版社，1975 年。
564 《義和團雜記》，《義和團史料》上冊，第 8 頁。
565 《雜錄》，《義和團》4，第 151、147、148 頁。
566 《義和團乩語》，《義和團史料》上冊，第 18 頁。

說成是「上天大帝」的旨意，團民均為神的弟子，法術均由神傳授，用以欺騙世人。

打仗無法取勝時，他們就說神怪會來助戰。「拳眾攻使館不下，益附會神怪，以堅眾志。謂不日洪鈞老祖下降，又云有甘州八老人率奇兵來助，行將踏平西洲。」「謂宋江、李逵、燕青諸星君不日下降，助平夷醜。」「又言某日有異人降，衣五色袈裟，手執月牙鏟，自濟南一日而至，直入永定門，有目睹之者。又天津交綏時，一異僧戴紅斗笠，四金童隨之，策馬入陣助戰。率皆信口造謠。」[567]攻不下西什庫教堂，義和團乃貼出告白說：「特請金刀聖母、梨山老母，每日發疏三次，大功即可告成。」[568]據說他們在西門外請來了一位金刀聖母，「有見之者，則四十許村婦耳。」[569]天津的義和團還揚言：「關帝座下之馬，汗流至足，殆赴天津大戰，殲洋人盡之矣。」[570]此言一出，立即引起真假關公附體的爭執。「自關公助戰之謠出，於是拳匪有託名為關公附體者。旋有大覺庵地方拳匪某甲，與某處拳匪某乙，因此爭執，各不相下。甲謂乙曰：汝係冒充關公。乙謂甲曰：汝係冒充關公。相爭不能決，乃求斷於某匪首。某匪首曰：吾乃是真關公附體，汝等狼崽子，膽敢冒名欺人，該殺！乃揮刀作斬首狀，甲乙乃不復辯。」[571]

其二，詭稱法術廣大無邊，刀槍不入，呼風喚雨，錢、飯吃用不盡。

義和團最著名的領袖張德成和曹福田，均被尊奉為「法術甚大，有隱身法，有土遁法，有分身法。每日靜臥一室，據稱靜臥時，

[567] 龍顧山人：《庚子詩鑒》，《義和團史料》上冊，第 53、137、54 頁。
[568] 劉以桐：《民教相仇都門聞見錄》，《義和團》2，第 182 頁。
[569] 龍顧山人：《庚子詩鑒》，《義和團史料》上冊，第 137 頁。
[570] 陳慶恒：《清季野聞》，《義和團史料》下冊，第 638 頁。
[571] 劉孟揚：《天津拳匪變亂紀事》，《義和團》2，第 19 頁。

魂魄即出遊，嘗到紫竹林察看，見洋人排兵佈陣，其陣名曰死骨陣，係用死人骨殖所布，最難破云。」[572]

張德成在靜海縣獨流鎮義和團興起之初，想當頭目，「乃先埋刀一柄草地中，然後集眾指示曰：此間有兇氣，掘之當得刀。眾如其言，果得之，遂共神張，推為首。」[573]一日，他率眾到鎮外，「遂誦咒向空一劃」，欺騙眾人說：「此處已有城廓矣，何慮敵人哉。」[574]「又領徒眾，並斥居民同行，環走鎮外三匝，以棍畫地曰：『洋人即來此，人無能入，我三畫地即成三城，一周土城，一周鐵城，一周銅城，汝商民其安居無恐。』」[575]到了天津以後，他「不敢敵洋兵。惟務為大言，嘗執秫秸半段，向空揮之曰：『紫竹林毛子頭落百餘矣。』又取銅鐵螺旋釘若干，誇示於人曰：『此吾昨夕入紫竹林摘自洋炮者，彼炮皆無用矣。』所言荒誕皆類此。」[576]

曹福田吹牛的本領比張德成還大。有次天津的紳商考慮到開仗將近一月，未分上下，生意蕭條，窮民難以謀食，不久將有內亂，找他商量與洋人罷兵言和。他回答說：「此事我不能主也，玉皇大帝已派神兵下界，南天門已開，天兵天將已到，如何能止戰乎？」紳商問：「兵將由何人統率？」他答道：「皆歸我統帶，且有關帝為先鋒，李天王為後隊。」恬不知恥地自封為神仙，且位於關帝、李天王之上，簡直吹破了天。至於法術，當然更為廣大。打仗臨陣時，他「手執二尺許秫秸，告人曰：『眾視吾所執者秫秸，其實乃玉皇所賜之寶劍也。吾在陣前對敵軍一指，敵人之頭即紛紛自墜。』」[577]一日，「入土城，即登土城樓問租界何處，土人曰東南方，即伏地

[572] 佚名：《天津一月記》，《義和團》2，第 148 頁。
[573] 湯捷南：《天津拳禍遺聞》，《義和團》2，第 68 頁。
[574] 佚名：《綜論義和團》，《義和團史料》上冊，第 198 頁。
[575] 僑析生：《拳匪紀略》卷 2，第 2-3 頁。
[576] 龍顧山人：《庚子詩鑒》，《義和團史料》上冊，第 68 頁。
[577] 佚名：《天津一月記》，《義和團》2，第 148、151 頁。

向東南叩首，良久曰：『洋樓毀矣。』果東方煙起，萬眾悚然。實則河東民房被焚，已燒數日，至今未息也。」[578]他的下屬還廣為散佈：「某洋樓上有許多洋人，曹老師在樓下，從腰中掏出青銅錢一把，向樓上一擲，洋人首級，盡皆墮落。又見某樓上有洋人，隨用柴棍向上一揮，洋人首級，亦皆落下。」[579]

其他人如王佐臣，「常自言有分身術」。[580]周老昆「放火燒洋樓時，用三才指一指處，火即起，以此炫其法術之神奇。」[581]又有狡黠之徒，「自謂有楊宗保、黃天霸、高君保等充其近侍，人莫之見。每凌晨睡起輒曰，夜踏海至西洲，殺毛子若干，指手間血跡為證。」[582]

紅燈照及其首領林黑兒的法術亦被吹得神乎其神。多數文獻記載林黑兒為妓女，義和團運動時忽自稱黃蓮聖母，「喧言能醫病，能醫傷，清水一灑即癒；陣亡者，聖母手摸其體即復活。」[583]治槍傷「用香灰塗抹傷處」，「不效，則曰：此人生平有過處，神仙不佑，故不能好耳。一日，用手巾包裹許多小螺絲釘，舉以示人曰：此吾暗中從洋人大炮上盜來者」。「又一日，有一甲魚在其船前探首水面，黃蓮妖婦曰：『此來討封也，封你五百道行，速往海口將該處把住，不可有誤。』」[584]觀其所為，與巫婆無異。

據說學習了紅燈照，「祇須紅巾一拂，可使於百尺樓頂發火，立時灰燼；或以紅巾鋪地，一人立其上，唸咒數通，巾與人皆冉冉升空，如駕一片彩雲，直上天際。」[585]「紅巾一擲，巾能變燈，燈

---

[578] 僑析生：《拳匪紀略》卷2，第1頁。

[579] 劉孟揚：《天津拳匪變亂紀事》，《義和團》2，第24頁。

[580] 佚名：《綜論義和團》，《義和團史料》上冊，第191頁。

[581] 黎仁凱主編：《直隸義和團調查資料選編》，第50頁。

[582] 龍顧山人：《庚子詩鑒》，《義和團史料》上冊，第34頁。

[583] 佚名：《天津一月記》，《義和團》2，第146頁。

[584] 劉孟揚：《天津拳匪變亂紀事》，《義和團》2，第36-37頁。

[585] 吳永：《庚子西狩叢談》，《義和團》3，第374頁。

到處，大火立至。背插飛刀，能遠取人首級。且能屹立不動，魂出交戰，一切軍械皆不畏懼，槍炮遇之，即不能燃。」[586]「或一煽而大炮自閉不響，或一煽而輪船在海中自燒，或一煽而城樓堅固石室俱焚。」[587]甚至還「可以遠赴東洋，索還讓地，並償二萬萬之款。」[588]更有的吹噓說：「已有數十人分赴各國，焚其房舍。目今外洋十八國，已滅去十六國。」[589]

義和團教拳棒的師兄們皆「托之持符唸咒，能以降神附體，金刃不入，槍炮不傷。」[590]他們有「請神咒」，如「天靈靈，地靈靈，奉請祖師來顯靈：一請唐僧豬八戒，二請沙僧孫悟空，三請二郎來顯聖，四請馬超黃漢升，五請濟顛我佛祖，六請洞賓柳樹精，七請飛標黃三太，八請前朝冷于冰，九請華陀來治病，十請托塔天王、金吒、木吒、哪吒三太子，率領天上十萬神兵。」有「避槍避火咒」，如「北方洞門開，洞中請出鐵佛來。鐵神鐵廟鐵蓮台，鐵人鐵衣鐵壁塞，止住風火不能來。天地玄我，日月照我。（唸一遍）悉怛哆缽怛囉。（唸十遍，如有大難，急唸）」「日出東方一點紅，驚動弟兄天下行，弟兄驚動李君王，李君王驚動楊二郎，楊二郎驚動封炮王，封炮王驚動老君來顯靈。」[591]還有「請師咒」、「上體咒」、「護身咒」、「閉火分砂咒」等等。謂唸咒以後，神即附體，「刀槍炮彈不能傷身，槍炮子至身即落，皮膚毫無痕跡」。「團民用手一指，對陣槍炮即不過火，不能發聲。」[592]為了證實這一神術，要人們相信，他們還當眾表演「過槍」、「赴刀」。

---

[586] 佚名：《綜論義和團》，《義和團史料》上冊，第 161 頁。
[587] 袁昶：《亂中日記殘稿》，《義和團》1，第 346 頁。
[588] 左原篤介、漚隱：《拳亂雜記》，《義和團》1，第 244 頁。
[589] 佚名：《天津一月記》，《義和團》2，第 141 頁。
[590] 《義和團檔案史料》上冊，第 90 頁。
[591] 轉見陳振江、程歗：《義和團文獻輯注與研究》，第 147、143、144-145 頁。
[592] 仲芳氏：《庚子記事》，見《庚子記事》，第 12 頁。

據被調查的師兄們說:「過槍是這樣的:每人穿一紅兜肚,辮子打開,用咀(嘴)叼著,光著脊背,站在柱子下,那邊用砂子槍對準,一打嘩的落在身上,可是用手一摟,砂子就下去了。」「劉十九並用砂子打的火槍進行宣傳,因為砂子打不死人,所以很多人就相信了。」韓倒蛋也是「拿一種火槍裝上砂子,讓人離七、八弓遠,打人的背上,果然打不進去,韓就說這是神助,於是大家就相信了。」[593]

「用刀砍肚曰『赴刀』,並大喊:『刀來』。持刀者先舞數式。赴刀者袒腹或脫光上衣,用刀砍肚皮。其刀鋒多不利,且持刀者亦須熟手,與赴刀者配合,別人是絕對不許執刀的。僅用刀切而不抹,即今日江湖賣藝用刀剁竹筷子於肚之類氣功。此名『金鐘罩』,……氣力不熟者不敢赴刀。」[594]當時的人亦曉得這是騙人的障眼法:「此係運用氣力,江湖賣技者多能之,烏足為奇。且刀砍不入者,割之則入,刺之亦入,況無煙火藥鋼皮子彈耶。」[595]

攻打天津租界時,「說者謂必須西北風,才與燒租界相宜,而連日皆東南風。是日,傳紅燈照已上城牆作法,呼風使轉,至遲明晨,即改西北風矣。而次日東南風如故。」[596]一日,天津「甘雨淋漓,通宵不止,天氣涼似深秋。匪黨傳云:此雨乃義和拳老師用法術所降,以破洋人之紅殺陣也。」[597]

他們還揚言:「團中用一銅釜造飯,釜容米二升許,數千萬人隨取隨滿,永無盡竭。」[598]「每人懷饅首二個,制錢貳佰,到處用之不窮,上陣不饑不渴,不乏亦不惰。」[599]

---

[593] 南開大學歷史系編:《天津義和團調查》,第 151、128、125-126 頁。
[594] 黎仁凱主編:《直隸義和團調查資料選編》,第 37 頁。
[595] 管鶴:《拳匪聞見錄》,《義和團》1,第 490 頁。
[596] 管鶴:《拳匪聞見錄》,《義和團》1,第 478 頁。
[597] 劉孟揚:《天津拳匪變亂紀事》,《義和團》2,第 17 頁。
[598] 佚名:《天津一月記》,《義和團》2,第 141 頁。
[599] 包士傑輯:《拳時北堂圍困》,《義和團史料》下冊,第 625-626 頁。

其三，造謠誹謗，極盡煽惑之能事，自己無能，誣賴洋人，或推說時候未至。

造謠誹謗，大肆煽惑一類事情早在義和團運動初起之時就已出現。他們廣為散佈，洋教「不信神，忘祖先。男無倫，女行姦，鬼孩俱是子母產；如不信，仔細觀，鬼子眼珠俱發藍。天無雨，地焦旱，全是教堂止住天。」[600]

1899 年 12 月故城、景州焚掠教堂之後，吳橋縣謠言四起，傳單屢見，謂教民「分往各村，乘人不備之時，在井內遍撒毒藥。」[601]後來王照行經該縣，「路聞人言，洋人於井中撒毒藥，於門上抹血，行鎮壓術。實皆拳黨所為也。」[602]

1900 年春，「畿南諸邑村井起沫如沸。拳眾造言謂教士陰投藥於井，以毒村人。又以糖和毒棄道上，誆村童食之以死，證其言非妄。鄉村人家曉起，往往於門外見紙人，蓋亦拳眾乘夜置之，誣為教徒邪術。蚩頑無識，多為所惑，仇教乃益深。」[603]

運動高潮期間，盧龍縣大師兄張鴻與二師兄陶洛五就「謠稱教民趙品一撒豬鬃箭，撒紙人馬，因約期剿教堂，殺教民。」[604]

天津居民的「各家門首，忽從某日多有紅色似血跡者一片，由是謠言四起，謂係教民所抹之血。」[605]

北京的謠言更多，如：「今有外國人井內暗下毒藥」。「叱咋老師臨壇附體，著弟子傳於各處得知：洋鬼子治（制）造紙人紙馬，害中國庶民。」「東南山大馬童老師臨壇附體，傳得洋鬼子擺下鎮

[600] 《義和團乩語》，《義和團史料》上冊，第 18 頁。
[601] 黎仁凱主編：《直隸義和團調查資料選編》，第 430 頁。
[602] 王照：《行腳山東記》，《義和團》1，第 413 頁。
[603] 龍顧山人：《庚子詩鑒》，《義和團史料》上冊，第 36 頁。
[604] 《盧龍縣誌》，《義和團史料》下冊，第 987 頁。
[605] 劉孟揚：《天津拳匪變亂紀事》，《義和團》2，第 11 頁。

物。」[606]「近日有人以狗血畫紅圈於各戶大門，謂七日而其家人當
自相戕害。……更以石灰畫白十字於牆，七日而其家主當瘋癲。……
有婦人二名，在棉花七條胡同某宅門上畫紅圈，……又有二人投藥
於井，……天主教堂雇百餘人四出投藥於井，以迷人，每日每人給
洋一元等語。實均是義和團使黨與（羽）所為，布散謠言，使人信
從耳。」[607]更造謠說：「各教堂西人將教民家之婦女，盡行拘留，
將陰戶割去，再行出賣，每人賣銀三兩等語。蓋匪徒故意布散蜚語，
以激怒民人，使之慨西人也。」[608]「教民紛紛而至，婦女繩穿鼻子。
詢厥由來，男教民被團民斫殺淨盡，伊等畏懼，不願隨教。鬼子怒
其反悔，令吃藥少許，即自行將鼻子穿繩，任鬼子牽之，如拉駱駝
狀（藏西什庫內）。又將婦女前後身膏藥貼住，揭之即死。賣於人
間，二元錢一個。買而後死者，不計其數。又將婦女皮扒下，釘在
塔上，以防火燒。」[609]

　　有的論者認為，「義和團還在宣傳中強調，當時北方中國廣大
地區所以久旱不雨，正是由於洋教惹惱了老天而降下的懲罰，『天
無雨，地焦乾，只因鬼子止住天』，『天久不雨，皆由上天震怒洋教
所致』，因此，只有『掃除外國洋人，象（才）有細雨』，『不平不
能下大雨』，『掃平洋人，才有下雨之期』。這樣，就巧妙地把對洋
人罪惡的揭露同廣大群眾特別是農民的切身利害聯繫了起來。」[610]

　　此論難以令人認同。「罪惡」是以業已存在的客觀事實為前提
的，如果確有罪惡事實，當然是揭露；失去這個前提，「罪惡」便
不存在。「天無雨，地焦乾」是一種常見的自然現象，並不是因為

[606]《雜錄》，《義和團》4，第151、152頁。
[607]楊典誥：《庚子大事記》，見《庚子記事》，第86頁。
[608]佚名：《庸擾錄》，見《庚子記事》，第250頁。
[609]劉以桐：《民教相仇都門聞見錄》，《義和團》2，第184頁。
[610]李文海、劉仰東：《義和團運動時期社會心理分析》，《義和團運動與近代中
　　國社會》，第4-5頁。

「鬼子止住天」不讓下雨，與洋人無關，強給洋人扣上一個根本不存在的罪名，這就不是揭露，而是惡意誹謗了。誹謗是一種極其卑鄙的行為，向為正派人士所不齒，好人決不會誹謗別人，即使是對敵人。正義的事業光明正大，堂堂正正地揭示宗旨必然會得到廣大人民群眾的同情擁護，根本用不著誹謗對手。凡是誹謗別人的，決然不是好人，心中肯定蘊藏著不可告人的詭謀。這種行為無論在什麼時代都應當受到譴責，不應視為正當，加以歌頌。

義和團遇到聯軍，一次次敗下陣來。他們不說自己無能，反而誣賴諉過洋人。天津之戰時，「先是，拳壇傳令云，連日累戰不利，皆由西人用赤身婦女裸騎炮上，或赤身立高樓巔，婦女皆租界旁西開一帶娼妓及河東住戶也。吾輩神術最惡污穢，婦女又為最忌，嗣後城內外婦女不准到院中小立，致觸犯神路，若任意在街行走，即行斬之。又傳言西人用人皮製一巨炮，滿塗血污，一經施放，穢氣遠出，故神兵退卻而不敢犯，每次戰敗，職此之故。」[611]「團每戰必敗，或問故。團曰，每戰輒見洋人隊中，有赤身婦人立於陣前，致法術為其所破。」[612]

守衛北京西什庫教堂的只有少數洋兵，其餘都是教民，義和團幾萬人居然攻打不下，臉面丟盡，為了掩飾敗績，只有欺騙一個辦法。「拳眾自知其術不效，無以取信於人，乃造言謂洋人為人皮牆、陰門陣，以相厭制，故其術不靈。又謂樊國梁為老鬼，年二百餘，有一傘為女陰三百六十具製成，故攻之不下。」[613]或云：「堂內牆壁，俱用人皮粘貼，人血塗抹，又有無數婦人赤身露體，手執穢物站於牆頭，又以孕婦剖腹釘於樓上，故團民請神上體，行至樓前，被邪穢所沖，神即下法，不能前進，是以難以焚燒。又兼教堂有老

---

[611] 僑析生：《拳匪紀略》卷2，第1頁。
[612] 佚名：《天津一月記》，《義和團》2，第153頁。
[613] 龍顧山人：《庚子詩鑒》，《義和團史料》上冊，第132頁。

鬼子在內，專用邪術傷人，故難取勝，反多受傷。」[614]還造謠說：
開仗時，「忽有赤身婦人走出，團民受傷者眾。樓周圍掛婦人皮並
各穢物，以致團民難以得勝。」鬼子「將赤體婦人釘在樓上，或將
婦人皮釘之，所以槍炮不過火。竟有將孕婦開膛，小兒頭至腹外者，
慘毒極矣。」「裸體婦人釘掛滿牆，炮子不能入。義和團民到彼，神
即不上。」[615] 7 月 23 日為義和團蕩平西什庫教堂之期，結果仍未攻
開。他們又說，這是因為「洋人有萬女旂一具，以女人陰毛編成，
在樓上執以指麾，則義和團神皆遠避不能附體，是以不能取勝。」[616]

騙人的鬼話，明白人不會相信，時間一久，連初時相信的人亦
清楚是怎麼回事了。為了掩飾自己的無能，義和團又推說時候未
至。有人問交仗已久，何以天津紫竹林尚未攻破？曹福田回答：「先
來之團動手早了，未到日期，如何能破？問何日到期？曰：必須八
月。」[617]張德成也是這種貨色，平時「無事，只以拜會制軍，開筵
節署為極榮。促之臨敵，以日期不到為詞，謂必八月初一日方可動
手，團眾毀教堂不知天時，起事太早。」[618]農曆六月初一日，曹福
田、張德成忽然傳令將六月初一日改為八月初一日，以應天意。「謂
不出三日，必破紫竹林，驅逐洋人齊出海口。」[619]然而，「其令卒
無應驗。張匪仍謂日期不到，以人意所改，無意上通天命，藉詞延
宕，日求醉飽。」[620]他們天天吹牛，「稱包焚紫竹林。人問以何久
未驗，曰時未至耳。」[621]「又嘗有人問拳匪曰：『何不快將洋人掃

[614] 仲芳氏：《庚子記事》，見《庚子記事》，第 28 頁。
[615] 劉以桐：《民教相仇都門聞見錄》，《義和團》2，第 191、193、194 頁。
[616] 華學瀾：《庚子日記》，見《庚子記事》，第 109 頁。
[617] 佚名：《天津一月記》，《義和團》2，第 148 頁。
[618] 僑析生：《拳匪紀略》卷 2，第 3 頁。
[619] 佚名：《天津一月記》，《義和團》2，第 148 頁。
[620] 僑析生：《拳匪紀略》卷 2，第 4 頁。
[621] 袁昶：《亂中日記殘稿》，《義和團》1，第 343 頁。

平？』曰：『時候未到。』此句幾成拳匪之口頭禪。」7月6日，義和團「傳云：義和拳本是神兵神將，滅洋人本不難，今所以不能掃平者，實因多有不信之人，得罪於眾神仙，故法術往往不靈；且時候未到，刻下與洋人合仗，實是謬天而行，待時候一到，洋人自然滅絕矣。」[622]

義和團在北京也是如此說法。「或問團民人眾如此之多，日期如此之久，因何不能滅洋制勝耶？團民但云，日子未到，俟到日期，諸處老團來齊，自然滅盡洋人，蕩平夷類矣。」[623]

天津、北京淪陷以後，直隸東南的義和團還在吹牛騙人。「揚言謂：時候未至，彼等操之過急，故大受創。我輩待時而動，時至恢復京、津，如拾地芥耳。」[624]

其四，查驗「二毛子」有鬼。

義和團揚言在教之人，腦門上有十字，平常人看不見，團民一望而知。「其實其搜殺之教民，半由仇殺，半由有人指使也。」[625]「其知某為教民，某為教民之產，皆本地方子弟入夥者先告之。突遇教民，則指謂頭額上有十字，或以水拍而十字即現，便當眾殺之。」[626]而以手拍頭，額間即出現十字紋，「實則以鐵絲扭成十字文，空其中，藏掌中，遇體肥額滿者，一拍輒見，即枯瘦者，數拍亦見。正視人之幸不幸與其手之輕與重也。」[627]

其五，放火暗中佈置，延燒誣賴別人。

義和團焚燒教民房屋，先向東南躬身，口誦咒語請神附身，再向前後左右非奉教之家四面指畫，火即不能延及四鄰。這是當時普

[622] 劉孟揚：《天津拳匪變亂紀事》，《義和團》2，第 24、32 頁。
[623] 仲芳氏：《庚子記事》，見《庚子記事》，第 24 頁。
[624] 管鶴：《拳匪聞見錄》，《義和團》1，第 486 頁。
[625] 劉孟揚：《天津拳匪變亂紀事》，《義和團》2，第 15 頁。
[626] 袁昶：《亂中日記殘稿》，《義和團》1，第 347 頁。
[627] 僑析生：《拳匪紀略》卷 4，第 3 頁。

遍的說法。據傳還有法術更大的，焚人房屋，只向東南作三個揖，口中唸道「燒燒燒」，其屋即燃。法力特大的不必作揖，僅於掌中書寫一個「井」字，一個「焚」字，其房即燃。或是以刀槍向門和地上指畫，群呼曰「著」，便立時起火，用刀向鄰近的房舍劃界，火不外竄。實際上某房屋為教民所有，皆是「本地人暗中指引」。[628]「拳眾每縱火，蓋有潛縱之者，人不知也。其焚教堂，使其黨預伏於內，以煤油潛灑之，然後率眾往，發槍遙擊，槍聲甫鳴，烈焰突起。觀者堵立，驚以為神，是亦幻戲之技耳。」[629]有位師兄私下對人說：「伊等放火，仍是先置洋油。」[630]

然而，焚燒教民房屋和教堂可以騙人，延燒平民的房屋卻無法隱瞞。騙局揭穿以後，義和團就惱羞成怒，誣賴別人，「以遮自己羞臉」[631]。焚燒西什庫教堂時，義和團雖挾有煤油、柴草，誦咒不已，但終於點不著火。「於是謠言出矣，謂：『教士以女血塗其屋瓦，並取女血盛以盎，埋之地，作鎮物，故咒不靈。』」[632]「有人以穢物敗之也」[633]。焚燒老德記藥房時，禍及數千家。義和團「算定」是中和園少執事潑尿，「致干神怒，立將少執事抓住，擲於火內，然已無及。」[634]天津的義和團初焚教堂，「即已殃及四鄰。則曉於眾曰：此鄰家婦人污穢敗法，自取咎也。」[635]6 月 15 日焚燒三處教堂，延燒數十家。「團云：火時有婦人外出，致破其術，故延及。於是見婦女則殺，藉口以文其術之偽。」[636]

---

[628] 高枏：《高枏日記》，見《庚子記事》，第 159 頁。
[629] 龍顧山人：《庚子詩鑒》，《義和團史料》上冊，第 34 頁。
[630] 高枏：《高枏日記》，見《庚子記事》，第 159 頁。
[631] 包士傑輯：《拳時北堂圍困》，《義和團史料》下冊，第 598 頁。
[632] 陳慶恒：《清季野聞》，《義和團史料》下冊，第 637 頁。
[633] 李超瓊：《庚子傳信錄》，《義和團史料》上冊，第 210 頁。
[634] 劉以桐：《民教相仇都門聞見錄》，《義和團》2，第 186 頁。
[635] 管鶴：《拳匪聞見錄》，《義和團》1，第 470 頁。
[636] 佚名：《天津一月記》，《義和團》2，第 142 頁。

其六，謊報戰功，大呼全勝。

6月16日晚，天津的義和團與聯軍打仗，「敗歸，猶群呼大得全勝，並索得勝餅。……自時厥後，每出必敗，每敗必呼，『大得全勝』四字成口頭禪矣。」沒有打仗，也謊稱打了勝仗。某日搜殺蘆莊畢，團民「不赴前敵，竟折回，齊呼大得全勝。」以後每在街上行走，有人問從何處來，他們回答說：「吾從前敵來，吾將洋人殺死甚多，紫竹林尚有幾個洋人，不久亦就完了。」只要槍聲停止，他們就把功勞歸於自己，說：「閉住槍炮，故無聲也。」7月5日午後一點鐘，「炮聲止。傳云：各義和拳皆往租界與洋人合仗，將洋人槍炮盡皆閉住，殺死洋兵無數，明日即可將洋人掃盡矣。」一日，水師各營炮攻租界極猛，而敵人反無甚動靜。「於是匪黨遂謂洋人槍炮均被大師兄所毀，不能再施，相與傳呼惑人。」[637]直到天津城破前夕，義和團「尚不准人言洋人得勝，必須張大其詞，云『將洋人殺盡，團民甚強』云云。」[638]

更有甚者，他們還妄殺同胞，冒稱殺敵。6月15日，「拳匪齊到新馬路窪中歇息時，看熱鬧人中有一人身著瘦小衣服，匪竟指為奸細，當即殺斃，屍骸盡碎。眾匪皆在死屍上剁一二刀，俾得沾血於刀上。及回至壇中，謂人曰：吾等殺死洋人不少，刀上血跡猶存也。」[639]

其七，詭辯掩飾傷亡。

義和團自詡神通廣大，刀槍不入；若有受槍炮傷者，其師一撫摸即癒，陣亡者，一唸咒即活。然而神話代替不了現實，謊言不能起死回生。當刀槍不入的神話被戳穿出現傷亡時，他們便「造

---

[637] 僑析生：《拳匪紀略》卷1，第5、7頁；劉孟揚：《天津拳匪變亂紀事》，《義和團》2，第24、30頁；管鶴：《拳匪聞見錄》，《義和團》1，第474頁。
[638] 董作賓：《庚子佚事》，《義和團史料》上冊，第510頁。
[639] 劉孟揚：《天津拳匪變亂紀事》，《義和團》2，第14頁。

言以飾之曰，該團友因貪財，不聽法令，以致符咒不靈，死有應得。」[640]「『此被穢物所污也』，或『練習未成也。』」[641]再不然就加以欺騙，說死人暫睡。有個從五臺山請來的和尚攻打西什庫教堂，被洋槍擊中要害，隨行的大師兄亦被擊倒，後隊大潰，拖屍而奔。中途對人說：「和尚暨大師兄暫睡耳，吾當以咒喚醒之。」[642]還有的裝神弄鬼，唸咒使死人復活；不能復活，則說成神去了。「拳眾有傷斃者，令一人祝於屍側曰：『活矣，活矣，七日後當復生。』未七日已屍腐蛆出，則又曰：『是隨老祖師入終南山矣。』」[643]這種鬼話自然誰也不會相信。一日，天津有個團民被聯軍擊斃，練軍急叫義和團的老師，對他說：「『聞老師有法術，死者可以復活，可速作法。』師忸怩曰：『人死豈可復生。』練軍立唾其面，師俯首而去。」[644]

其八，自詡義民，欺世盜名。

「義和團，義者，仁也；和者，禮也。仁禮和睦鄉黨，道德為本，務農為業，而遵依佛教，不准公報私仇，以富壓貧，依強凌弱，以是為非。」[645]

義和團雖然自詡「遵依佛教」，是義民，實則不遵佛規，行事處處與佛教相反。佛教有五戒，首要兩條就是不殺生，不偷盜，即不准殺害一切有生命的東西，更不能殺人；不經別人允許，不得將一針一線據為己有。對這兩條，義和團從不遵守，連一個並不信佛的普通平民百姓都不如，哪有什麼「仁」與「禮」！「不准公報私仇」嗎？他們燒殺搶掠的正是與其有點小過節的教民和平民！不

[640] 佚名：《遇難日記》，《義和團》2，第163頁。

[641] 管鶴：《拳匪聞見錄》，《義和團》1，第486頁。

[642] 陳慶恒：《清季野聞》，《義和團史料》下冊，第638頁。

[643] 龍顧山人：《庚子詩鑒》，《義和團史料》上冊，第34頁。

[644] 佚名：《天津一月記》，《義和團》2，第149頁。

[645] 《雜錄》，《義和團》4，第148頁。

「依強凌弱」嗎？他們正是依仗人多勢眾，燒殺搶掠孤立無助的教民與平民！

以上言論，不盡出諸義和團大頭目們之口，有的是授意小頭目和團民散佈的，但均反映出他們的品質和為人。他們時時戴著一副假面具，處處撒謊矇騙，表面說的是一套，背後幹的另是一套，沒有向世人流露一句真話，毫無誠信可言，均為奸狡欺詐之徒。其人如此，其公開打出的「扶清滅洋」口號絕對不會發自內心，出自真誠，只能是騙人的謊言，根本無法讓人相信。

燒殺搶掠，為非作歹，向為社會所不齒，並為歷代官府所不容。對此，義和團的頭目們心知肚明。為了避免清政府將他們當作謀財害命的盜匪和圖謀不軌的暴徒，派兵剿滅，他們不得不籌思對策。當時恰值部分平民有仇恨洋教的情緒，於是他們便加以利用，一方面說習練拳術只為自衛身家；一方面特創了「扶清滅洋」的口號，作為公開亮相的旗幟，其實並不打算真正實行。

「扶清滅洋」口號稱不上什麼策略，只不過是個騙局。

所謂「扶清」，意在向清政府表明，義和團與被禁止的白蓮教等不同，是擁護扶助大清國的義民，不是亂民，以便取得合法地位，進一步發展壯大勢力。所謂「滅洋」，並非他們胸懷民族大義，亦不過如時人所揭示出來的：「托詞公憤，聳動群情，以掩其聚眾結盟之跡，而行其煽惑招誘之謀。」[646]「妄自造妖言，煽惑愚民，勢焰日熾，蔓延日廣。……然恐官究治，則自名曰義和團，比附於設團自衛之說。恐人心不歸，則豎旗曰扶清滅洋，以為尊君親上之誠，假此護符，乃得以掩其剽掠之行，逞其聚眾之術。」[647]正因他們假冒忠義之名，不敢將內心的隱秘公之於眾，所以提出的口號便能聳動蒙蔽與教民有嫌隙的人和部分不知真情的群眾。

---

[646] 勞乃宣：《拳案雜存》，《義和團》4，第 461 頁。
[647] 轉見路遙、程歗著：《義和團運動史研究》，第 126-127 頁。

　　對「扶清」的內涵，不論將「清」怎麼解釋，其為扶助清政府則無疑義。既然稱為「扶清」，理當聽從清政府領導，而義和團自始至終均未做到這一點。起事之初，清政府勸諭解散，命令不要胡亂燒殺搶掠，抗拒官兵，他們不聽。曉諭毀壞鐵路、電線犯法，他們還是不聽。清政府制定《團規》，他們也不遵守。在這些重大問題上，義和團均自行其是，何有「扶清」？搶掠官署、逼勒官員之類，更非「扶清」。他們與載漪等一致的行動，只有參與殺害光緒皇帝、攻打使館和西什庫教堂及抵抗聯軍。殺害愛國改革的光緒皇帝總不能說是「扶清」，倘若一定這麼說，那也是「扶」最壞的「清」。攻打使館一兩天，因傷亡太重，他們就不敢打了，不再「扶」了。攻打西什庫教堂和抵抗聯軍，也不敢真正拼殺。

　　與「扶清」相聯繫的是義和團是否反封建，這裏順便談幾句淺見。農民階級只反對貪官污吏和壞皇帝，擁護清官和好皇帝。不論義和團「扶清」的真實用意如何，至少表面上是擁護清政府的，而且沒有提出過推翻封建制度，建立民主政治的要求。說義和團必然反封建，完全出於臆斷。與官軍作戰只是為了從事燒殺搶掠而採取的自保手段，並非反封建。「均糧」在直隸威縣、新河、南樂、大名、元城幾個縣出現過，大部分是饑餓的窮人因為沒有飯吃，聚眾向富戶扒搶糧食。「實因二麥失收，家貧乏食」，「冀圖乘間攫取糧食糊口」。「強令富戶均給糧食，不遂所欲，即行搶奪。」[648]「以均糧為名，聚眾強搶。」[649]饑民「均糧」是為了活命，也不是反封建。

　　關於「滅洋」的涵義，義和團沒有明確的說法。從揭帖告白中看，係指「殺盡洋人」[650]；從其行動看，既包括消滅一切來華的洋人、一切來自資本主義世界的商品、近代科學技術及與資本主義有

[648] 《山東義和團案卷》下冊，第928、925頁。
[649] 《新河縣誌》，《義和團史料》下冊，第992頁。
[650] 《義和團雜記》，《義和團史料》上冊，第10頁。

關的事物，也包括消滅信奉洋教的中國教徒，以及那些直接或間接與洋人有關係的「二毛子」、「三毛子」等等。這個口號無疑十分「豪邁」，然而如何去完成這一無比艱巨的任務，才是最重要的。

義和團真有「滅洋」的本領嗎？「天下第一團」的首領張德成率領團民初到天津，即對群眾大吹其牛說：「吾在城內安壇，管保城內平安，永不見炮彈。」[651]又說：「有我在津，必無意外之虞，一俟期到，立刻成功。大沽既為洋人所據，聽其進兵，聚之愈多，愈覺省事。予視洋人皆馬蠅，一撲即斃，多亦不懼，免卻搜捕追殺許多事耳。」[652]還有個騙子把「滅洋」看得易如反掌：「京中之洋人與二毛子指日就可滅絕，然後先至天津、上海燒盡洋房，殺盡洋人。再分隊馳赴各國掃平巢穴。直待九月間，便可斬草除根，天下太平矣。若恐洋人調兵來京，更不足慮。洋兵航海而來，必坐輪船，只須大師兄向海中唸咒，用手一指，兵船不能前進，即在海中自焚，有何懼哉！若由旱路而來，避住彼之槍炮，眾團一齊擁上，手到擒來，更不足慮矣。」[653]

義和團吹噓「滅洋」靠的不是真正的實力，而是誕妄的神話，荒唐的法術，夢囈似的幻想，只能給人虛妄的希望，荒謬絕倫。因而其「滅洋」之說只能是自欺欺人的彌天大謊。

吹牛就是吹牛，現實就是現實，不能把吹牛當作現實。許多官員均明白這一點，力勸清政府取締義和團。早在1899年12月袁世凱就在奏摺中指出：「乃猶立幟大書，侈口於洋人可滅，藉以行其聳動號召之私。而不知其伎倆毫無，曾以四五百人攻一教堂，尚不能克。前經正任撫臣毓賢迭派副將馬金敘等在平原、茌平、高唐等處，連次擊敗，擒獲匪首朱紅燈、于清水、僧人心誠、董元梆等，

---

[651] 劉孟揚：《天津拳匪變亂紀事》，《義和團》2，第26頁。
[652] 僑析生：《拳匪紀略》卷2，第3頁。
[653] 仲芳氏：《庚子記事》，見《庚子記事》，第15-16頁。

分別懲辦。是該匪等一經勇隊抵禦，即不能支，況能舉強盛之洋人而滅之乎？」[654]

2.真實目的在掠奪財富

由於「滅洋」口號是個騙局，根本沒有能力「滅洋」，義和團的頭目們在八國聯軍之役之前，從未將打擊的矛頭直接指向列強，例如把列強的勢力從割讓的領土上、租借地和勢力範圍驅逐出去，只是在動聽的口號之下打洋教，幹著掠奪財富的罪惡勾當。

恩格斯指出：「鄙俗的貪欲是文明時代從它存在的第一日起直至今日的起推動作用的靈魂；財富，財富，第三還是財富，──不是社會的財富，而是這個微不足道的單個的個人的財富，這就是文明時代唯一的、具有決定意義的目的。」[655]「鄙俗的貪欲」就是對義和團「起推動作用的靈魂」，掠奪財富據為己有才是他們打洋教的真實的「唯一的、具有決定意義的目的」。

前面列舉的大量史料完全清楚地表明，團民打洋教的對象不僅僅限於教堂、教民，同時有大量平民和回民，還有官署、官員；其行動就是搶掠、勒索、敲詐錢財，銀錢、衣物、車輛、牲畜、糧食等等固然在所必得，甚至連犁、磨、鋤和鍋碗瓢盆等粗賤之物也在搶掠之列。綁架人質更是為了勒索贖金，不遂所願，則「撕票」繼之。焚燒殺人，也是為了錢財，「凡稍殷實者皆目以教民，殺其人而分其財」，[656]「以焚殺為斂財之具」[657]。他們所做的一切，包括

---

[654] 《義和團檔案史料》上冊，第 58 頁。
[655] 恩格斯：《家庭、私有制和國家的起源》，《馬克思恩格斯選集》第 4 卷，第 177 頁。
[656] 《鹽山新志》，《義和團史料》下冊，第 968 頁。
[657] 《靜海縣誌》，《義和團史料》下冊，第 964 頁。

扒拆房屋，勒索不願為其賣命的團民，真實目的都是為了「財富」二字。用護理陝西巡撫端方的話來說，就是「借仇洋教之名，而遂其發洋財之願。」[658]

此話並非危言聳聽，故意誣衊，義和團頭目們就是以「發洋財」誘惑煽動團民和饑民跟著他們行動的。

據調查，景州的義和團在各種旗幟上面都寫著「助清滅洋」，而實際的動員口號則是「打洋人，發洋財。」[659]1899 年大師兄武修領人砸毀阜城縣臨陣村的教堂，就將「凡能搬運的物件，全搬到他們的廠子中去了。過了不多幾天以後，又來搶掠教民的住宅，將衣服、糧食、牲畜、家俱，全搬到廠子中，彼此分贓去了。」[660]

拳首劉勝先同樣以發洋財動員同夥：「今焚燒教堂，收沒二洋人（指教民）資產，報仇洩恨，以圖富貴，千載一時也。」眾人為其煽動，「遂焚毀艾束教堂，搶掠教民之稍有資財者四五家。」[661]

據張三、邵來法、邵岱坡、張均孝、王臘月、王子榮、陳克鈺等供稱：他們這一股義和團分立紅、黃、藍色旗幟，旗幟上寫的是「保清滅教」字樣，真實的目的則是「練成出外搶劫，得錢分用。」[662]

還有的的頭目在群眾中公開揚言打洋教就是為了發洋財。調查資料顯示，1898 年 8 月 14 日，山東大刀會六七百人到羊山搶掠劉學孟家，行至集市時，首領喊道：「咱羊山的窮哥兒們不要怕，咱們是占團地的，肉肥湯也肥，我們吃肉，大家也能喝湯。」[663]

---

[658] 徐緒典主編：《義和團運動時期報刊資料選編》，第 274 頁。
[659] 轉見路遙、程歊：《義和團運動史研究》，第 407 頁。
[660] 黎仁凱等：《直隸義和團運動與社會心態》，第 211 頁。
[661] 《成安縣誌》，《義和團史料》下冊，第 959 頁。
[662] 《山東義和團案卷》下冊，第 873-874 頁。
[663] 山東大學歷史系：《山東義和團調查報告》，第 76 頁。

　　頭目們的話說得明明白白,「發洋財」自然便成了團民和饑民參加運動的唯一的巨大推動力。有次,攻打河間府范家圪墶教堂的兩個團民的對話就道出了這一實情:「這一個傷歎說:『我們圍攻這個范家墳,已經有一個多月了,趕多咱才能攻打呢?常這樣黑夜白日的圍困著,也不見功效,實在令人討厭。』別的一個勸勉說:『我們輕閒安逸地在這裏住著,飲食不缺,工錢也不少,將來把范家墳攻破以後,我們還發不了老財嗎?多等待幾天,有什麼關係呢!』」[664]通州壇口鎮的團民則集體「公議,定要把本村和賈家疃天主教人完全滅盡,均分他們的財產。」[665]

　　更有許多被捕獲的頭目和團民供認,他們打洋教並不是為了「滅洋」,而是掠奪錢財。茲舉幾例,以為證明。

　　陳洪山供稱:1900 年春間,他與「素習神拳之武洪生會遇,說起家貧難度」。武洪生勸他入夥,「每日給與飯食,並稱擾害洋教,可以得財」,他「貪利應允」。以後糾集同夥抵達長清縣後小莊平民劉金聲家,將其子「劉升仔並牛騾、衣物、錢文一併擄掠逃逸,遺火燒毀房屋。」[666]

　　頭目張鳳海等人供認:他們之所以在 1900 年 7 月糾眾前往陽谷縣坡李莊教堂搶掠,乃是因為與大刀會頭目畢文祥相遇之後,「聞陽谷坡李莊教堂人眾錢多,糾允伊同往行搶。」[667]

　　袁得普、孟五、孫乾、王三、田照魯、李九、田照亮供稱:1900年 7 月,他們與「素習神拳」的朱啟明相遇,「說起家貧難度」。朱啟明勸他們入夥,「擾害洋教,得財分用」,他們「貪利允從」。接

[664] 黎仁凱主編:《直隸義和團調查資料選編》,第 341 頁。
[665] 轉見廖一中:《論義和團運動的特點》,齊魯書社編輯部編:《義和團運動史討論文集》,第 170 頁,齊魯書社,1982 年。
[666] 《山東義和團案卷》下冊,第 587-588 頁。
[667] 《山東義和團案卷》下冊,第 881 頁。

著跟隨朱啟明等抵達長清縣徐家窪平民金雲鳳家擾害，搶走耕牛二隻。[668]

張春仔、劉奇同供：大師兄趙德基告訴他們，「可以向各莊富戶索借銀錢」，他們便跟著到陵縣龐家莊王如仄等家「強借銀錢」。因未應允，他們便將王如仄等六人綁架走，進行「勒贖」。[669]

搶掠的錢財用於何處？筆者僅在調查材料中看到當年的兩個團民說過，將搶來的糧食分給老百姓，讓各家做好飯送到紮營地。此乃讓老百姓做飯送給團民，還不是把糧食分給老百姓，也許給義和團做飯的老百姓能得到一點好處。另有一個團民說過把搶來的、穿不完的鞋子分給村裏的窮人，這是唯一的一件分給窮人東西的事情。那麼，搶掠的錢物到哪裡去了？不難想像，團民不會把拼著性命搶掠得來的東西分給別人，當然都私分肥己了。「得財分用」就表明了這一點。

請看一些供詞。

大頭目朱紅燈等供稱：1899 年 11 月，聽說巡撫毓賢法外施仁，不咎既往，令他們解散，他「遂將連日所得銀錢，按人均分，擬暫分散。」沒隔幾天，他就「因分贓不均，被同夥砍傷頭顱數處，並身受槍傷二處；同夥遂赴胡家屯，將朱紅燈拋棄寺中。」[670]

石來法供稱：1900 年 1 月，拳師劉田等帶人搶奪禹城縣千戶屯教民李化金家驢一頭，衣服十多件，他「分得京錢一千」。[671]

拳首梁得功供認：「初意本與教民為難，因無食用，不能不向平民訛索」。搶過禹城縣前油房莊事主家衣物，「賣錢花用」。[672]

---

[668] 《山東義和團案卷》下冊，第 589 頁。
[669] 《山東義和團案卷》上冊，第 325 頁。
[670] 《山東義和團案卷》上冊，第 20、16 頁。
[671] 《山東義和團案卷》上冊，第 245 頁。
[672] 《山東義和團案卷》上冊，第 475 頁。

張福苓供認：1896 年曾夥同馬婁九等擄禁禹城縣平民王玉宗，勒贖得銀四千六百兩。1897 年，夥同拳首劉四反叛（即劉登雲、劉洛四）在臨邑縣搶奪復祥永錢鋪鋪夥紋銀九十餘兩，錢票五十餘千，煙土五十餘兩，「兩人易錢分用」。1900 年 1 月，夥同周二歪、劉四反叛在臨邑縣搶奪廣聚興鋪夥驢一頭，褡套一個，錢褡一個，錁銀十九兩，零錢票六十餘千，現錢七千，「三人均分。黑驢一頭該匪自留乘騎，旋亦變賣。」張王仔供認：聽從劉四反叛等搶奪王振富家得贓，並將王振富擄去勒贖，「分得贓錢」。[673]

王水仔供認：1900 年 8 月，跟隨陵縣郭家莊義和團，搶得任康驢、馬各一頭，鋤幾張，被三床，京錢十五千，錫茶壺一把。經人說合，用京錢八十千將牲口、衣物贖回。分給郭洛四們錢文若干，其餘皆郭末仔拿去，他「僅得錫茶壺一把，並沒有分給錢文。」被脅迫參與此案的任胖仔供認：他「僅得鋤一張」。[674]

張立池供認：1900 年 7 月，隨同拳首李鳳魁一夥竄入高唐州。路過于莊，擄捉教民于保林等，「勒得錢文分用」。[675]

被脅迫的李小科供認：1900 年 9 月，拳首孫玉龍糾合孫九龍、郭書卿等人，「赴官道莊劫得不知名陳姓家銀錢、麥糧俵分」。[676]

蕭吉太供認：1899 年 11 月，拳首邢師兄及劉中甲帶領多人，搶得齊河縣大冀莊教民于鳳山等家錢物。1900 年 7 月，又將該莊教民葛金榮等家房屋燒毀，殺死葛金榮。前往禹城縣小楊圈莊楊懷玉家，搶得錢物車輛牲畜，殺死王玉柱和李玉香，「分贓各散」。[677]

[673] 《山東義和團案卷》上冊，第 330-331、335-336 頁。
[674] 《山東義和團案卷》上冊，第 342-343、281 頁。
[675] 《山東義和團案卷》上冊，第 472 頁。
[676] 《山東義和團案卷》上冊，第 162 頁。
[677] 《山東義和團案卷》上冊，第 216 頁。

吳和尚供認：1900 年跟隨拳首張傳義搶劫禹城縣張李店教民和曹坡莊李延昌家錢物牛隻，逃至松林內，「將贓俵分各散」。[678]

龐玉仔供認：「聽從朱生管仔迭搶萬福元等家牛驢財物，俵分花用。」[679]

壇場首事、文生姜貫一供認：1900 年 1 月，先後嚇詐教民李祿、許姓錢文，「俵分花用」。8 月，帶人攻破商河縣張莊，殺戮教民，焚燒房屋，搶掠銀錢衣物，「俵分花用」。[680]

李為緘、李棕剩、李寬仔供認：聽從李沆台等糾允，先後嚇詐臨邑縣小李家莊李姓教民錢文，攻破商河縣張莊，殺害教民多名，搶奪錢文衣物，「俵分賣錢花用」。[681]

孟昭祥供認：聽從宋浩等糾搶平原馬家務、臨邑張還北家、陵縣彭家廟等處教民錢文衣物，砍傷教民孫世欒成殘，「將贓俵分花用」。[682]

拳首李腆太供稱：先後搶奪臨邑縣教民李興范等家錢文衣物，糾眾拆毀教民李明身家房屋，嚇詐錢財，「得贓俵分」。[683]

拳首邢兆陸供認：1900 年 4 月至 7 月間，先後搶劫博平、茌平、平陰等縣十一家教民的衣物、糧食、牛馬，殺害教民二人，綁架三人勒贖。所劫衣物、糧食、牛馬，「分別存留變賣，得錢分用。」[684]

賈德溪、孫獻功同供：跟隨劉玉堂等搶劫東平州及平陰縣各處衣物、糧食、牛驢、傢俱，綁架教民一人勒贖。除周家莊外，「均已得贓分用」。[685]

[678] 《山東義和團案卷》上冊，第 220 頁。
[679] 《山東義和團案卷》上冊，第 291 頁。
[680] 《山東義和團案卷》上冊，第 306-307 頁。
[681] 《山東義和團案卷》上冊，第 303-304 頁。
[682] 《山東義和團案卷》上冊，第 308 頁。
[683] 《山東義和團案卷》上冊，第 311 頁。
[684] 《山東義和團案卷》下冊，第 558 頁。
[685] 《山東義和團案卷》下冊，第 566 頁。

拳首李從善供認：在陽信縣王家集設總拳廠，率人赴蓋王莊蓋天一家「搶得錢物，用車載回俵分」，並將蓋天一擄走殺死。又搶劫王家莊「教民衣物等件，回廠俵分。」[686]

大刀會頭目陳萌雪供稱：1900 年春間，領人強訛外縣及本縣定陶之磊莊、張莊、侯樓莊、台莊、丁北集、楊樓莊等處教民、平民錢文，或二三十千，或一二十千。「所得錢文，均先後俵分花用。」[687]

大刀會頭目李七妮供稱：1900 年夏間帶人強訛定陶縣張莊、王莊、李莊、王樓莊、三義集、趙莊等處平民、教民的錢文，或三四十千，或一二十千。「所訛之錢，均已俵分花用。」[688]

大刀會王蠍子性供認：1893 年在北京連犯四次竊案，後學拳。搶過平陰縣王家莊教民王姓、羅山套教民張姓錢文傢俱。1900 年 8 月間，搶王家莊教民王國長，大峪莊教民邱光文、孔慶法、黃振香，東平州店子莊、商莊和辛莊教民的糧食、衣物、傢俱、木料，並強架二人勒贖。所搶各案，「均已得贓，隨時分用。」[689]

郝受供認：在直隸鹽山縣隨同郝蓮獻等殺斃倉上莊民徐文明及其兒子，「搶劫銀錢衣物，俵分花用。」[690]

徐大個仔（即徐九常、徐寶龍）供認：1899 年 10 月至 1900 年 2 月，在寧津、鹽山糾夥搶劫梁書林、梁慎修、杜閏等家錢文、衣物、牲口，打死孫梁三等人。以後充當大師兄，帶人搶擄焚殺樂陵縣朱家寨、鄭家莊，寧津縣范家莊、清家務等處洋樓、教民房屋錢財。「所得贓物，均已變用。」[691]

宋懷供認：他在直隸清河縣跟隨張花學拳，「到各處打糧，並掠殺民教財物」。張花死後，他被舉為頭目，帶領團民「在故城、

[686] 《山東義和團案卷》下冊，第 692-693 頁。
[687] 《山東義和團案卷》下冊，第 902 頁。
[688] 《山東義和團案卷》下冊，第 905 頁。
[689] 《山東義和團案卷》下冊，第 564-565 頁。
[690] 《山東義和團案卷》下冊，第 724 頁。
[691] 《山東義和團案卷》下冊，第 745 頁。

南宮、清河一帶搶掠糊口」。1900 年 7 月，與戴大木各股頭目會合，前往山東武城縣，準備攻打十二里莊教堂。「因無食用，戴大木起意砍鋸電桿，並赴各莊掠殺焚燒教民財物、房屋，訛索鄉民鋪戶糧物銀錢，隨時俵分花用。」[692]

趙六供認：1900 年 6 月初在宛平縣本村充當團頭，李其明為大師兄。所有用費，均向各戶勒捐。後燒毀門頭村上坎地方洋棧房，殺死看守洋房的屈順母子二人。強索龐家莊龐姓家現錢五十吊，小米二斗。強拿牛王墳安姓家錢糧等物。後調赴北京城內劈柴胡同義和團糧餉處駐紮。見一蠟鋪帶賣洋藥，藉端詐索，捆縛鋪夥三人，內有一人不肯燒香，即捏稱此鋪是教民所開，將該鋪燃燒，砍殺一人。繼而前往化石橋胡宅搜尋洋人，沒有搜到，便將宅內所有傢俱等物運回，「意欲大傢伙分」，被糧餉處的趙旺攔阻，命其送交莊王府暫收。「張大狼子拿去之瓷器、胰子盒、茶碗等物，李其明拿去單夾衣服數件，李常瑞拿去寶石頂珠、衣服一包，我拿走匾額、衣物，並別團拿走各件，均係乘便攫取」。8 月洋兵進城，均各逃散，「贓物早經變賣」。[693]

周五虎供認：1900 年 6 月在大興縣本村設立義和團。帶人前往鋸子房，將教民蔡徐的女人、幼女及畢四殺死。趙姓教民逃跑，將其房屋燒毀，「搶得衣服、傢俱等物，攜回壇上，大家俵分。」[694]。

大批團民紛紛湧入北京、天津等城市，最重要的一個原因就是企圖搶掠遠比窮鄉僻壤的農村富庶得多的財富，即「被物誘至此」。[695]「匪眾以鹽津郡財貨，其黠悍者招致鄉愚，意圖劫掠。」[696]

---

[692] 《山東義和團案卷》下冊，第 846 頁。
[693] 《義和團檔案史料續編》下冊，第 1253-1254 頁。
[694] 《義和團檔案史料續編》下冊，第 1254-1255 頁。
[695] 高枬：《高枬日記》，見《庚子記事》，第 171 頁。
[696] 僑析生：《拳匪紀略》卷 1，第 3 頁。

　　天津的團民「藉端苛斂」，皆「乾沒入己」[697]。搶掠所得，同樣如此，大頭目們的私囊都填飽了。一次，有人問老師：既能避槍炮，何以團中有傷亡？老師答道：「此人必貪財，故神不附體。」團民聞聽憤怒地說：「術不能避槍炮，而大言欺人，枉死城中不知添卻多少冤魂，反以貪財責人，使死者蒙惡名，冤哉！若貪財即應受槍炮，老師、師兄搶劫最多，何以不死？」[698]團民的反駁道出了老師、師兄們搶掠財富以飽私囊最多的真情實況。

　　最著名的張德成也最貪婪。「初在居民處苛斂，以作用度，次則蔓延四處，又在河道私設關卡，凡過往船隻，肆行訛索，否則以借查奸宄為名，肆意劫掠。」[699]「冤殺無算，焚劫之慘，甲於各屬。」[700]他「一心要到天津來開眼」[701]，聲稱「滅洋」，並不是出於高度的愛國主義精神和「反帝」覺悟，自願為國家效力，而是更加瘋狂地搶掠。即使在清軍與聯軍激戰之際，他也率人將三井洋行「搶掠一空，欲縱火將房燒毀，街鄰恐被連累，極力央求，始罷。薩寶實洋行亦被搶，屋中桌案等件皆被焚，將該洋行掌櫃及其兄弟子侄共九人，擒去欲殺，經多人說合，罰令出銀一萬兩，始得饒命。」仁記洋行也被他率人「搶掠一空，擒去夥計七人，欲殺，隨經人央求，罰銀五千兩，得免。」[702]天津城陷落的前夕，他「亟席捲所有逃去」[703]，「挾鉅資行」[704]。逃到外地以後，仍然瘋狂地聚斂財富：「每率眾拳匪向各號訛索銀錢，或數千兩，或數百兩不等，有不從

[697] 僑析生：《拳匪紀略》卷1，第2頁。
[698] 佚名：《天津一月記》，《義和團》2，第149頁。
[699] 左原篤介、漚隱：《拳亂紀聞》，《義和團》1，第219頁。
[700] 龍顧山人：《庚子詩鑒》，《義和團史料》上冊，第69頁。
[701] 南開大學歷史系編：《天津義和團調查》，第148頁。
[702] 劉孟揚：《天津拳匪變亂紀事》，《義和團》2，第32、38頁。
[703] 龍顧山人：《庚子詩鑒》，《義和團史料》上冊，第101頁。
[704] 《清朝野史大觀》卷4，第136頁。

者，則指為奸細，焚殺搶掠。」[705]最後，他終於因為貪得無厭，勒索鉅款，被王家口的紳民亂刀剁成肉醬。

曹福田口稱「最戒者貪財」，事實上卻最貪財。搶掠天津各洋行和恒慶錢局的，就是他和張德成的「兩壇所為，貨物衣飾皆載之去，銀則半屬票據。」[706]他「在某處購得一妾，與所搶一切細軟物件，皆送回家中。」[707]

跟隨劉十九當快槍隊隊長的張金才說：劉十九「常住在壇口盡西邊的屋子裏，那裏放有錢櫃，有時也住在劉莊子于樂山家裏。當時劉老師不讓別人接近他，他怕行刺。他的地方插兩面大旗，並由兩人手拿快槍守門。」[708]劉十九是天津有名的義和團大頭目，戒備如此森嚴，乃是因為害怕別人搶走其錢櫃裏面放著的掠奪來的金錢財寶。

南城根的張四在三官廟充當壇主，其子為師兄，其女為紅燈照，「搶掠居民鋪戶銀錢衣物等件，不計其數。」[709]

在戰鬥進行之際，義和團「一小股一小股地走進所有的房屋裏，在搶劫值得搶的東西，並且趕走不幸的主人之後，就縱火把這些房屋燒毀。」[710]7月14日天津陷落前，「銀行及錢莊洗劫一空。起初去搶的是義和團。」[711]

義和團假名「滅洋」，真為搶掠錢財的實質，當時的天津人民已經看得很清楚了。7月2日義和團屠殺蘆莊以後，「或謂團曰：『曾毀蘆莊乎？』曰：『然。』或曰：『甚好，甚好，爾輩何嘗是滅

---

[705] 劉孟揚：《天津拳匪變亂紀事》，《義和團》2，第50頁。
[706] 僑析生：《拳匪紀略》卷2，第5頁。
[707] 劉孟揚：《天津拳匪變亂紀事》，《義和團》2，第35頁。
[708] 南開大學歷史系編：《天津義和團調查》，第128頁。
[709] 徐緒典主編：《義和團運動時期報刊資料選編》，第118頁。
[710] 吉普斯：《華北作戰記》，天津社會科學院編，許逸凡等譯：《八國聯軍在天津》，第24頁，齊魯書社，1980年。
[711] 《八國聯軍進北京》，《京津蒙難記》，第175頁。

洋，直是害津人耳。蘆莊人戶甚眾，豈人人皆奸細？人人皆教民？且教民亦中國人，未必人人皆可殺。津中富戶甚多，皆可指為漢奸，搶掠其家財，回家作富翁可矣。』團不敢與較也。」[712]天津人民的訓斥可謂一針見血，入木三分，擊中了團民的要害。

正因義和團所從事的活動就是搶掠錢財，大飽私囊，那些饑餓窮困的農民見他們發了大洋財，便眼紅起來，紛紛加入到義和團搶掠的行列。「鄉農見村人從匪歸者，虜略（擄掠）教民財產，所獲甚豐，皆棄農業為之。」[713]「鄉農見村人自賊中歸者，鹵掠所得，囊橐甚豐，相率輟耕從之。」[714]

非但饑餓窮困的人眼紅，地主也眼紅，加入義和團，從事搶掠。如山東樂陵縣的劉中正，「除廠宅房外，有地一頃十一畝」[715]。「曾跟隨潘榮祚將張化亭家抄搶擄掠，勒贖銀錢。至焦連城、宋毅然、徐有義等家，均經他與同夥搶訛。」[716]直隸廊坊有個解光昌，其堂嫂黃老太太說，他「家裏不窮，有兩頃來地，一看義和團真是吃得開，他也入了義和團。……就是上天津打紫竹林的時候，跟著人們去了。……仗著義和團的名義，溜到天津有名的大買賣鋪子裏搶東西，越搶越多，越多越沒個夠。可是人家一看是義和團，也沒有敢惹。這樣他搶了不少東西，一天夜裏偷偷地跑回家，到了家打開兩個大包袱叫家裏人們看，……這些東西我都看見了。……反正打這趟回來，又買了一頃多地，又娶了個小婆子──發了財了。」[717]

非但如此。為了發洋財，團民在戰場上也拼命爭搶，不顧喪命。例如，爭奪天津南門外製造局與東局子時，「洋人即於水中設水雷，

---

[712] 佚名：《天津一月記》，《義和團》2，第 151 頁。
[713] 胡思敬：《驢背集》，《義和團》2，第 504 頁。
[714] 顧山人：《庚子詩鑒》，《義和團史料》上冊，第 129 頁。
[715] 《山東義和團案卷》下冊，第 747 頁。
[716] 《山東義和團案卷》下冊，第 733 頁。
[717] 黎仁凱主編：《直隸義和團調查資料選編》，第 539 頁。

並於陸地設旱雷，而以洋錢散佈其上。義和團見錢即拾，被雷轟斃甚眾。」[718]再如，「當聯軍在安家莊東南與團眾一次遭遇戰時，洋兵擲銀錢、衣服、被褥等物於中途，團眾爭撿而亂了進軍秩序，為洋兵所乘而敗。」[719]

　　為了發洋財，義和團還向逃難的人們出賣「護照」，「始免沿途為難」。一個「護照」的價錢，要「視乎其人，由五兩至三千兩不等。」[720]但由於各壇口互不統屬，各有各的地盤，誰也管不了誰，此團賣的「護照」，彼團就不認賬，持有「護照」人身財產安全仍無保障。例如御史萬本端拿著某壇口賣給的「護照」走出北京東便門，另一壇口的團民「乃斥為偽，驅之返。」[721]天津以南，凡過一鎮，逃難的人們需每舟推舉一二人，「登岸至大師兄處拈香禱告，謂我舟皆是難民，並無奸細，請大師兄慈悲放行，並請給團帖，俾至下鎮壇口，呈驗放行」。儘管上站給了帖，途間稍免騷擾，但「財物多者，雖上站給此帖，而下站仍不放鬆耳。」[722]為什麼「下站仍不放鬆」？當然是因為「財物多」了。

　　為了爭發洋財，有時義和團各壇之間竟大打出手。如「義和團去吳橋孫老爺廟破堂，潞灌團率領，義和團與義和團鬥爭起來，為貪財爭執東西。」[723]北京「炸子橋義和團，因拆賣教民之空房木料，與安南營義和團彼此爭執，互相械鬥。每壇各有數十人，洋槍火炮，其勢甚凶。今經琉璃廠義和團從中說合，始和息罷戰。各街巷傳作笑談。」[724]天津的團民「出戰有傷者，均至督轅領賞，死者給燒埋

[718] 佚名：《天津一月記》，《義和團》2，第 152 頁。
[719] 黎仁凱主編：《直隸義和團調查資料選編》，第 58-59 頁。
[720] 徐緒典主編：《義和團運動時期報刊資料選編》，第 48 頁。
[721] 李超瓊：《庚子傳信錄》，《義和團史料》上冊，第 212 頁。
[722] 管鶴：《拳匪聞見錄》，《義和團》1，第 479 頁。
[723] 《寧津縣誌調查材料摘抄和補充》，《義和團史料》下冊，第 978 頁。
[724] 仲芳氏：《庚子記事》，見《庚子記事》，第 28 頁。

銀百兩。」但團中的老師領去以後,「給死者家屬津錢五千文,餘皆入己。東門內有一團,因此爭嘩,毆其師而散。」[725]

義和團貪錢財,也以為教民同自己一樣貪錢財,有時不惜以錢財引誘教民叛教。北京淪陷之前,團民尚未將西什庫教堂攻下,但又不敢上前攻打,便想出一計,把一封信用箭射到教堂內,其辭云:「近告天主耶穌教民知悉:昨日立山、袁昶、許景澄皆已被殺,汝等外救已絕,勸爾等若將樊國梁等洋人交出,凡洋人之財產,全分與爾等。若尚執迷不悟,破巢後玉石俱焚。」[726]結果落了一場空。

對於搶來的不便攜帶的各種東西,團民「皆公然出售,價值甚廉。蓋匪等皆係莊鄉愚民,不知其何貴何賤。大座鐘本值銀二三十兩者,不過一二十吊津錢即可購得之,然多有不敢購買者。」[727]

當時直隸普遍流傳著一首歌謠:「義和團,快上法,瞅瞅銀子假不假。義和團,快上法,有騾子,不要馬,有銀子,不要糧食。」[728]北京流傳著一首童謠:「大師兄,大師兄,你拿錶,我拿鐘;師兄師兄快下體,我搶麥子你搶米。」[729]這些均反映了社會上對義和團掠奪財富最直接最本質的認識。甚至連團民都對掠奪財富直言不諱,不以為恥,公然唱道:「大師哥,快上堤,搶完麥子搶大米。」[730]

在運動中還有一個極為奇特的現象最值得注意:「團中云最惡洋貨,……見洋字洋式而不怒者,惟洋錢而已。」[731]「惟見洋錢則色喜,不復害之矣。」[732]其實,除洋錢之外,他們還喜歡洋布和洋槍。

---

[725] 佚名:《天津一月記》,《義和團》2,第154頁。
[726] 包士傑輯:《拳時北堂圍困》,《義和團史料》下冊,第614頁。
[727] 劉孟揚:《天津拳匪變亂紀事》,《義和團》2,第37頁。
[728] 黎仁凱主編:《直隸義和團調查資料選編》,第480頁。
[729] 華學瀾:《庚子日記》,見《庚子記事》,第111頁。
[730] 轉見黎仁凱等:《直隸義和團運動與社會心態》,第207-208頁。
[731] 佚名:《天津一月記》,《義和團》2,第146頁。
[732] 柴萼:《庚辛紀事》,《義和團》1,第305頁。

為什麼會出現這種奇特的現象？因為用洋布做的衣服比土布做的漂亮，夏天穿在身上涼爽舒服。洋槍的殺傷力大，用來對付被搶掠的教民、平民和緝捕的團練勇隊，遠比大刀、長矛有效得多。所以當裕祿准許發給義和團洋槍時，團民將天津武庫及城內軍械所的洋槍彈藥，搬運一空。「匪既得此，搶掠之志益堅，蓋不能發洋財，而必能發本國之財矣。」[733]

義和團最喜洋錢，並不僅僅由於洋錢的價值已為社會所認可，價值高，攜帶方便，而是因為如馬克思所說：「貨幣不僅是致富欲望的一個對象，並且是致富欲望的唯一對象。」[734]有了洋錢，就可免受饑餓，洋錢越多，財富越多。最喜洋錢，恰是義和團打洋教的唯一目的就是掠奪財富的最為有力的證明。

世界上的人與事極其複雜，表裏如一者少，不一者多。判斷好壞，只限於表面動聽的口號，而不察其實際的所作所為，便看不到事物的真相和本質。一些論者肯定反洋教就是反侵略、反帝，讚頌備至，原因就在於只看「滅洋」的虛假口號，不去正視、不敢正視或故意回避義和團大肆燒殺搶掠財富這一最基本的事實。

（三）不是「反帝」是盜匪

1.絕大多數教民皆良民

義和團打洋教就是燒殺搶掠教民和平民，這裏暫且不談平民，專論教民。肯定義和團打洋教就是「反帝」，其前提只能是教民均為帝國主義的走狗，否則，「反帝」就無從談起。

---

[733] 管鶴：《拳匪聞見錄》，《義和團》1，第 478 頁。
[734] 《馬克思恩格斯列寧史達林論歷史科學》，第 173 頁。

　　義和團運動爆發時，中國的基督教徒有八十餘萬，多為社會下層勞動人民。他們入教的動機各種各樣，相當複雜。有的理解教義，決心皈依彼岸，出自虔誠信仰；有的受家庭影響；有的為祈禱「上帝」保佑，求得安度餘生；有的尋求精神心理上的慰藉；有的災年受到教堂賑濟，生病受到教堂治療，出於報恩感激的觀念；有的生活窮困，為得到幾塊洋錢和救濟而入教；有的受到官府欺壓，為求教堂庇護而入教；甚至有殺人搶劫犯為躲避官府追捕而入教，等等。他們之中，既有心地善良、行為本分的真誠信徒，也有地痞、流氓、惡棍、劣紳等等。凡是有人群的地方，就可能有壞人存在。一家之中父子兄弟尚且有賢愚好壞之分，在八十餘萬教民中找出一些壞人尤其不難。對此，前已述及，無需多論。問題不在於教民中有無壞人，而在於壞人在全部教民中有多少，是否均罪惡滔天，理當受誅。

　　考察史實，絕大多數教民皆為安分守己的良民，壞人很少。理由與證據如下：

　　第一，1840 年前中國的基督教徒有二十多萬人，此時非但沒有帝國主義侵略，教民反因政府禁教而處於受壓迫的地位，可是他們仍然堅持自己的宗教信仰，一代一代秘密地傳下來，毫不動搖，可見他們並不是企圖依仗洋人的侵略得到特殊利益和欺壓平民的壞人，均為虔誠的信徒。1844 年 10 月兩廣總督耆英奏稱：「查天主教自前明西洋利瑪竇傳入中國，各省愚民被惑入教，所在難免。惟二百餘年並未滋事，究與白蓮、八卦、白陽等項邪教不同。……且自定例（指嚴禁）以來，京中間有破案，而各省拿辦者甚屬無多，亦係因其尚無不法重情，姑免深究，幾與禁而不禁無異。」[735]耆英所說證明教民都是「並未滋事」的良民。

---

[735] 《清末教案》1，第 3-4 頁。

　　第二，據《清末教案》所載 1842 至 1861 年各省封疆大吏八次所奏之案及各地情形，皆未發現教民有不法行為。

　　1842 年 4 月步軍統領恩桂等奏稱：拿獲傳習天主教張玉松、王泳等共男女十四人，除了教民「仍堅執不願出教」，「起獲經、像、木十字架、書信等物」外，其他什麼也未發現。[736]

　　1846 年 11 月直隸總督訥爾經額奏稱：經審訊，山西祁縣天主教徒程世直幼隨祖父習教，本年 7 月教友因現在「無西洋人指授，恐失教內規矩」，令其至山東武城縣十二里莊，找同教人潘會章、胡汶章接請洋人。程世直路過直隸威縣，遇到李洛英，「詢係同教，在其家住宿一夜。次日托李洛英雇人送伊至武城縣十二里莊天主堂內。先後會見潘會章、胡汶章，並與夷人牧若瑟見面，邀同坐車回晉」。「李洛英亦係隨祖父習天主教，密查平素在家，並無為匪不法。」[737]

　　1853 年 4 月直隸總督訥爾經額奏報查辦傳習天主教情形說：經委員分往，查得清苑、安肅、安州、任丘、肅寧、獻縣、交河、故城、景州、滄州、青縣、淶水、深州、安平、宣化、萬全、張家口廳等十七州縣廳，各有學習天主教者，每處自一二戶至數十戶不等，統共一百零七戶，「均茹素誦經，並無為匪不法」。「內安肅縣安家莊一處，建堂設學，供奉天主，歷有年所。溯查道光二十四年（1844）冬間，據該前縣訪得安家莊民人安洛達等十三名，有傳習天主教之事，當即拿獲嚴訊，僅只茹素唸經，並無拜師傳徒，斂錢煽惑情事」。「上年楚粵逆氛不靖（指洪秀全領導的太平軍起義），臣恐其潛行勾結，即經密派幹員，專駐該縣，以編查保甲巡防奸匪為名由，不時前往該處，暗中稽察。該莊居民六十餘戶，除不入教數十戶外，餘皆諷經習教，尚無別項不法顯跡。」[738]

---

[736] 《清末教案》1，第 1-2 頁。
[737] 《清末教案》1，第 30-31 頁。
[738] 《清末教案》1，第 144 頁。

1853 年 8 月察哈爾副都統盛桂奏稱：拿獲習學天主教旗人泰保、阿延泰、依成，「該犯等習學天主教已有兩三輩，西灣子民人歸入天主教者數十餘家」。「奴才親提嚴訊，加以刑嚇，該犯等堅供入教已經數輩，只知唸經，實無為匪不法情事。」[739]

1853 年 8 月，信奉天主教已有四五輩的大興縣人張德順舉報本教，將他所知道的京城掌管教內權印的「教主」、神甫和「教頭」全部供了出來。經過科爾沁親王僧格林沁等和刑部兩度審訊，刑部尚書阿靈阿奏報審辦結果說：張德順「因聽人傳說，現在廣西滋事賊匪（指太平軍）係屬天主教，伊恐城內教中人有被賊勾結情事，隨赴巡防大臣處稟訴，希圖派伊在京訪查，借邀獎賞，不料王大臣將伊奏送」。「至城內習教之人，有無被賊勾結，伊亦不能指出確據。並稱習教之人，現在並無為匪不法，伊係懷疑具稟屬實。」[740]

1859 年 12 月直隸總督恒福奏稱：邱雲亭籍隸廣東南海縣，自幼習學天主教，在安肅縣安家莊天主堂內居住，先後在該縣和天津開設藥舖，行醫不收錢資。查邱雲亭「止行醫修善，並無傳徒習教、為匪不法及為外夷探聽消息情事。」[741]

1861 年 1 月署陝西巡撫譚廷襄奏稱：陝西民人，習天主教者所在多有，平日「俱安分，並無不法情事。」[742]

1861 年 2 月署四川總督崇實奏稱：「查川省向來習天主教者，川東居多，省城內外亦間有之，尚無不法情事。」[743]

在此期間，清政府對傳教仍然採取明弛暗禁之策。可是，教民的數量卻在逐漸增加。據直隸總督訥爾經額奏陳，其原因是教民

---

[739] 《清末教案》1，第 151 頁。

[740] 《清末教案》1，第 154 頁。

[741] 《清末教案》1，第 175-176 頁。

[742] 《清末教案》1，第 190 頁。

[743] 《清末教案》1，第 193 頁。

「前多方諱飾，近則直行承認，恃其弛禁在先，以為並不犯法，坦然不疑。而地方官亦因歷年相安無事，若無不法實跡，遽然掩捕，必致群相驚疑。設有藉口，轉恐別生枝節。」[744]這也說明在 1861 年以前教民皆安分守己，清政府想懲治都找不到「不法實跡」。

第三，廣大教民是愛國和反對帝國主義侵略的。

學者們的研究證實，中法戰爭時廣大教民沒有充當法國侵略軍的內應，幫助他們禍害國家。有的指出，許多教民站到了反法國侵略的愛國軍民一邊。如雲南省即有不少教民不怕法國傳教士的威嚇，自動「反教」；法艦遊弋廣東海面，串誘該地「教民助亂」，「該教民不從」。馬江戰役及鎮南關之戰，都有一些教民參加後勤工作和投身戰鬥。有的英勇搏敵，壯烈殉國。當馬江開戰之時，福建省有許多教民目睹法國傳教士的侵略行為，服膺民族大義，決心反教。有些人甚至願意甘結：「身等雖係習天主教，並無隨同操演情事。嗣後如遇法兵逼近上岸，身等情願隨同官兵殺打法人，不願聽從神父攻打官兵。」不少教民參加了對法作戰。[745]

在 1900 年的八國聯軍戰役中，也有躲藏在天津租界中的教民給清軍通風報信。有個洋人記載：「中國人裏面有極多天主教徒，……往往有人從洋房的屋頂上用旗子打信號，或者用電話通風報信。」還記載一個士兵講了發現五個中國人給清軍發信號，並被全部打死的事情。[746]

義和團運動高潮期間，確有直隸的部分教民跑進北京的外國使館、教堂和天津的租界，尋找避難之所，投靠洋人保護。但這並不

---

[744] 《清末教案》1，第 150 頁。

[745] 戚其章：《反洋教運動發展論》，馮祖貽等編：《教案與近代中國》，第 11-14 頁，貴州人民出版社，1990 年。

[746] 德米特里‧揚契維茨基：《八國聯軍目擊記》，第 128-129 頁，福建人民出版社，1983 年。

是他們的本意，過去他們一直居住在自己的家園就是證明。此次他們離鄉背井，是在遭到義和團殘酷無情的燒殺搶掠，政府不加保護，走投無路，生命隨時可能喪失的極其危險情勢之下，萬不得已去逃命。這是一種本能的求生行為，因此，絕對不能據此部分教民逃難斷言所有教民都是漢奸、洋奴、賣國賊。

第四，許多地方的教民皆能與平民和平相處。例如：

1894 年英國公使歐格訥向總署面交的節略稱：「史主教久在山東泰安府新泰縣分堂傳教，向來民教相安，並無滋擾情事。」[747]

臨朐縣石廟莊，「居民三十餘家，自前明奉教以來，已二百餘年，鄰里素稱和睦。」[748]

1896 年 9 月魚台縣令張則程親至大薛家莊勘明後稟報：「莊長薛奇峰等供稱，伊莊入教者僅有薛瑞峰、薛存誠兩家人，莊眾與教民皆屬同族，各相和好，素無嫌隙。」[749]

1899 年 10 月 6 日平原縣稟報：「奉教之民，為數不多，與平民亦無甚仇隙。」[750]

1900 年 1 月 21 日樂陵縣稟報：「朱家寨等處，向有英國教士設立教堂，屢經卑職遵照憲飭剴切曉諭，至今民教相安。」[751]

1900 年 1 月 29 日鄒平縣稟報：「民教尚屬相安」[752]。

1900 年 11 月 9 日齊東縣稟報：「卑境舊有美國耶穌教民數家，向與平民並無扞格。」[753]

---

[747] 廉立之、王守中編：《山東教案史料》，第 64 頁。
[748] 山東歷史學會編：《山東近代史資料》第 3 分冊，第 203 頁。
[749] 《義和團檔案史料續編》上冊，第 17 頁。
[750] 《山東義和團案卷》，上冊，第 6-7 頁。
[751] 《山東義和團案卷》下冊，第 698 頁。
[752] 《山東義和團案卷》上冊，第 148 頁。
[753] 《山東義和團案卷》上冊，第 171 頁。

惠民縣令柳堂說：「余宰惠民五年，民教輯睦，即當京津大亂之際，拳匪佈滿境內，而華式洋式六教堂，俱免於回祿，無積怨故也。」[754]

直隸吳橋縣令勞乃宣說：該縣「民氣馴良，循分畏法，且民教向來相安。」[755]

1899 年 9 月 27 日，天主教大名總鐸區主任神甫孫汝舟向上級呈送的報告說：成安縣的艾束村，「教友們與非教徒之間的關係相處得極好，因此教友的數量逐年增加」。魏縣城東的房爾莊有一百多名申請入教者，「都是些安分守己、靠勞動發家的農民」。漳河村的教徒「十分虔誠，與教外人士相處得也很好。」[756]

直隸西代牧區的天主教民也能「與其他民眾和睦相處」[757]。

作為通商口岸的天津，除 1870 年發生一次針對洋人外交官並涉及教堂的案件外，「垂四十年，……民教雜居，從無爭持凌虐、激不能平之事。」[758] 其所屬的楊柳青鎮，奉教者百餘家，義和團運動中當王某等聲言「非焚殺不可，不然須以財物贖」時，「紳民答以此處奉教數家，向不滋事。」[759]

山西全省的情況，如同 1901 年巡撫岑春煊所奏：「晉省當國初之時，省城即有天主教堂一座。通商以後，教士來者益眾，教堂林立，愚民之入教者亦日多，而民教相安，從未有齟齬之事。」[760] 教民在運動中被殺害完全是巡撫毓賢倡導煽動的結果。《楊家堡致命

---

[754] 柳堂：《東平教案記序》，《義和團》1，第 365 頁。

[755] 勞乃宣：《義和拳教門源流考》，《義和團》4，第 438 頁。

[756] 轉見黎仁凱等：《直隸義和團運動與社會心態》，第 96-98 頁。

[757] 轉見巴斯蒂：《義和團運動期間直隸省的天主教教民》，《義和團運動一百周年國際學術討論會論文集》，第 477 頁。

[758] 僑析生：《拳匪紀略》卷 1，第 3 頁。

[759] 柳溪子：《津西坌記》，《義和團》2，第 80 頁。

[760] 《清末教案》3，第 78 頁。

碑誌》記述說:「省垣南八里有楊家堡,民教共處,尚稱輯睦。迨至光緒庚子,毓撫仇教害洋,波及教民,地方官攜浪助瀾,嚴令改教,懲恿拳匪專使與教為難,各處無賴土棍,操此為發洋財之券,於是千百成群,猖獗橫行,……官令逼於外,財欲誘於內,一時放火殺人,搶掠劫奪,是皆以害教為快事,殺人為英雄,逼教民無藏身之地。」[761]

這些情況說明教民沒有劣跡,皆為良民,否則,當地平民是不會與他們和平相處的。

第五,教徒中有一些資產階級革命派和改革派以及同情他們的先進人士。

資產階級革命派領袖孫中山是眾所周知的基督教徒,其創立的興中會中亦有許多教徒,支持同情革命的傳教士和教徒更多,俱見前述。

改革派中亦有一些教徒。如馬相伯是耶穌會教士,一直主張改革,創辦震旦學院和復旦公學,是清末立憲派的著名領袖之一。民國以後參政,加入宋慶齡和魯迅等組織的中國民權保障同盟,積極主張團結抗日,被譽為愛國老人。旗人、天主教徒英斂之,創辦天津《大公報》,主張改革,勇於抨擊時政,為下層社會鳴不平。民國以後致力於教育和慈善事業。著名企業家、商務印書館創辦人夏瑞芳也是個善良的基督教徒。如此等等。

誠如有的學者所說,正因大部分教民行為本分,只想安穩地生活,沒有與義和團為敵的念頭,當運動驟然爆發時,他們感到萬分的困惑不解。一位名叫趙瑞林的教民在被團民抓住後不解地問:「我們彼此無冤無仇,你們齊來攻打我們,到底是為什麼呢?」當團民回答「是因為你們奉洋教、隨洋人」時,趙瑞林辯解道:「我們天

---

[761] 《山西省庚子年教難前後記事》,《義和團》1,第 516-517 頁。

主教，奉的是萬國的公教，恭敬的是天地真神，雖然奉教，還是中國的百姓，半點兒也沒有隨從洋人。」還有教民在被團民追殺時也提出類似疑問：「我素日待你們不錯，無仇無怨，為何下毒手害我們呢？」寶坻教民張七對前來進剿的官兵說：「我們平平安安地過日子，為什麼要剿滅我們呢？」[762]

然而，在一些封建頑固守舊分子眼裏，所有教民都是帝國主義的走狗，犯下十惡不赦的滔天大罪，恨不得立時將他們斬盡殺絕。如御史高熙喆說：「入教之民，皆叛民也，少有人心者不忍為。」[763]給事中王培佑說：「民盡入教，則民皆洋民，不復為朝廷有矣。」[764]大學士徐桐說得更乾脆：「中國莠民，信從邪教，倚為護符，任意反噬，委係叛徒，一經拿獲，解送到官，立即訊明，就地正法。」[765]

有的論者認為，不能把絕大多數教民的入教行為視為純粹的宗教信仰追求，無論他們是有意還是無意，他們確實享受了非教民所不能享受的一些政治特權。教民群體日益從中國傳統社會中分化出來，成為與教會、列強聯繫緊密的特權階層。

「特權」是清政府法定的，明確規定下某些人應享受的特殊權利，不是個人自封的。論者所持的論據，無非是指教民依仗教會打官司，抗糧欠租，藐視官府。這些均為少數教民的惡劣行為，談不上清政府法定的「特權」。教民與一般平民的區別只有一點，即不交村中攤派的迎神賽會費：「除迎神賽會費用得免攤派外，其餘糧租、差役、雜稅及一切有益地方等項，與民人一體完交，毫無歧異」[766]。對此，論者也是承認的，所以也加以引用。教民只信上帝，

---

[762] 黎仁凱等：《直隸義和團運動與社會心態》，第 460-461 頁。
[763] 《義和團檔案史料》上冊，第 48 頁。
[764] 《義和團檔案史料》上冊，第 53 頁。
[765] 《義和團檔案史料》上冊，第 196 頁。
[766] 黎仁凱等：《直隸義和團運動與社會心態》，第 457 頁。

不信他神，不參加迎神賽會活動，不交納這筆強行攤派的費用是合理的，稱不上「特權」。「特權」與廣大教民無關，他們沒有獲得過法定的政治上和經濟上的特殊利益。連論者也無法否認，教民中只有「少數為非作歹」，「大部分行為本分，只想安穩度日。」[767]承認這一點，「特權階層」之說便難成立了。

更有許多論者用詞雖與封建頑固守舊分子不同，意思並無二樣。他們把中國教徒統統或絕大部分視為地痞流氓，不務正業，依仗洋人勢力橫行鄉里，欺壓良民，無惡不作的邪惡之徒，反動透頂的「洋奴」、「漢奸」，或稱之為「不法教民」，「反動教民」，「洋教勢力」，「教會反動勢力」，理當受到嚴懲，義和團運動就是由帝國主義及其幫兇教士、教民的侵略壓迫激發起來的。此即他們完全肯定義和團運動為反帝愛國運動的主要原因。

恩格斯曾經強調指出：「在這裏只說空話是無濟於事的，只有靠大量的、批判地審查過的、充分地掌握了的歷史資料，才能解決這樣的任務。」[768]

肯定義和團燒殺搶掠正義，不能只說空話，必須拿出令人信服的確鑿證據，經得起客觀事實的檢驗。以直隸一省來說，據總督李鴻章奏稱，在義和團運動高潮期間，「合計通省殺害教民多至數萬丁口，所毀房屋多至數十萬間。」[769]有學者估計約有二萬教民被殺。但在所有的義和團論著中，從未見哪一位論者拿出確鑿的證據，證明直隸被殺害的二萬教民，其中包括許許多多的婦女兒童，均罪該至死。亦未見有哪一位論者拿出確鑿的證據，證明其中的三百、二百，哪怕是三十、二十，十個、八個，均罪該至死。

---

[767] 黎仁凱等：《直隸義和團運動與社會心態》，第 460 頁。
[768] 《馬克思恩格斯列寧史達林論歷史科學》，第 599 頁。
[769] 《義和團檔案史料續編》下冊，第 1090 頁。

　　義和團運動時期的民教糾紛，絕大多數屬於財產糾紛（包括攤派迎神賽會、演戲燒香經費），或口角微嫌，都是社會生活層面的細微末節問題。筆者或許孤陋寡聞，尚未發現像以前那樣的教士教民無理殺傷平民、強姦婦女、搶劫財物的刑事犯罪。比較嚴重的情況，就像署理濟寧州知州汪望庚所說：「教民倚勢欺凌，藉端訛索，或罰銀錢，或罰屋宇，或罰酒席，或罰鐘，或罰蓆，或罰油，不饜不休。其款數之多寡，視力量之豐嗇，雖父兄子侄不顧也。……僅卑州西北一隅，受其罰者已不下百數十家。」[770]這段話僅能說明濟寧州有些教民藉端欺壓平民，但不能說明山東和直隸的教民均如此可惡。對做了壞事的教民，也應看屬於什麼性質，不能統統視為「反動」；即使「反動」，也未必罪該至死。

　　可是，有些論者總是將個別或少數例子視為普遍現象，以偏概全，以個別代替一般，上綱上線，不但將做了壞事的教民置於萬惡不赦之地，而且也將安分守己的教民甚至老弱婦孺置於理當該殺之列。此乃他們認定教民皆壞，燒殺搶掠正義的思維定式。

　　這裏僅以廖一中等著《義和團運動史》所述的典型兩案為例，略加分析。

　　一為 1900 年 5 月 12 日淶水縣高洛村事件。

　　事件是怎麼引起的？原來南高洛村有六家酷信摩尼教（即明教，摸摸教，由波斯人摩尼創立），「當南高洛村信教人去北高洛村傳摩尼教時，卻遭到北高洛村紳士閻洛福的嚴厲斥責。閻洛福原是北高洛村大戶，種地二百多畝。他的次子閻肇修是個秀才。……為防止摩尼教的蔓延，有一天他準備了一些狗肉去南高洛村，強制所有迷信摩尼教的人吃狗肉，逼使他們反教（民間流傳吃了狗肉能破邪教）。不久，意國傳教士在南高洛村建立了天主教堂，那些被迫

---

[770]《義和團檔案史料續編》上冊，第 488 頁。

吃了狗肉反摩尼教的人們，懷著對閻洛福的仇恨加入了天主教。在洋教士支持下，不斷揚言準備報復閻洛福，並伺機尋釁。」[771]

後來村中佛事會（又稱賽神會）會頭閻洛福向南高洛村蔡洛正勸助，蔡洛正「不出會錢」，去縣衙控告閻洛福，「經斷仍令派出，蔡姓遂投入天主教，閻洛福無可如何，因此懷忿。」[772]1899年農曆正月，佛事會在南高洛村搭棚慶賀神明。教民張才因會棚搭在其家附近、天主教堂門前，闖入會棚大罵，扯毀神像，並叫嚷要燒會棚。佛事會的香頭（會中的負責人）單久經、閻風、閻喜、閻五章、張獻玉、閻印璽六人遂聯名赴縣衙控告。縣令當即派兩名紳士前往查明勸諭。兩名紳士妥善處理完後，回縣稟明請免傳訊。縣令沒有深究。但傳教士以村民毀壞禮拜公所的祭物為詞進行干涉。在上司的催促下，縣令親往高洛村調查。原來銜恨的教民蔡洛正趁機誣陷禮拜公所的土台係閻洛福喝令打毀。縣令便將閻洛福和原告六人暫押。其後，「閻洛福之子文生閻肇修，央求京城樊教士，函知保定杜教士、安肅席教士，議定六條：……一，立永不滋事字二張，一存敝堂，一存案卷。二，安莊席教士前設席一桌。三，車接安莊、石柱、汝河三處教友至高洛村，設席二桌。四，另設二桌為本高洛村教民。五，損壞物件等賠補紋銀二百五十兩。六，高洛村教民在本村還有當空一段，內有樹木，因此常起事端，今在京議定，樹木全歸教民鋸去。設席日期，席教士處定奪。各節齊辦完備，到安莊席教士前求名片，外帶立那二張字據，至敝堂設席一桌。」縣令即按此判決，將閻洛福等七人釋放。[773]

---

[771] 黎仁凱主編：《直隸義和團調查資料選編》，第 151 頁。
[772] 祝芾：《庚子教案函牘》，《義和團》4，第 373 頁。
[773] 祝芾：《庚子教案函牘》，《義和團》4，第 392-393 頁。

　　1900 年 2 月，義和團流傳到淶水。閻洛福等人聽說義和團有異術，「專制教民，意圖報復」[774]，遂撒帖邀人，設廠習學。5 月即派人邀了一千多團民，持械來到高洛村，於是就發生了這起至少殺害六十多教民的大慘案。

　　《義和團運動史》寫道：早在 1899 年 2 月間，高洛村一批天主教徒倚恃教會權勢，闖進村民閻老福等家中尋釁。事後，洋教士反向衙門誣告受害人「毀教堂」，乘機敲詐勒索，不但「索賠萬金修教堂」，而且還逼迫受害人「跪門筵酒陪禮」。地方官不敢得罪洋大人，強令受害人「賠銀二百五十兩，設席二十餘筵」，並逼其親赴安家莊教堂「叩頭陪禮」，才算了結。「此後，教民益橫。他們在教會的庇護下，更加肆無忌憚地為非作歹，從而促使人民群眾與帝國主義侵略勢力之間的矛盾更趨激化。」但關於慘案的具體情形，不知何故，該書根本不提殺死多少教民，僅僅寫道：「教堂迅速化為灰燼。隨後，團眾們又燒毀了反動教徒的部分住宅，以示懲處。」[775]

　　上面的敘述引自艾聲的《拳匪紀略》，僅看如此敘述，罪責完全在一批「反動教徒」和「帝國主義侵略勢力」，閻洛福（即閻老福）等團民純屬正義。但卻存在著幾個問題。

　　敘述一開始就把結怨的罪責歸於教民，極其錯誤。《拳匪紀略》對最初結怨的原因寫得明明白白：「此事起釁，在同治末年，該村有習摩尼教者六家，其村首事閻老福，惡其淫邪，稟請縣令于子堅笞辱之。六家挾仇，遂入天主教以圖報復。」[776]此時的摩尼教民並沒有「尋釁」、「誣告」和欺壓平民，而且還沒有投入「侵略」的天主教，閻洛福卻依恃大戶和首事的特殊身份，稟請縣令「笞辱」，侵犯剝奪別人的人身安全和信教自由。顯然，最初結怨的責任不在

[774] 祝芾：《庚子教案函牘》，《義和團》4，第 373 頁。
[775] 廖一中等：《義和團運動史》，第 125-126 頁。
[776] 艾聲：《拳匪紀略》，《義和團》1，第 448 頁。

教民，而在仗勢欺人的惡霸地主閻洛福。有了這最初的結怨，方有以後的「六家挾仇」報復。同時還應看到，原來信奉摩尼教的六家人之所以改投天主教，正是閻洛福依勢逼迫他們吃狗肉反教、稟請縣令「笞辱之」造成的，閻洛福是促使他們充當「反動教徒」和「帝國主義侵略勢力」的罪魁禍首。作者不提這段原文，不問而知，意在掩飾閻洛福的罪責，把罪責完全歸於教民，以證明教民皆是「反動教徒」和「帝國主義侵略勢力」。這就顛倒了是非，混淆了黑白。

據原文記述，請求教會復仇的只有最初閻洛福想「笞辱」的六家教民，此外提到一個張姓（不知是否在六家之內），別的文獻還提到一個作偽證的蔡洛正。而義和團殺害的至少六十多人。怎能將與此案無關的其他無辜教民統統視為「反動教徒」和「帝國主義侵略勢力」呢？

從法律角度看，此事屬於民事糾紛，情節並不嚴重，僅僅據此一事，亦不能斷言與案件有關的教民均為「帝國主義侵略勢力」，罪該至死，何況最初肇事而又理曲的是閻洛福！

二為 1900 年 5 月 13 日定興縣倉巨村事件。

該書寫道：「5 月 13 日，倉巨村義和團因『天主教民欺凌善良，霸佔公產』，遂憤然將他們的住宅『焚燒罄盡』，並擊斃反動教徒『不知其數』，給教會以沉重打擊。」[777]

「欺凌善良，霸佔公產」，是這麼回事：光緒初年，該村洪慶寺僧人去世，遺有廟產一百二十畝，外村僧人欲圖佔有，該村教民鄭得祿出首控告，將僧人逐去，遂倡議將其地六十畝作為村中辦差經費，歸十五家經管，立有碑據，相承已二十多年。其後鄭得祿之子、教民鄭起接辦，與胡姓屢次構訟，虧空村內公款。村民因平時不出辦差經費，對廟產向不過問。1899 年村中斂錢歸補虧款，才

---

[777] 廖一中等：《義和團運動史》，第 121 頁。

與鄭起打起了官司。鄭起見以前經管的十幾家大半零落，無人質證，便將原碑磨毀，另造碑文，謂「其地載明係奉教私地」，企圖將全村公產六十畝地霸佔為教有。村民不承認，將碑打毀，練拳以圖抵制。縣令屢次傳訊，該案均未審結。1900 年羅正鈞接任縣令，查明案情，極力開導訴訟雙方，4 月 20 日審斷：「地本係廟產，仍歸合村辦差公地，按照向章，擇十五家公同經管；其鄭起虧空之錢，查係為公花用，自責歸村中攤出，當堂交領。」[778]

此乃一起教民鄭起圖占六十畝全村公產為教民所有而未遂的案件，雖有教士出面干預，但與政治沒有關係。將「反動」一詞加到這類教民頭上，顯然不太合適。

再者，事情是鄭起一人所為，其他教民未見有參與的記載，怎能把「不知其數」的教民統統視為「反動」呢？

據親自處理此案的縣令羅正鈞和親歷其事的艾聲所述，案結以後，「兩造俱各允服，於練拳遂亦具結停止。」[779]「村民德之，教民亦不怨。」[780]足見村民與教民在案件判結前後，均無深仇大恨。真正與教民為敵的並不是本村的團民，而是頭一天在淶水縣高洛村製造了一起大慘案、與鄭起等教民毫無瓜葛的團民。該書卻寫成倉巨村義和團，並說對教民無比憤恨。這就歪曲了事實，誇大了教民的罪惡。

據羅正鈞和艾聲記述，此次事件只燒毀了教民房屋，「未傷一人」，「未殺一人」[781]。《義和團運動史》棄兩個當事人的記述不取，說擊斃「反動教徒」不知其數。如此書寫，不知何意。然而，無論

---

[778] 羅正鈞：《劬盦官書拾存》，《義和團史料》上冊，第 350-351 頁。

[779] 羅正鈞：《劬盦官書拾存》，《義和團史料》上冊，第 353 頁。

[780] 艾聲：《拳匪紀略》，《義和團》1，第 449 頁。

[781] 羅正鈞：《劬盦官書拾存》，《義和團史料》上冊，第 352 頁；艾聲：《拳匪紀略》，《義和團》1，第 449 頁。

以何時的法律標準衡量，教民鄭起均罪不至死，更不用說無關的其他教民。不分罪之有無和罪之大小，硬給該村全部教民扣上一頂「反動」的政治大帽子，對義和團擊斃他們，「焚燒罄盡」其住宅的行為大加肯定，對教民來說，極不公平。

列寧說：「在社會現象方面，沒有比胡亂抽出一些個別事實和玩弄實例更普遍更站不住腳的方法了。羅列一般例子是毫不費勁的，但這是沒有任何意義的或者完全起相反的作用，因為在具體的歷史情況下，一切事情都有它個別的情況。如果從事實的全部總和、從事實的聯繫去掌握事實，那末，事實不僅是『勝於雄辯的東西』，而且是證據確鑿的東西。如果不是從全部總和、不是從聯繫中去掌握事實，而是片斷的和隨便挑出來的，那末事實就只能是一種兒戲，或者甚至連兒戲也不如。⋯⋯由此得出一個明確的結論：應該設法根據正確的和不容爭辯的事實來建立一個可靠的基礎，⋯⋯而不是抽取個別的事實，否則就必然發生懷疑，懷疑那些事實是隨便挑出來的，懷疑可能是為替卑鄙的勾當作辯護而以『主觀』臆造的東西來代替全部歷史現象的客觀聯繫和相互依存關係，這種懷疑是完全合理的。」[782]

確實如此！「沒有比胡亂抽出一些個別事實和玩弄實例更普遍更站不住腳的方法了」。它「連兒戲也不如」，不僅沒有意義，令人「懷疑可能是為替卑鄙的勾當作辯護」，還會起相反的作用。如果胡亂抽出一些個別事實和玩弄實例，我們十幾億中國人民包括論者在內，都該否定。請不要以為敝人患有精神病，或是在發高燒，說些熱昏的胡話。不，按照這種方法，此乃必然的邏輯。自古以來，中國就不是一塊純淨之土，什麼樣的壞人都有。義和團運動時期，「壞」教民之外，有統治人民的反動官員，為反動統治服務的文人，

---

[782] 《馬克思恩格斯論歷史科學》，第 371 頁。

剝削壓迫人民的地主、資本家，以及地痞流氓、強盜惡棍，等等，數量夠多的了。其他「洋奴」也有一些。例如，1899 年 2 月傳教士薛田資帶領德國士兵由青島乘船到日照時，由於水淺，不能靠岸，就是用錢雇用當地人，把他們一個一個從海水中背到岸上去的。[783]在八國聯軍的英軍中，則有華人組成的威海衛兵。圍攻使館時，清軍中有人偷偷將糧食、軍火賣給洋人。天津、北京失守以後，又有許多人打順民旗。所有這些還不能用來證明全部中國人都和教民一樣，死有餘辜嗎？就說現在吧，地痞流氓，強盜惡棍，路霸村霸，黑社會勢力，拐匪娼妓，受到懲處的許多貪官污吏，等等，各種犯罪分子數量多得驚人，還不足以證明全部中國人包括論者在內，都和教民一樣，理當受誅嗎？

作為歷史學家，對待歷史事件或人物，必須像正直無私的法官審判案件一樣，司法公正，不徇私，不枉法，認定事實清楚，判斷是非無誤，運用法律恰當，量刑準確；絕對不能昧著良心，失去良知，以非為是，庇護罪犯，將罪惡說成功績；以是為非，故入人罪，置無辜者於死地。只有這樣，才能對歷史事件和人物做出實事求是的敘述和評價，方為信史。

可是，長期以來在學術界實行的是疑罪從有、有罪推定的思維定式，不論有罪無罪，主觀上認定誰有罪，誰就是罪犯，就可以不要證據，隨意定下罪名。這種思維定式完全出於主觀臆斷，已成為某些學者判斷教民都是壞人的主要方法。他們不是「靠大量的、批判地審查過的、充分地掌握了的歷史資料」，「做出經得起客觀檢驗的最確切的分析」，而是抓住教民中的少數例子和頑固守舊官僚的片言隻語，遽下結論；不是從事實出發，而是從想像出發，以想像代替事實，深深陷入主觀唯心主義的泥潭。現代有誹謗罪，對活人

---

[783] 山東歷史學會編：《山東近代史資料》第 3 分冊，第 351 頁。

不可誣陷。古代有反坐罪，誣告要受懲罰。現代人評論歷史人物雖然不會遭到反坐的命運，但也應實事求是，公正對待，不能因其離開人世多年，屍骨無存，沒有申訴辯護的可能而任意誣陷栽害。即使是十惡不赦的壞蛋，他沒做過某種壞事，也不可亂加某種罪名。否則，歷史就被歪曲，是非就被顛倒，黑白就被混淆。因此，絕對不能再搞疑罪從有、有罪推定，只能採取疑罪從無、無罪推定的處理原則，即沒有確鑿證據證明有罪的，不得確認任何人有罪。這不僅為當今保障人權所必需，同時也為書寫真實的信史所必需。

2.燒殺搶掠同胞不是「反帝」

當列強無理武裝侵略中國的時候，如果義和團能夠挺身而出，拿起大刀長矛與敵血戰，衛國保家，無疑稱得上反帝英雄。可是，此時卻見不到他們的影子。他們所從事的貫徹始終的活動，不是抵抗列強武裝侵略，而是打洋教。

打洋教是不是「反帝」？不是。

義和團打洋教的真實目的不是消滅帝國主義，而是搶掠財富據為己有。凡是搶掠財富據為己有者，不論搶掠的對象是什麼人，哪怕是法西斯頭子，均是強盜行為，與反帝毫不相涉。

在義和團運動期間，除了1899年12月卜克思遇害外，山東的洋教士在袁世凱的極力保護下未有一人喪命；直隸的洋教士死亡人數未見到準確的統計，估計不會超過二十人。而兩省教民被殺害的卻有二萬多人，他們絕大多數都是安分守己的良民，不是侵略者的走狗。此外尚有無法統計的並非「二毛子」的無數平民、回民和官員，財物被搶掠焚燒的更多。事實說明，義和團打洋教或「滅洋」並非要消滅帝國主義，而是燒殺搶掠無辜的中國同胞，這一場鬥爭幾乎可以說完全是在中國人民之間進行的，怎能稱為「反帝」呢？

如果稱做「反帝」，那麼，這裏所指的帝國主義顯然不是外國列強，而是中國被殺害搶掠的二萬多教民和無數的平民、回民和官員。如此一來，這些中國同胞就全部成了帝國主義侵略者，豈非荒謬絕倫！

基督教不是侵略者的宗教，傳教士不等於侵略分子，亦未主動拿起武器殺害中國人民。不分好壞地用暴力手段從肉體上消滅他們，亦稱不上「反帝」。

關於義和團抗擊八國聯軍的問題，首先應該看到，義和團原來只是打洋教，沒有預料到列強會出兵干涉，沒有打算同洋兵作戰。其次應該看到，戰爭開始以後，絕大多數義和團仍在到處掠奪財富，沒有投入抵抗八國聯軍的戰鬥。再次應該看到，投入戰鬥的一小部分義和團也沒有做到真正抵抗，所起作用甚微。更為嚴重的是在官兵與聯軍激戰之時，他們仍然念念不忘大肆搶掠財富，禍害人民；同時殺害官兵，削弱抗擊聯軍的力量。這方面的情形，將在下面詳述。總而言之，貫徹運動始終的是所有義和團都參與的以掠奪財富為唯一目的的打洋教，不是抵抗聯軍；少數參與抵抗聯軍，並非頭目們的初衷和主要目的，亦非運動的主流，並不影響對運動整體性質的認定。

論者認定義和團運動是反帝運動，遵循的是這樣一個最簡單不過的邏輯推理：列強是侵略者，派出的傳教士是侵略工具，傳教士吸收的教民都是「洋奴」、「教會反動勢力」、「帝國主義侵略勢力」。反過來，燒殺搶掠教民，就等於反洋教士、反侵略、反帝。

這個邏輯推理非常荒唐。

正確的抽象是從「大量的、批判地審查過的、充分地掌握了的歷史資料」中概括出來的，是科學的，經得起客觀事實檢驗，符合事物的本來面貌和性質。論者斷言教民均為「洋奴」、「帝國主義侵略勢力」，僅僅根據極少數資料，並加以曲解，沒有大量資料為基

礎，出自主觀臆斷，有類捕風捉影，必然荒唐透頂。然後再把這個荒唐透頂的抽象當作正確的前提，反過來進行推導，於是便得出燒殺搶掠中國教民，就是反侵略、反帝，也就是說中國教民即是帝國主義的荒謬絕倫的結論。在這裏用得著列寧說的一句名言：「用抽象的東西來偷換具體的東西，這是革命中一個最危險的錯誤。……就是欺騙人民。而欺騙是最危險的行為。」[784]

　　教民與侵略者、洋教士不同，各有各的情況。論者對教民根本不加具體分析，看不到教民與侵略者、洋教士之間的區別，看不到教民與教民之間的區別，視為鐵板一塊，全部予以否定。個別論者雖然認為教民有好壞之分，但在整體上從未把好壞區別開來，仍然認定教民都是「反動」的、「不法」的。只是在無可爭辯的事實面前，在分析義和團的缺點時，略提一下罷了。這種承認沒有任何實際意義。論到教案，同樣如此，從不認真分析每個事件的是非曲直，將罪責全部歸於教民。這種做法，無論有意無意，都是「忽略了馬克思主義的精髓，馬克思主義的活的靈魂：對具體情況作具體分析。」[785]違背了辯證法，陷入了形而上學。

　　教民中有壞人，平民中同樣有壞人，由於平民數量遠遠超過教民，壞人的數量也會遠遠超過教民。論者無視客觀存在，以教劃線，將教民一概目為壞人，認為平民皆是好人，甚至欺壓教民的惡霸地主也是好人。這種方法並不新鮮，不過是早就被批判過的「唯成份論」的翻版，是極左思潮在史學領域的典型表現。

　　拋開歷史事實，以主觀想像代替科學的抽象，以抽象的東西偷換具體的東西，決然證明不了義和團運動的「反帝」性質。

---

[784] 《論口號》，《列寧選集》第 3 卷，第 92 頁。

[785] 《共產主義》，《列寧選集》第 4 卷，第 213 頁。

3.貨真價實的盜匪

義和團不僅燒殺搶掠無辜的教民,同時燒殺搶掠無辜的未入洋教的平民、回民和官署官員。如果說前者還打著「滅洋」的幌子,實際幹的是盜匪勾當,後者則是赤裸裸的強盜行徑了。

說義和團是盜匪,自然不會得到讚揚義和團的論者認同。對於「盜匪」二字,本來一般群眾均能理解其基本涵義,但為了辨明和判斷義和團是否盜匪,似乎還有詮釋的必要,否則,就會把愛國反帝與盜匪相混淆了。

據《現代漢語詞典》釋義,盜匪:用暴力劫奪財物,擾亂社會治安的人(總稱)。強盜:用暴力劫奪別人財物的人。

君子愛財,取之有道。義和團不然,他們完全是以非法暴力手段掠奪別人的財富,據為己有,所得皆屬不義之財。綜觀義和團打洋教的目的、手段、行為方式以及擾亂社會治安的事實,可以肯定地說,盜匪、強盜的定義均適用於他們,他們就是貨真價實的盜匪。即使極力庇護義和團的巡撫毓賢,也無法掩飾。他曾親自提審過朱紅燈、心誠和于清水,終於不得不承認他們「形同土匪」,將他們斬首示眾。他在奏摺中寫道:「查此案朱紅燈、于清水、心誠膽敢糾脅人眾,搶劫各處教民財物,放火殺人,波及平民,復抗官拒捕,傷斃勇丁,實屬形同土匪,不法已極。奴才於審明後,批飭將該犯朱紅燈、于清水、犯僧心誠即本明三名,綁赴市曹,即行正法,傳首犯事地方梟示。」[786]

這裏再舉幾個盜匪的例子,看看義和團的所作所為與他們有無區別。

---

[786] 《義和團檔案史料》上冊,第 42 頁。

　　譚宗順等十二人曾在直隸、山東交界一帶地方「充當杆子頭，平日做案累累」。清廷宣佈對列強開戰以後，他們冒充義和團，率眾竄入館陶縣境，「倚強搶掠殺人」，「拒敵官兵團練」。[787]

　　匪首喬振邦在 1900 年 8 月「聽言各處拳匪仇教，教民紛紛逃避，皆得銀錢財物。伊因貧苦難度，亦隨起意搶教。即假託練習神拳、剿滅洋教為名」，糾引多人，在東平州花藍店一帶「用言嚇詐，繼至辛莊、毛莊先後搶架教民，勒贖放回。又至閻村、大窪等處滋擾，教民多已聞信逃避，當將閻村教堂房頂燒毀。」[788]

　　亓忹仔因貧難度，1898 年知道商河縣棗園莊李文心家有錢，與張二仔等竊得李家耕牛，打傷事主之弟。1900 年 9 月，張二仔「起意假冒拳民乘亂搶掠」，同他「先後搶得縣屬李官莊教民孫得同及李家集民人李元修等家衣物、錢文、牲口。」[789]

　　高桀、紀大帚、綦卯等 1900 年 6 月與高奴才、孟廣厚等撞遇，「各道貧難，並聞知直隸天津有義和團拳民能避槍炮，何人打死洋人、教民，其財物均歸何人所得。高桀起意假冒拳民，搜殺教民，得財均分，紀大帚等允從」。接著探知利津縣教民孫花齡與弟孫紅亮赴王小群店內，即進入店內，搜翻孫花齡、孫紅亮，並無錢物。即「攫取王小群店內衣物，並將孫花齡、孫紅亮、王小群一併架至北關空廟，關緊勒贖。」綁架未訛得錢文，便將三人及孫花齡之父一併殺死。其後又殺死崔家莊教民崔學信和碾李莊教民李梅，搶得衣服三包；殺死大王莊教民王美名並王萬氏，「搶得錢文、衣物俵分」[790]。

---

[787] 《山東義和團案卷》上冊，第 438 頁。
[788] 《山東義和團案卷》下冊，第 539 頁。
[789] 《山東義和團案卷》下冊，第 766-767 頁。
[790] 《山東義和團案卷》下冊，第 775-776 頁。

　　王景善綽號小閻王，為費縣巨族，族中科第連綿，丁多戶大。平時仗勢欺人，聚賭招匪，橫行鄉里，強佔婦女，罪大惡極。1900年7月，他「聞洋人勢敗，起意借搶教為名」，與著名匪首尤守田等糾集數百人，「四出搶掠，得贓分用。曾經先後燒搶蘭山縣境湯家屯、紅家旦、古城、十字路、雙湖等村莊民尤安樂等家房屋錢物。」[791]在湯家屯，他們搶掠了教民尤梁安等家的錢文衣物，毆傷尤振東、尤義全與王道士。在古城村，他們燒毀小教堂一座和十四家教民的房屋，綁架走范登峰。又焚拆雙湖、迷衣等莊四家教民的房屋。還綁架了青駝寺教民盛同法、寧淑柱、寧宗華，並將三人打死。[792]

　　這幾個例子都冒充義和團，其作案對象既有教堂、教民，也有平民；其手段，既有燒殺搶掠，綁架勒贖，訛詐勒索，擾亂社會治安，也有抗拒官兵，均與義和團相同。也就是說，義和團與盜匪沒有什麼區別。

　　盜匪為什麼只冒充義和團而不打別的旗號？因為他們聞知義和團「何人打死洋人、教民，其財物均歸何人所得」，而且為「義舉」，可以公開地大肆搶掠，人不敢問。可見連盜匪都看清了義和團的真實作為，從而加以效法，假冒其名。這又從另一方面證實義和團並非是反帝英雄，而是盜匪。

　　還應當指出，過去一般的盜匪或強盜尚且遵守「道」上的規矩，僅僅劫掠貪官污吏和奸商巨富，謀財而不害命，即所謂「盜亦有道」，只有少數喪心病狂的歹徒才殺人滅口。義和團則對並不富裕的教民、平民也不放過，甚至屠戮老弱婦孺，斬草除根，開膛破肚，刀剮活埋，手段野蠻狠毒殘忍至極，滅絕人性，連一般的強盜也不如。其掠奪財富是為自己「發洋財」，不是劫富濟貧，更稱不上俠盜。

---

[791] 《山東義和團案卷》下冊，第 827-828 頁。
[792] 《籌筆偶存》，第 343-344、364 頁。

　　有的論者引用容閎的話，否認義和團為盜匪。說：「容閎頗有感慨地對他的學生說：『予觀現時大勢及將來中國情形，當竭誠以告汝，汝闡行吾志乎？汝以義和團為亂民乎？此中國之民氣也。民無氣則死，民有氣則動，從此中國可免瓜分之局，納民氣於正軌，此中國少年之責也。（美國）十三州獨立，殺英稅吏，焚英貨船，其舉動何殊義和團？』這段充滿真誠的激揚文字說明四點：1、義和團決不是亂民和拳匪，而是中國的民氣，即民族爭生存的抗爭精神。2、義和團運動免除了瓜分。3、義和團殺外國侵略者，同美國獨立戰爭中殺英國稅吏、破壞英國貨船等行動一樣，同樣是正義的。4、拯救中國的希望和把『民氣』納入正確的鬥爭道路的重任寄託在青少年的身上。歷史證明，容閎的見解及其對義和團的評價是公正、深刻而富有遠見卓識的。」[793]

　　其實，容閎的講話與論者的評價均不恰當，美國人民的舉動與義和團的舉動不可同日而語。英國與美國當時是宗主國與殖民地的關係，中國與列強不是這種關係。此其一。美國人民殺英國的稅吏，焚英國的貨船，是英國加強奴役和掠奪美國人民引起的。在此之前，英國先後頒佈了禁止殖民地發行紙幣的命令，限制殖民地用紙幣償還宗主國債權人的債務；頒佈《糖稅法》，對輸入殖民地的糖類物品課以重稅；頒布《印花稅法》，規定殖民地的報紙、書刊、證書、票據債券、執照、商業契約、法律文件及各種印刷品，一律交納印花稅；頒佈《駐兵條例》，規定駐在殖民地的英國軍隊可以任意佔用旅店、酒店、飯店為營房，殖民地必須為英國供應食物和一切交通工具；頒佈《唐森德法案》，對輸入殖民地的紙張、玻璃、鉛和茶葉等商品徵收新關稅；英國軍隊還製造了駭人聽聞的「波士

---

[793] 陳振江：《庚子國難百年紀念與反思》，《義和團運動一百周年國際學術討論會論文集》，第46頁。

頓慘案」，打死打傷手無寸鐵的示威群眾。這些都激化了英國與美國之間的矛盾，引起美國人民的無比義憤，出現了上述容閎所說的美國人民對英人的舉動。但英國對美國人民的這些強制壓迫措施，列強並未施加於義和團運動時期的中國人民，洋教士亦未這樣做。此其二。美國人民反對的是直接奴役掠奪他們的英國政府，義和團燒殺搶掠的對象主要是本國的無辜教民和平民。此其三。這三點均為原則性的區別，所以不能因為美國人民反對英國政府的行動正義，就認為義和團的行動也是正義的。

　　另有論者強調團民搶劫勒索的教民都是地主和殷實富戶，平民均為封建剝削階級，之所以進行搶劫勒索，重要原因之一是為了奪回過去被他們剝奪去的錢物，因而是正義的。並舉實例加以論證：「光緒二十五年十月十五日有義和拳及大刀會向博平縣吳、楊二莊索銀七百兩，十六日又向該莊索銀二千兩；同年十二月初二，堂邑縣任家莊教民任德純、任李氏被拳民索去銀二百兩；同月初六日，拳民在長清縣辛店東街張玉平家索去現錢一百二十千，又向同街教民李秉貴索去錢六十千；同月十九日，拳民向寧陽步南村馬姓家索紋銀二千兩。」[794]

　　平民受教民欺勒的情況的確存在，但並不能說明義和團所有搶劫勒索都是為了奪回被封建剝削階級「剝奪去的錢物」。綜觀山東各案，搶劫勒索的幾乎「均係外來遊匪」[795]，他們與被搶劫勒索者並不相識，而且動輒幾十幾百幾千一起行動，這麼多人也不可能同時受到不相識的人訛詐和直接剝削，可見搶掠並不是奪回被「剝奪去的錢物」。

　　同時大量史料顯示，義和團搶劫勒索只考慮有無錢物，並不考慮是否為封建剝削階級和殷實富戶。當遇到家徒四壁的窮光蛋無錢

---

[794] 朱金甫、莊建平：《〈籌筆偶存〉史料價值初探》，《籌筆偶存》，第 12-14 頁。
[795] 《籌筆偶存》，第 42 頁。

財可搶時，他們便焚燒房屋，甚至殺害人命。以論者所舉幾例看，也不完全正確。如博平縣之案，先向「吳、楊二莊索銀七百兩」，繼「向該莊索銀二千兩」，總共二千七百兩。這裏所說的勒索對象是兩個村莊，不是個人，照常情推論，每個村莊的地主和殷實富戶均為極少數，故不能將各家各戶全視為地主和殷實富戶。再如長清縣之案，據後來核實，「李秉貴、李秉海、張惠明三家共被拳匪勒索京錢一百二十千，並無張玉平其人。」[796]根據前次所報與後來核實分析，李秉貴被勒索六十千當無問題，其餘六十千可以假定李秉海、張惠明各被勒索三十千。按當時銀、錢折算的比率，山東大約平均二千五百文合銀一兩，六十千約合銀二十四兩，三十千約合十二兩。能拿出這麼多現錢的，在衣食自給之家困難不大，即使一時拿不出這麼多現錢，還可向鄰居暫借，未必屬於剝削階級。再者，義和團當中同樣有一些地主士紳和殷實富戶，且有不少充當了首領，義和團非但不搶掠勒索他們，反而接受他們領導。這種情況說明，義和團的心目中尚無明確的封建剝削階級意識，其搶掠行為絕對不是以封建剝削階級為目標。

義和團燒殺搶掠勒索地主和殷實富戶是否正義，也是一個值得討論的問題。

要說封建剝削階級罪大惡極，其前的奴隸主更甚，其後的資產階級也剝削工人，是否都該被燒殺搶掠勒索呢？恩格斯說：「講一些泛泛的空話來痛罵奴隸制和其他類似的現象，對這些可恥的現象發洩高尚的義憤，這是最容易不過的事情。可惜，這樣做僅僅說出了一件人所共知的事情，這就是：這種古代的制度已經不再適合我們目前的情況和由這種情況所決定的我們的感情。……進步到以階級對立為基礎的社會，是只能通過奴隸制的形式來完成的。甚至對

---

[796]《山東義和團案卷》上冊，第 352 頁。

奴隸來說，這也是一種進步；成為大批奴隸來源的戰俘以前都被殺掉，在更早的時候甚至被吃掉，現在至少能保全生命了。」[797]

人們可以對剝削階級「發洩高尚的義憤」，但不能肯定燒殺搶掠為正義。因為也正如恩格斯所強調指出的：「歷史同認識一樣，永遠不會在人類的一種完美的理想狀態中最終結束；完美的社會、完美的『國家』是只有在幻想中才能存在的東西；相反，一切依次更替的歷史狀態都只是人類社會由低級到高級的無窮發展進程中的暫時階段。每一個階段都是必然的，因此，對它發生的那個時代和那些條件說來，都有它存在的理由；但是對它自己內部逐漸發展起來的新的、更高的條件來說，它就變成過時的和沒有存在的理由了；它不得不讓位于更高的階段，而這個更高的階段也要走向衰落和滅亡。」[798]

必須正確看待人類社會的發展進步。在文明社會中，奴隸主最殘酷，如果一開始就將奴隸主燒光搶光殺光，便不會有奴隸社會出現，人類只能永遠停留在野蠻的原始社會。如果一有富人就來個「三光政策」，人類只能永遠生活在窮困的深淵。如果資產階級一出現也來個「三光政策」，便不會有資產階級存在，不會有資本主義社會。追求富裕生活是每個人的理想，也是推動社會向前發展的動力，不是罪過。由於人為的、自然的條件以及個人素質和本性所決定，有的由貧變富，有的由富變窮，貧與富之間沒有永恆的絕對界限，經常處於變動之中，只不過在時間上有長有短罷了。迄今為止，一切社會均不是完美的，都有貧富差距，這是不以人們的主觀意志為轉移的。歷史上的農民提出過「均貧富」的主張，那是一種不切實際的「烏托邦」。企圖通過「三光政策」實現「均貧富」，建立「完美的社會」，只是幻想，只能造成對社會的嚴重破壞，何況義和團

[797] 恩格斯：《反杜林論》，《馬克思恩格斯選集》第 3 卷，第 524-525 頁。
[798] 恩格斯：《路德維希·費爾巴哈和德國古典哲學的終結》，《馬克思恩格斯選集》第 4 卷，第 216-217 頁。

掠奪別人的財富並非「均貧富」。還應指出,在義和團運動時期,「新的、更高的條件」即新生的資產階級剛剛登上歷史舞臺,無產階級尚未成為獨立的政治力量,地主階級還不到完全「讓位」的時候。即使到了應該完全「讓位」的時候,要消滅整個封建剝削階級,也只能由新興的階級通過革命手段或適當的政策去完成,而不是像義和團那樣將燒殺搶掠得來的財產據為己有。

還有一些論者認為,義和團在懲罰帝國主義者和不良教民中那種過激和擴大化行動,是一種失誤和缺陷。發生一些過火的行為,是完全可以理解的。

此論欠妥。義和團屬於民間組織,無權對他人使用暴力,更無權隨意燒殺搶掠。無故妄殺一人、搶掠一家、焚燒一屋,敲詐勒索一錢,均為犯罪行為;而犯罪行為只有輕重之分,根本談不上「擴大化」、「失誤和缺陷」。在義和團運動時期,直魯兩省的教民被殺二萬多人,包括許多婦女和兒童,另外還有無數的平民。死於非命的人如此眾多,絕對不是什麼株連無辜和「擴大化」,而是濫殺無辜。還應指出,「擴大化」沒有一定的範圍界限,不能作為科學地評價歷史事件的標準。倘若幾個教民有罪,並且罪不至死,而殺死兩萬多人,叫做「擴大化」,又殺死無數的平民,也叫做「擴大化」;那麼,將全國人民都殺光,僅留團民,豈非同樣可以叫做「擴大化」?還有什麼是非可言?「擴大化」一向被某些人當作掩飾罪惡的遁詞,決不能以此為理由,開脫義和團的罪責。

誠然,極少數教民有民憤,在分析問題時必須將這個因素考慮進去。但民憤只是一種感情的表現,不能準確地反映教民犯罪的社會危害程度。而且對不同的社會群體來說,有無民憤、民憤的的大小也是千差萬別的。民憤與法律是兩碼事,過激的感情宣洩代替不了法律的理性裁判。用民憤去解釋燒殺搶掠這種慘無人道的現象,非但極不公平,而且扭曲歷史,決不能無原則地肯定。

　　任何文明社會都需要用法律遏制人們與生俱來的貪婪和私欲，維繫人們生存和發展的正常社會秩序。沒有法律，暴民必然肆虐，強者定凌弱者，人類社會勢必變成強盜世界，重返野蠻時代。除了沒有法律的野蠻社會，從無認定燒殺搶掠無辜人民是正義的文明國家。即使在農民起義和資產階級革命、無產階級革命的非常時期，凡是真正為國家和人民利益著想的，也無不強調遵守紀律的重要性，決不容許肆意燒殺搶掠無辜的人民，犯者必定予以嚴懲。清廷的法律就規定：「糾眾商謀，計圖得財，放火故燒官民房屋，已經燒毀，搶奪財物者，不分首從，擬斬立決。殺傷人者，加以梟示。」[799]「強劫已行而但得財者，不分首從，皆斬。」[800]「挾仇放火，燒毀房屋，未傷人，為從者發近邊充軍。又借名救火，乘機搶掠財物者，照搶奪律加一等，分別首從治罪。」[801]「屢次生事行兇，無故擾害良人者，發極邊足四千里安置。」[802]義和團燒殺搶掠無辜的教民和平民，以當時的法律衡量，就是犯罪，應當繩之以法，儘管人們對量刑標準可以予以不同的評價。

　　人是歷史的主體，研究歷史必須以人為主，對其尊嚴、生命、權利、利益均要認真考察。但長期以來，某些論者對暴力和「革命無罪，造反有理」盲目推崇，加以習慣於人治而非法治的制度，一遇到文獻中的「匪」，便視為被壓迫被剝削群眾反抗反動統治的起義、革命，不去具體考察其實際活動，不去區分正當的暴力與非法的暴行，一味讚揚。由於同樣的原因，論者將歷史上的人分出三六九等，封建等級森嚴，一些人被格外垂青，列為貴族，另一些人則被完全冷落漠視，打入另冊。平民與教民的矛盾基本上屬於經濟上

---

[799] 《清末教案》2，第 447 頁。
[800] 《清末教案》2，第 762 頁。
[801] 《清末教案》2，第 426 頁。
[802] 《清末教案》2，第 563 頁。

的利益和日常生活中的糾紛，既非階級仇（雙方都有農民、地主），亦非民族恨（均為中國人）。可是，某些論者卻把少數平民受到的委屈肆意誇張，與帝國主義侵略聯繫起來，竭力為其伸張「正義」；當二萬多無辜的教民遭到義和團殘酷無情地燒殺搶掠，家破人亡時，卻又無動於衷。生命對每一個人來說都是極為寶貴的，一生只有一次，而在某些論者看來，死於非命的教民包括婦女兒童的生命賤如螻蟻，甚至連被殺害的無數平民的生命也看得分文不值。私有財產神聖不可侵犯，而教民和平民的財產遭到義和團焚燒掠奪被視為理所當然。總之，法律、人權、人性這些對人來說最為重要最為寶貴的東西，完全被拋到九霄雲外去了。

（四）「滅洋」諸說商榷

1.籠統排外違背時代潮流

反帝與「滅洋」是性質完全不同的兩個概念，絕對不能等同。反帝指反對帝國主義侵略，維護國家主權與民族獨立。「滅洋」沒有將宗教和列強區分開來，沒有將侵略分子同一般來華的外國人區分開來，沒有將作惡多端的傳教士與虔誠傳教的傳教士區分開來，沒有將愛國善良的教民同為非作歹的教民區分開來，也沒有將侵略同資本主義的先進科學技術和生產、生活資料區分開來，只是盲目地籠統地排斥外來的一切洋人洋物。義和團的所謂「滅洋」，就是籠統排外。

籠統排外不是出於反對帝國主義侵略的愛國心，而是來自頑固守舊官紳的虛驕之氣。他們「內中國而外夷狄」的傳統觀念至深，以為「天朝」就是世界文明的中心，一切皆好；外國及其人民乃是

野蠻而不開化的「夷狄」，一切皆壞；外國只能來朝「天朝」，不能與「天朝」平等。迨「夷狄」用炮艦強迫清政府簽訂一系列不平等條約之後，他們的心態再也無法保持平衡，然而又拋棄不掉虛驕之氣，不做深刻的反省，不肯承認落後，不願學習外國先進的東西，於是又由妄自尊大走向無比憎恨的極端，想將外國的一切徹底消滅。此即籠統排外的思想根源。義和團的思想與其同出一轍。他們在告白中說：「洋人雖出入乘轎，與其身分大相逕庭，我中華百姓視之為天譴蠻夷，天帝方遣神佛下界滅洋。……斬盡妖魔，端正教化，尊崇聖賢，使聖哲之教光大發揚。」[803]一旦這種思想在執政者當中居於主導地位，義和團取得合法存在，籠統排外就像火山突然噴發一樣，表現為瘋狂的毫無理性的狂熱和完全失控的無政府狀態。

有一種觀點認為，在當時，「滅洋」是必然的，已成為國人的普遍思想動向。這種籠統排外主義的想法和做法，幾乎是人同此心，心同此理。

實際上，籠統排外並非當時國人的普遍思想動向，反對的大有人在。除了八十餘萬教民不論，洋務派、具有改良傾向和關心大局、以國家民族利益為重的官員，資產階級改革派和革命派中的絕大部分，所有明白事理的知識份子和其他人們，均持反對態度。即使在農民中，也只是一小部分義和團和頑固守舊的紳士有「滅洋」心理，億萬安分善良的人並不與他們同心，也不參加他們的行動。歷史上一切事物的發生均有其必然性，即使偶然發生的事件中亦包含著必然性。然而，必然發生的未必是正確的，如列強侵略中國，反動派鎮壓革命，貪官貪污受賄，惡霸欺壓群眾，盜匪搶劫殺人等等，無不如此。所以必然性不能說明其行為的正義性。

---

[803] 轉見陳振江、程歗：《義和團文獻輯注與研究》，第 51 頁。

　　有的論者在駁斥誇大「滅洋」的觀點時說：在天津，曹福田曾下令不准搗毀洋貨鋪；秦力山雖被視為生厭的「二毛」，求見大師兄時則未遭到不幸。在保定附近，「拳匪與工役耦居無猜，附省二百里鐵路得以無恙」。新城某團更有「不濫殺教民，不拆鐵路」的文明規定。類似的記載，俯拾皆是。它清楚表明，義和團認識上的模糊，並未導致行動上必然走向極端。所謂義和團「不分青紅皂白地排斥和滅絕一切與洋有關的事物」云云，實乃誇大其詞。

　　這裏列舉的史料可以說均無代表性。曹福田曾下令不准搗毀洋貨鋪，並未止住義和團行動。秦力山未遭到不幸，不等於其他「二毛」亦然。保定附近的鐵路無恙，新城某團的規定，亦不等於鐵路未遭毀壞，義和團不濫殺教民。上面許許多多的事實均證明了這一點。其實，除了論者所指出的，還可舉出義和團使用洋布、洋油、洋槍洋炮，更喜歡搶掠使用洋錢，作為「滅洋」沒有做的那麼絕的例子。然而，如果以這些作為論據，反證義和團非但不「滅洋」，而且還「喜洋」，也是身攜洋物的「二毛子」，均該殺死，不也理直氣壯嗎？哪裡還有「滅洋」之說？

　　有的論者將籠統排外歸咎於清統治集團中載漪等排外派的煽動，認為廣大義和團民是被利用者，不應承擔主要責任，並引孫中山關於百姓拉倒電線桿的一段談話加以論證：「排外的人是官吏而不是群眾，是清朝人而不是鄉下的中國人；……他們煽起了反基督教的叛亂和屠殺，事後把一切責任歸罪於人民。」[804]

　　此論不夠客觀。載漪等人的煽動確實起了推波助瀾的作用，但將主要責任推在他們身上，有失公允。因為團民在進京之前，就已經開始大規模地「滅洋」，燒殺搶掠，毀壞鐵路電線了。為此，剛毅還專門寫了手諭，曉諭涿州團民：「鐵路、棧房係國家之物，萬

---

[804] 《中國的現在和未來》，《孫中山全集》第 1 卷，第 105 頁。

不可毀。即教堂、洋樓，亦不可動，倘有拆毀，皆耗國家之財。……
教民雖屬可惡，既係國家之民，其罪亦不至死，汝等豈應擅殺！」[805]
然而，狂熱既然以雷霆萬鈞之勢橫掃直隸，勸諭等於一紙空文。至
於孫中山的話，那是在 1897 年對外國人講的，所舉的例子是湖南
工人因工頭不發工資而毀壞電線桿，與籠統排外無關。其時，他把
滿人視為外國人，極力反滿，故把一切罪過都說成是滿人幹的。將
他的這段話用於評論義和團的籠統排外，不太妥當。

「滅洋」還涉及到是否仇視先進的生產方式問題。需要指出，
某些論者列舉的非仇視先進生產方式的論據，難以支持自己的觀點。

如說，在中國最早採用資本主義先進生產方式的中國人當中，
就有農民。十九世紀末期的農民購用洋紗織布和購用其他洋貨，至
少說明他們並非統統排斥和橫掃先進的生產方式。英國向中國輸入
的洋布、麵粉、火柴、煤油、雜貨等項年年增加，銷路甚廣，這說
明農民普遍地認識到機器生產及洋物洋貨的本身並不可憎，而最可
憎恨的僅僅是那些欺凌和掠奪他們的侵略者。

此處論述的是一般農民，不適用於特殊的農民即團民。看一看
團民毀滅洋貨，破壞鐵路電線等等事實，就清楚了。

再如說，中國農民接受西方「生活方式」的影響，歷史上更是
屢見不鮮。早在太平天國時期，許多起義農民就明顯地接受了西方
基督教的影響，而改變了農民的傳統的敬天祭祖和迷信鬼神的觀
念，祈禱上帝則成了太平天國日常生活中的習慣。在基督教的成千
上萬的中國教徒中，大都是農民小生產者，他們不但在宗教信仰上
接受了「異乎封建主義」的生活方式，不少人還起了瑪麗亞、保祿、
約翰等等外國式的洗名、聖名。可見，說農民只會對外來的生活方
式「統統排斥」的說法，是與史實不大相符的。

---

[805] 《義和團檔案史料》上冊，第 139-140 頁。

　　這裏列舉的完全是參加太平軍的群眾和教民，正是義和團的死對頭，顯然不能用來證明義和團的行為。

　　又如說，在二十世紀初期有不少農民入股興辦鐵路，隨後又投入保路風潮。這更能說明農民所仇視的只是帝國主義侵略者，而不是先進的生產方式。

　　此處所說一則是義和團運動以後的事，一則是南方的另一類農民，同樣不能代表義和團的行為。

　　關於籠統排外是否符合中國人民的根本利益和新的生產方式要不要在中國生根的問題，有兩種截然相反的意見。一種意見認為，籠統排外「不符合中國人民的根本利益」，「是一種歷史的惰性力量」。新的生產方式「對近代中國擺脫停滯狀態和被奴役地位，也是最根本最必須的條件」，「要擺脫外國炮艦的侵略則又必須使外來的新的生產方式在中國生根，只有這樣才能產生出新的階級和新的革命，才有可能完成使中國獲得獨立的歷史使命。」[806]

　　另一種意見批駁說，先進生產方式和科學技術「是作為帝國主義的侵略手段同時加給廣大農民的。也正因此，它帶給中國人民的，便不是科學文化的提高和物質生活的改善，而首先是對他們生命財產安全的摧殘和破壞。從而，對於身受其害的廣大農民來說，籠統地予以排斥和反抗，是理所當然的。」。「所謂引入新的生產方式和生產技術，『對近代中國擺脫停滯狀態和被奴役地位，也是最根本最必要的條件』，一般說來是正確的。但是，把這一正確原理絕對化」，「就顯然不妥了」。因為，「正如毛澤東所說：『中國封建社會內的商品經濟的發展，已經孕育著資本主義的萌芽，如果沒有外國資本主義的影響，中國也將緩慢地發展到資本主義社會。』歷

---

[806] 王致中：《封建蒙昧主義與義和團運動》，路遙編：《義和團運動》，第 157-160 頁，巴蜀書社，1985 年。

史事實也是：中國至遲在明朝嘉靖、萬曆年間，江南地區已經出現
了資本主義萌芽，出現了作為資產階級前身的市民階級。繼續發展
下去，本來有可能『產生新的階級和新的革命』，『有可能完成使中
國獲得獨立的歷史使命』，並不存在『必須使外來的新生產方式在
中國生根』的問題。只是後來由於遭到清統治者的摧殘，以及其後
帝國主義的侵略，這一歷史進程才被推遲了而已。由此可知，對於
當時中國獲得完成獨立的歷史使命來說，首先不是『必然使外來的
新生產方式生根』的問題，而是驅逐帝國主義出中國，為已有的但
遭到桎梏的新生產方式的發展，掃除障礙」。「在帝國主義列強瓜分
中國、民族存亡危在旦夕、救亡圖存成為首要迫切任務的特殊情況
下，我們沒有理由苛求他們先分清帝國主義侵略本質與其作為侵略
手段帶進來的先進生產方式和科學技術的區別，更不能把他們的籠
統排外，誇大為『對外洋事物一律加以排斥』，說成『不符合中國
人民的根本利益』，『是一種歷史的惰性力量』。要知道，近百年來，
決不是因為農民群眾的保守落後和籠統排外才『註定了中國人民走
向獨立和自由的道路，必然是漫長而痛苦的』。恰恰相反，倒是由
於帝國主義勾結清政府頑固派，鎮壓了包括義和團在內的人民反抗
運動，把中國變為半殖民地半封建社會，才阻礙了中國民族資本主
義的順利發展。從這個角度來看，義和團的籠統排外，雖說是保守
落後的表現，但在當時的情況下，卻是『符合中國人民的根本利益
的』。如果不是這樣來理解，而是斷言即使參加義和團反抗帝國主
義侵略並迫使其延緩瓜分中國陰謀的農民，也『不能成為歷史前進
的積極推動力量』，甚至把他們的籠統排外，說成是『對新生產方
式和新生活方式的反抗』。那麼，不管是否同意，卻無法拒絕接受
如下的邏輯推理，即帝國主義『是文明的傳播者』，『能帶來先進的
生產方式』，落後國家必須使這種『外來的新生產方式生根』，才有

可能完成『獲得獨立的歷史使命』。因而，對帝國主義者不但不應抵制和反抗，反而應該歡迎和感謝了。這豈不極端荒謬！」[807]

這裏涉及到一個根本性的問題，即如何正確看待帝國主義侵略帶到中國的一切事物。帝國主義侵略中國的目的，當然要把中國變成它們的半殖民地和殖民地。然而，不論人們多麼憎恨帝國主義侵略，帝國主義侵略給中國帶來了先進的東西乃是一個無可爭辯的事實，而且絕對不可避免。如他們要在中國經營企業，就得辦工廠，於是便有新的階級和新的生產方式產生；要在中國傳教、教育學生，就要進行文化交流，建立新式學校，傳播先進的文化科學知識；要加強對中國的經濟掠奪，就要開辦銀行一類先進的金融機構；等等。實際情況是，近代中國的先進東西，如新的生產方式、洋槍洋炮、輪船、火車、鐵路、電線、郵政、機器、工廠、銀行，新文化科學知識，乃至城市管理和設施等等，無一不是先由帝國主義帶來，再由中國人學會的。就是在意識形態上，也是「先進的中國人」「向西方國家尋找真理」[808]。

必須強調指出，帝國主義侵略與帶進先進的東西是兩回事，帝國主義帶來這一切並非其大發善心，幫助中國人民，我們既不必表示歡迎，尤不應當表示感謝。我們固然應當牢記帝國主義侵略的罪惡，但也不能不敢正視事實，硬說這些先進的東西不是侵略帶來的，而是中國固有的，或者是自己的發明創造。論者也說先進生產方式和科學技術「是作為帝國主義的侵略手段同時加給廣大農民的」、「作為侵略手段帶進來的」，這不是明明承認「帝國主義是文明的傳播者，能帶來先進的生產方式」嗎？為什麼自己承認這一點

---

[807] 孫祚民：《建國以來義和團運動史若干理論問題研究評議》，《義和團運動與近代中國社會國際學術討論會論文集》，第 958-960 頁。

[808] 《論人民民主專政》，《毛澤東選集》（合訂一卷本），第 1406 頁，人民出版社，1966 年。

正確,別人承認就是錯誤,就是「對帝國主義者不但不應抵制和反抗,反而應該歡迎和感謝了」呢?「只許州官放火,不許百姓點燈」,恐怕不太妥當吧?

帝國主義侵略帶進的先進東西屬於資產階級文明,資產階級文明是人類的共同文明,不僅僅是侵略者的文明,不能因為要反侵略就連資產階級文明一起反掉。「那時的外國只有西方資本主義國家是進步的,它們成功地建設了資產階級的現代國家。」[809]任何一個封建落後的國家,要想富強,抵制侵略,均應努力學習資產階級文明,不應加以拒絕和反對,中國亦不例外。這在當時是關係到國家應該前進還是應該倒退或停滯不前的大問題,如果應該前進,不學習西方先進的文明,出路何在?一概加以拒絕和反對,不會使國家進步,只能使國家回到閉關鎖國時期純粹的封建社會,這樣做不是「符合中國人民的根本利益」,而是違背中國人民的根本利益。

斷言先進生產方式和科學技術「帶給中國人民的,便不是科學文化的提高和物質生活的改善,而首先是對他們生命財產安全的摧殘和破壞」,亦值得商榷。

論者曾經正確地指出,「先進的生產技術和生產方式本身,同把先進生產技術和生產方式作為征服奴役手段的侵略者,完全是兩回事,絕不能劃等號。由於歷史和階級條件的限制,義和團運動沒有自覺地認識到這一點,但我們卻是完全能夠清楚區別的。」[810]上面的論斷恰恰與此相反,沒有把先進的生產技術和生產方式同侵略者「清楚區別」,所以便斷言帶給中國人民的只是「摧殘和破壞」了。再者,從全局和長遠考慮,先進生產方式和科學技術對落後國家科學文化的提高和物質生活的改善,只有好處,沒有壞處。僅僅

---

[809] 《論人民民主專政》,《毛澤東選集》,第 1407 頁。
[810] 孫祚民:《建國以來義和團運動史若干理論問題研究評議》,《義和團運動與近代中國社會國際學術討論會論文集》,第 963 頁。

看到帶來嚴重危害的一面，看不到對社會必然產生有利影響的另一面，失之片面。

論者認為，要發展到資本主義社會，必須首先完成民族獨立的歷史使命，不必使外來的新生產方式在中國生根。論證是從兩個方面進行的，一為引用毛澤東關於資本主義萌芽的論斷，二為帝國主義侵略阻礙了中國民族資本主義的順利發展。

論者引用毛澤東關於資本主義萌芽的論斷，斷言帝國主義侵略使中國資本主義發展的歷史進程被推遲，完全歪曲了毛澤東的原意。在緊接著論者引用的話語之後，毛澤東還有一句極為重要的話被論者「忽落」了，這就是：「外國資本主義的侵入，促進了這種發展。」[811]以下還有一段外國資本主義侵入給中國資本主義生產的發展造成了某些客觀條件和可能的論述。在另一處，毛澤東又寫道：「帝國主義列強侵略中國，在一方面促使中國封建社會解體，促使中國發生了資本主義因素，把一個封建社會變成了一個半封建的社會。」[812]毛澤東的話再明白不過，列強侵略不是扼殺了中國的資本主義萌芽，而是「促使中國發生了資本主義因素」，「促進了這種發展」，與論者所說的完全相反。從實際情況看，出現資本主義萌芽，當然有可能產生新的階級和新的生產方式，但可能性不等於現實性，可能性變為現實需要一個過程，需要條件和時間，不是誰主觀上想什麼時候變就能變得了的。倘若從論者所說的明代嘉靖、萬曆年間算起，到鴉片戰爭之前，業已經過了約三百年左右，資本主義萌芽尚未破土而出。如果依然是閉關鎖國，再過三百年能否破土而出，也在未定之天。而事實正是帝國主義侵略才「促使中國發生了資本主義因素」，「促進了這種發展」，中國才有了新的資本主

---

[811] 《中國革命和中國共產黨》，《毛澤東選集》，第 589 頁。
[812] 《中國革命和中國共產黨》，《毛澤東選集》，第 593 頁。

義生產方式。決不能因為要詛咒列強侵略，就不顧事實，將列強侵略促進資本主義因素發展說成是推遲了資本主義發展的進程。

民族獨立對一個國家發展到資本主義社會，誠然極為重要，但並不等於說民族獨立就一定能發展到資本主義社會。鴉片戰爭前的清王朝正以世界文明的中心自居，中國是一個完全獨立自主的國家，可是並未發展到資本主義社會，而西歐的英法等國卻早早進入了資本主義社會。同是民族獨立的國家，而且中國的歷史更為悠久，為什麼沒有更早地發展到資本主義社會，超過英法等國？這可不能歸罪於帝國主義侵略。因此，把帝國主義侵略阻礙中國民族資本主義順利發展「絕對化」，「就顯然不妥了」。

進入近代以後，帝國主義侵略確實有阻礙中國資本主義發展的一面，但不能總是詛咒侵略，而不考察為什麼被侵略。如果中國強大無比，帝國主義來一個消滅一個，來兩個消滅一雙，全叫他們有來無回，試問：中國資本主義的發展還會受到帝國主義侵略的阻礙嗎？即使受到列強侵略，如果地大物博、人口眾多的中國能像日本一樣，變法圖強，經過一個時期的努力，亦不難列於世界強國之林，何至總受侵略？一切事物的變化，內因是主要的，外因是次要的，外因通過內因而起作用。要檢討近代中國落後挨打和資本主義發展緩慢的原因，必須從內部從根本上探究。

毫無疑問，首先取得民族獨立，對一個國家民族來說，不論要不要發展到資本主義社會，都是首要問題，天經地義。分歧不在這裏，而在發展到資本主義社會，必須爭取民族獨立的同時，要不要使新的生產方式在中國生根。

發展先進的生產方式與反對帝國主義侵略不是對立的，而是相輔相成的，更是從事反對帝國主義侵略鬥爭必不可少的條件。沒有先進階級的領導，像義和團那樣的「反帝」鬥爭，要想取得民族獨立是不可能的，這已為中國近代歷史所證明。而先進階級的產生和

發展壯大，必須依靠先進生產方式的發展壯大。毛澤東說過：資產階級和無產階級「是中國舊社會（封建社會）產出的雙生子。但是，中國無產階級的發生和發展，不但是伴隨中國民族資產階級的發生和發展而來，而且是伴隨帝國主義在中國直接地經營企業而來。所以，中國無產階級的很大一部分較之中國資產階級的年齡和資格更老些，因而它的社會力量和社會基礎也更廣大些。」[813]如果肯定義和團的「滅洋」，「伴隨帝國主義在中國直接地經營企業而來」的中國第一代無產階級，就是最早直接為帝國主義「效勞」的「二毛子」，均該殺無赦。中國民族「資本主義因素」的發展由於帝國主義侵略而「促進」，其後與帝國主義亦有千絲萬縷的聯繫，同樣應徹底消滅。若然，近代中國就不會有先進的資本主義生產方式和資產階級、無產階級，不會有資產階級革命和無產階級革命，哪里還有民族獨立？又哪裡「符合中國人民的根本利益」！

當時，一切先進的中國人都在向西方尋求救國救民的真理，代表了歷史發展的方向。而義和團卻排斥滅絕近代資本主義的生產方式、科學技術和一切與「洋」字有關的事物，妄圖扭轉前進的歷史車輪，使之倒退。我們不應為籠統排外辯護，更不應提倡、美化，否則，就是宣揚開歷史倒車和愚昧落後。

2.毀壞鐵路電線並非全為作戰

義和團毀壞鐵路、電線出於什麼目的，學者的意見並不一致。一種主要觀點認為，此乃反侵略鬥爭的一個方面，出於軍事需要，具有阻止清軍運兵鎮壓義和團和阻止洋兵進犯的軍事意義。

---

[813] 《中國革命和中國共產黨》，《毛澤東選集》，第 590 頁。

　　義和團大規模地毀壞鐵路、電線，開始確有阻止清政府迅速調兵鎮壓之意，其後亦有阻止聯軍進京的意圖。但若說完全是作戰手段，專為對付清軍和聯軍，不僅失之片面，而且有違事實。

　　早在 1899 年，天津就出現了「先練一（義）合拳，後練紅燈照，趕洋人，緞（斷）鐵道」的詩歌。1900 年 4 月 29 日貼於北京西城的揭帖告白，即借天神玉皇大帝的口，明確揚言毀壞鐵路、電線：「天意命汝等先拆電線，次毀鐵路，最後殺盡洋鬼子。」[814]此時不用說北京沒有義和團大肆活動，就是直隸淶水、定興一帶的義和團也未打洋教，沒有官軍鎮壓，更無八國聯軍，義和團已在大肆宣傳毀壞鐵路、電線，足見其毀壞鐵路、電線絕非單純為了軍事需要，尤非為阻止洋兵進京。此外，在天津挖出的《西洋氣數碑》中，寫有：「燒鐵道，拔線桿。」另有這樣的歌謠：「先拆電線桿，後拆火車道，殺盡外國人，再與大清鬧。」[815]「拆洋樓，拉鐵道，電信（線）桿子全不要。」[816]這些都反映了毀壞鐵路、電線是義和團的普遍心理，既定方針，並非專門為了對付清軍和聯軍。

　　有的論者說：「義和團無論是拆毀京津鐵路還是焚拆蘆保鐵路，都是為了當時軍事鬥爭的需要，並非出於對鐵路的憎恨。雖然義和團在此之前早就作過不少關於毀路的宣傳，但這並不是導致他們最後採取行動的決定性原因。」[817]

　　此論令人費解。人們辦事總是先有思想，而後方有行動。義和團毀路的宣傳在先，行動在後，思想與行動完全一致，說明其毀路是按照思想行事的，毀路的宣傳「是導致他們最後採取行動的決定

---

[814] 轉見陳振江、程歗：《義和團文獻輯注與研究》，第 127、14 頁。

[815] 轉見陳振江、程歗：《義和團文獻輯注與研究》，第 84、134 頁。

[816] 《陽原縣誌》，《義和團史料》下冊，第 986 頁。

[817] 朱東安、張海鵬等：《應當如何看待義和團的排外主義》，《義和團運動史討論文集》，第 222 頁。

性原因」。如果不想採取行動，搞這種無謂的宣傳就屬多此一舉了。需要指出，論者在此強調毀路「都是為了當時軍事鬥爭的需要，並非出於對鐵路的憎恨」；而同文又寫道：帝國主義「在中國興建近代工業、交通之始，就給中國廣大人民帶來莫大災難」。「在華修築鐵路，不僅嚴重侵害了中國利權，而且使沿線人民群眾的利益遭到赤裸裸的掠奪」。「鐵路建成後，沿線舊有交通廢棄，又造成了人數眾多的勞動群眾，如水手、船夫、縴夫、店員、腳夫、驛站夫等的失業」。「他們直覺地感到鐵路、電線、機器等都是『洋人所藉以禍中國』之物，表示深惡痛絕。」[818]按照論者對「滅洋」的解釋，「就是對洋人、洋教、洋貨、洋機器等採取一概排斥的態度」[819]。鐵路、電線均為洋物，義和團又認為它是禍害中國的，對之「深惡痛絕」，無疑應該在其極力排斥之列；若說「並非出於對鐵路的憎恨」，就是「以子之矛，刺子之盾」了。

　　義和團為什麼毀壞鐵路、電線呢？因為在他們看來，「電報、鐵路等與洋人聲氣相通，則亦毀之。」[820]「鐵路、電線皆洋人所藉以禍中國，遂焚鐵路，毀電線。」[821]義和團的乩語更寫道：「兵法藝，都學全，要平鬼子不費難。拆鐵道，拔線桿，緊急毀壞火輪船。」[822]揭帖中亦有類似的語言。凡此均表明，他們是把毀壞鐵路、電線作為「滅洋」的一個重要組成部分，認為這些都是外洋來的事物，摧毀它們，就是「滅洋」，主要出於籠統排外的荒謬觀念。所以，無論有沒有清軍鎮壓和聯軍進京，他們都要加以破壞。毓賢統

818 朱東安、張海鵬等：《應當如何看待義和團的排外主義》，《義和團運動史討論文集》，第 210-211 頁。

819 朱東安、張海鵬等：《應當如何看待義和團的排外主義》，《義和團運動史討論文集》，第 208 頁。

820 柴萼：《庚辛紀事》，《義和團》1，第 305 頁。

821 《清朝野史大觀》卷 4，第 134 頁。

822 《義和團乩語》，《義和團史料》上冊，第 18 頁。

治的山西既無洋兵，亦無官兵鎮壓，同樣有許多地方的電線被毀壞，即為佐證。

義和團毀壞鐵路、電線，同時也是為了搶掠財物。

5 月 27 日毀壞鐵路時，即有多人進入琉璃河車站，「因見站中虛無一人，即入劫衣物。」[823]同月 28 日，豐台車站的員工都到天津避禍，站內無人看守，「土匪因而肆搶」[824]，「黠者破門而入，乘間搶物」；次日，官兵於蔡村、楊村、豐台等處「捉獲搶物者八名」[825]。31 日，又有數十人在離高碑店約十里之處，「拆毀道板，並有大車三輛拖運」，被「拿獲七名」。[826]保定南「由方順橋至望都路橋房屋，被匪數百拆燒，並放大車強拉道板數段。」[827]6 月 22日，「馬家堡火車站洋房、鐵路被京外眾團焚拆殆盡。卸貨各行棧屯積貨物，上等者團民搶劫，次等者土匪搶劫。聞各棧內米麥約有一萬餘石，皆為眾團瓜分。」[828]

此外還有一些其他原因，亦與錢財有關，這就是「貪木板鐵釘之利」[829]；「把道釘、鐵夾板等用大車拉回來，找鐵匠打成刀和扎槍」[830]；砍電線桿賣錢，「俵分花用」[831]；把道木當柴燒，大師兄劉福榮就說：「我們村的義和團去拆鐵道，從家裏扛著桿子、鎬什麼的，把鐵道給撬下來，把道木扛家來都給燒了。」個別更奇特的，還拿鐵路、電線出氣。廊坊的大師兄姚福財說：「楊稅務的趙連榮、

[823] 徐緒典主編：《義和團運動時期報刊資料選編》，第 32 頁。
[824] 林學瑊：《直東剿匪電存》卷 3，第 31 頁。
[825] 左原篤介、漚隱：《拳事雜記》，《義和團》1，第 246-247 頁。
[826] 楊慕時輯：《庚子剿辦拳匪文錄》，《義和團》4，第 340 頁。
[827] 林學瑊：《直東剿匪電存》卷 3，第 48 頁。
[828] 仲芳氏：《庚子記事》，見《庚子記事》，第 16-17 頁。
[829] 艾聲：《拳匪紀略》，《義和團》1，第 457 頁。
[830] 黎仁凱主編：《直隸義和團調查資料選編》，第 3 頁。
[831] 《山東義和團案卷》下冊，第 846 頁。

肖辛店的路永被打死了，義和團這氣兒老是不出，就起哄扒鐵道。在雙廟東邊，老百姓拉電線桿子。」[832]

不少論者均持鐵路修築給人民造成災難，義和團破壞有理之說。對此已有論者指出，修築鐵路沒有發展到嚴重危及鐵路沿線地區人民生存的程度。這裏還可以補充說，任何新的生產方式都可能導致一些人失業，然而也會為一些人就業創造條件，提供機遇，從國家整體和長遠利益考慮，不能因為會造成少數人失業而不發展新的生產力。對失業人員應寄予同情，對其破壞行為可以理解，但值得同情和可以理解的並不等於是正確有理的，決不能因有少數人失業就肯定義和團毀壞鐵路、電線的行為正義。

鐵路、電線係清政府花費鉅款建造，屬於國家財產，歸全國人民所有，並不是列強侵略和掠奪中國人民的工具，亦非清政府專門鎮壓人民的工具，誰也不能隨意毀壞。官府負有維護社會安全之責，派兵捕拿殺人放火、搶掠財產的罪犯係履行職責。義和團毀壞鐵路、電線，抗擊官兵，是罪上加罪。

（五）紀律及「誣衊」

1.燒殺搶掠勢在必行

不少論者認為，義和團的紀律基本上是良好的。他們首先列舉了一些戒律，諸如「毋貪財，毋好色，毋違父母命，毋違朝廷法，滅洋人，殺贓官，行於市必俯首，不可左右顧，遇同道則合十。」[833]「不愛財，不愛色，不拿百姓財物，不強迫百姓送東西，對百姓秋

---

[832] 黎仁凱主編：《直隸義和團調查資料選編》，第 555、476-477 頁。
[833] 佚名：《天津一月記》，《義和團》2，第 142 頁。

毫無犯」。「一不許殺無辜百姓，二不許無故焚燒民房，三不許坑害百姓，四不許入民宅，五不許貪好女色。」[834]等等，加以證明。

僅看這些戒律條文，當然極為嚴明。然而戒律是戒律，實際行動是實際行動。任何組織或團體在公之於眾的文件中，沒有不「王婆賣瓜，自賣自誇」的，決不會將內心醜惡的東西堂而皇之地寫上，授人以柄，被人唾罵。看紀律嚴明與否，不僅看其規定些什麼，最主要的應看其實際行為。所以，不能因為有了戒律就認為紀律嚴明了。從前面羅列的大量資料可以看出，義和團每到一處打洋教，無不燒殺搶掠，敲詐勒索，強捐強派，擾亂社會治安，其行為說明紀律敗壞到了極點。

下面分析一下論者列舉的紀律良好的主要論據能否成立。

「傳說曹福田有一次領隊出發，沿路拋擲銅錢，團民以為老師在作法，急忙拾起收藏起來，到了離戰場一二里的地方，福田忽然停下來問大家有人拾錢嗎？於是，拾錢的都把錢拿出來，表示他們是在留心學法，哪知曹福田卻說：『吾道最戒者貪財，今爾眾見錢即拾，神必不附，臨陣徒傷亡，焉可前進。』」[835]此乃證明團民不貪錢財。

事實如何？請看所引資料的原文：7月5日（六月初九）「夜，張團出北門，既未臨陣。曹團出東門，率隊頗勇往，途中告於眾曰，今日之戰，非昔可比，吾行走時，均作法，爾眾有得吾法者，可以勝。因於腰間出洋錢，且行且擲。眾見師擲洋錢，意謂法術，爭拾之。至東浮橋距戰場一二里許，斯時我軍與洋人方酣戰，槍炮震耳。曹忽駐足回顧眾曰：『過橋即臨陣矣，沿途洋錢曾有拾取者乎？』眾皆出所拾為證，有得色，意師必獎許。曹曰：『吾道最戒者貪財，

[834] 轉見黎仁凱等：《直隸義和團運動與社會心態》，第218頁。
[835] 廖一中等：《義和團運動史》，第54頁。

今爾眾見錢即拾，神必不附，臨陣徒傷亡，焉可前進乎？」呼眾收隊回陣。」[836] 意思極其清楚，曹福田害怕與洋兵打仗，但又沒有理由推脫不率眾出戰，於是就想到一個鬼點子，即「作法」拋擲洋錢。到了戰場附近，見到「我軍與洋人方酣戰，槍炮震耳」，他便藉口拾錢「神必不附，臨陣徒傷亡」，「呼眾收隊回陣」，溜之乎也，逃避了戰鬥。這段話與紀律毫無關係，而論者卻掐頭去尾，竟將曹福田不敢與洋人打仗的原意完全歪曲，變為歌頌不貪錢財！

「他們的給養，在農村一般都是自備，或向富戶攤派。進城之後，起初由富戶捐納和群眾主動供應，稍後由官府供應。當他們『向富戶勒捐錢米，遵者不入其門，違者闔家不保』，紀律之良好，由此可見。」[837]

「攤派」和「勒捐」都是強迫勒索；「違者闔家不保」，誰不願意捐錢米，就殺誰全家。應該說這是命令團民勒捐殺人的紀律，不是約束團民胡作非為的紀律，從何處可見「紀律之良好」？

「每日三白飯，夜間席地而臥，最苦。」這是引用堅決主張鎮壓義和團的袁昶的話，證明團民生活十分清苦。[838]

查原文，前面是說大師兄救受傷的團民，救活的就說「斷無死理」。接下來就是：「其受傷深重而不能復活者，大師兄遍搜其身，或偶攜有他物，則曰是愛財，曾搶藏人物，故致死，萬不能活矣。故多不敢輒搶，每日三白飯，夜間席地而臥，最苦。」[839] 這段話說明兩點：一，死者「曾搶藏」錢物，恰好證明紀律之壞。二，大師兄用愛財作為救不活人的藉口，團民害怕受傷後再也救不活，所以

---

[836] 佚名：《天津一月記》，《義和團》2，第 153 頁。

[837] 廖一中等：《義和團運動史》，第 54 頁。

[838] 廖一中等：《義和團運動史》，第 54 頁；黎仁凱等：《直隸義和團運動與社會心態》，第 194 頁。

[839] 袁昶：《亂中日記殘稿》，《義和團》1，第 346 頁。

才「不敢輒搶，每日三白飯」。這只是極少數團民受了欺騙而出現的一個特殊情況，何況欺騙不會長久，受騙的團民一旦明白大師兄所玩的把戲，就不一定會「每日三白飯」了。

「看其連日由各處所來團民不下數萬，多似鄉愚務農之人，既無為首之人調遣，又無鋒利器械；且是自備資斧，所食不過小米飯、玉米麵而已。既不圖名，又不為利，奮不顧身，置性命於戰場，不約而同，萬眾一心；況只仇殺洋人與奉教之人，並不傷害良民；以此而論，似是仗義。」[840]這段話被廣為引用，作為義和團紀律嚴明、「仗義」的論據。

但原文在「仗義」之後，緊接著還有一段話：「若看其請神附體，張勢作威，斷無聰明正直之神，而附形於腌臢愚蠢之體，更為有殺人放火之神靈者乎！且焚燒大柵欄老德記一處之房，遂致漫延如此大火，何以法術無靈？以此而論，又似匪徒煽惑擾亂耳。」[841]只引前半部分，不引後半部分，斷章取義，「殺人放火」和「煽惑擾亂」沒有了，剩下的當然只有「紀律嚴明」了。

「拳民對打著義和團旗號到處行兇者也嚴加懲處。如天津縣的王某招集流氓地痞，在城內設壇，勒捐富戶四千餘兩，挾銀潛逃，被外縣義和團拿獲斬殺。」[842]

此事並不能完全證明是為嚴懲團中的壞人。論者所述雖未注明出處，查對資料，可知是來自這段記述：「三義廟壇師王姓最兇惡，凡搶劫衙署，勒捐富戶，皆其所為，斂銀四千餘兩潛遁。二十六日（五月），有外縣團至，聞其攜鉅款而逃，蹤跡得之，腰斬兩段。又有謂其將銀吐出而未死者。」[843]外縣義和團追殺王某，很可能不

[840] 廖一中等：《義和團運動史》，第 54 頁。
[841] 仲芳氏：《庚子記事》，見《庚子記事》，第 15 頁。
[842] 廖一中等：《義和團運動史》，第 55 頁。
[843] 佚名：《天津一月記》，《義和團》2，第 146 頁。

是因為他做了壞事，而是為了搶奪他勒捐的四千餘兩銀子，來個「黑吃黑」。所以，還記述了一句「又有謂其將銀吐出而未死者」。

論者還以曹福田處決持槍搶劫的二十多名官軍，證明義和團「為了維護社會秩序」大賣其力。並說：「經過一番打擊之後，天津的土匪、惡棍、流氓、地痞之流和部分胡作非為的清軍大大收斂，『街巷間無復向日之紛擾矣』。」[844]

「街巷間無復向日之紛擾矣」是怎麼來的？還是看原文：「連日津匪肆行無忌，商民敢怒而不敢言。忽傳獨流張老師帶兩萬人至，聲言天津假團太多，特來查拿。此說一播，次日津匪居然斂跡。蓋津匪皆土棍，自充拳民，故以為張德成真有神術而懼之。又有曹老師，亦津匪所畏懼，是日亦至。故街巷間無復向日之紛擾也。」[845]原文是說為害天津的義和團害怕「真有神術」的張德成與曹福田到來之後查拿，才「無復向日之紛擾」，並無「經過一番打擊之後」之說。更何況「處決」的是被義和團視為仇敵的聶士成部的士兵，而非「土匪、惡棍、流氓、地痞之流」！關於此事，還有類似的記載：「先是津匪肆行，商民疾首。忽傳張老師、曹老師帶神拳至，聲言來拿天津偽團，匪眾聞之頓斂跡。蓋匪皆土棍冒充拳民，故以為張、曹有神術而憚之。及張、曹至，所為慘虐，且甚於津匪。」[846]此處說張德成與曹福田到達天津以後，紀律比「肆行無忌」的天津義和團更加敗壞殘酷。所以，不能把「維護社會秩序」的美麗光環強行奉獻給曹福田。

毓賢說：「現在義和拳民，並不亂殺洩憤。所有一切財物，秋毫皆無所損。」這也是證明「紀律良好」的一個論據。[847]

[844] 廖一中等：《義和團運動史》，第178-179頁。
[845] 管鶴：《拳匪聞見錄》，《義和團》1，第477-8頁。
[846] 龍顧山人：《庚子詩鑒》，《義和團史料》上冊，第69頁。
[847] 廖一中等：《義和團運動史》，第55頁。

毓賢一貫袒護義和團，他為義和團評功擺好極其自然，但上面的幾句話卻不是這個意思。這幾句話是他任山西巡撫時在 1900 年 7 月 5 日的告示中寫的，緊接著寫道：「如有乘機搶擄，即係土匪土棍。」在此前後，他還頒佈過幾個相同的告示，如說：「本部院稔知義和團民，極為安分，不貪財，不妄殺，……是以稱為義民。其有假託拳會，遇事生風，甚或毆辱平民，肆行搶掠，亂殺無辜，即係土匪土棍，絕非拳民所為。爾等民人等，准其扭送有司衙門，照例分別懲辦，決不寬貸。」如說：「義團乃是義民，……今有土匪假冒，任意搶物奪銀。……現已派隊梭巡，一遇凶徒肆擾，兜擒務要認真，並准各街團捕，爾等各宜凜遵。」[848]毓賢雖然極力庇護義和團，但畢竟還分辨得出「義民」與「土匪」之別。頒佈這些告示之日，正是義和團大肆燒殺搶掠之時。他頒佈的目的就是要人們分清「義民」和土匪，協助官府鎮壓土匪。其謂「現在義和拳民，並不亂殺洩憤……」和「本部院稔知義和團民，極為安分……」等等，均指真正的「義民」本來應該如此，絕對不是指「現在」的義和團「紀律良好」。告示正好證實當時義和團的紀律敗壞，否則就用不著頒佈。論者將文意理解反了。

1901 年 2 月 14 日的上諭寫道：「淶、涿拳匪既焚堂毀路，急派直隸練軍彈壓，乃該軍所至，漫無紀律，戕虐良民，而拳匪專持仇教之說，不擾鄉里，以致百姓皆畏兵而愛匪，匪勢由此大熾，匪亦愈聚愈多。」亦被用來證明義和團「紀律良好」。[849]

仔細閱讀上諭，可知用這幾句話證明「紀律良好」難以成立。此論是在清廷批准了議和大綱十二條之後不久以光緒皇帝的名義頒發的，實為慈禧的旨意。此時的慈禧沒有被當作「禍首」懲辦，

---

[848] 《山西省庚子年教難前後記事》，《義和團》1，第 507、508 頁。
[849] 廖一中等：《義和團運動史》，第 55 頁。

因此對列強非常感謝，同時極力表白自己，推卸責任。說：「五六月間，屢詔剿匪保教，而亂民悍族迫人於無可如何」。接著便敘述了「亂」與「召亂」的三大咎罪：「地方官之咎」，「將領之咎」，「禍首王大臣之罪」。論者引用的幾句話即為「將領之咎」的具體表現。顯而易見，這是為了把責任推到將領頭上而寫的，並非認為義和團「不擾鄉里」，所以在詔旨中稱義和團為「匪」。並寫道：「是慈宮驚險，宗社阽危」，「莫非拳匪所致」。在指責禍首王大臣之罪時，又寫道：「天下斷無殺人放火之義民」。[850]如果再讀一讀十幾天前即2月1日的上諭，中有「肆行殺掠」，「乃敢逞其好勇鬥狠之私，習為符咒邪妄之術，拒捕戕官，肆無忌憚，遂爾肇此奇禍」[851]諸語，更可知論者所引決非讚揚義和團紀律良好。

有的說：「在清廷賞給義和團銀十萬兩時，一老團團首說：『某等自備資釜，欲圖報效，不受國恩，而以此銀作為團費之用。』甚至在立團之初，有贈米麵給義和團的，團民猶說：『無需也，釜中物食之不竭，奚用他人贈乎！』或問：『釜中米常盈不竭，不需人贈可也，若購買菜疏，豈可一日無錢，又將何出？』團中云：『老師每人給錢二百文，懷於腰中，無論如何費用，二百文之數無減少也。』如果拋開其迷信的煽惑之外，我們可以從立團之始，『不需人贈』及『毫無滋擾』來看，團民的糧食等主要生活用品都是自帶的。」[852]

其實，這些說法證明不了「糧食等主要生活用品都是自帶的」，「毫無滋擾」。因為如果相信「迷信的煽惑」，釜中米常盈，懷中二百文不斷，便沒有饑民，與論者所說「如果沒有災荒的肆虐、饑餓流民遍地，很難設想會演化為轟轟烈烈的義和團運動」[853]相矛盾；

---

850 《有關義和團上諭》，《義和團》4，第88頁。
851 《有關義和團上諭》，《義和團》4，第83-84頁。
852 黎仁凱等：《直隸義和團運動與社會心態》，第197頁。
853 黎仁凱等：《直隸義和團運動與社會心態》，第25頁。

如果「拋開其迷信的煽惑」，團民最多只有一釜食物，二百文錢，吃完花完之後，必然成為饑民，不燒殺搶掠何以為生？

極端崇拜義和團的御史劉以桐稱讚義和團「均自備口糧，毫無滋擾」[854]，更常被論者引證為紀律嚴明。

運動高潮初起時，確有「自備口糧」的情況，不過要作分析；「毫無滋擾」則不符實際。

義和團「均自備口糧」在事實上是不可能做到的。一方面，絕大部分是饑民，根本沒有能力「自備口糧」，更無眼睜睜看著家人掙扎在饑餓的死亡線上不出外謀生，而甘願「自備口糧」，獻身「反帝」鬥爭的高度愛國主義精神。所謂「均自備口糧」，其實都是搶掠教民和逼勒富戶拿出來的，或是富戶為了免遭洗劫殺戮被迫獻出來的，並非團民自備。

另一方面，運動高潮之期正值天氣炎熱之時，即使攜帶乾糧，也只能準備兩三天的，再多必然發餿。僅靠這點乾糧，到附近燒殺搶掠沒有自衛能力的零散教民尚可，若是有備而且教民聚集的地方，並不是三五天能夠攻打下來的，這點乾糧就不夠用了。那些遠離家鄉到外州縣和北京、天津的團民，靠「自備口糧」更不可能。載勳就奏稱：「外團來京者，裹糧有限。」[855]像安次縣給赴天津的義和團送去一車米麵的例子，在運動中絕無僅有，說明不了問題。

再一方面，團民行動動輒幾十、幾百、幾千，人數如此之多，而又居無定址，行無定蹤，不用說家鄉的饑民無力補給，即使想補給也不可能。自帶的口糧用完以後，不勒不搶不掠何以為繼？前面提到的團民供述中，有「嗣因人眾，食用不足」，不得不訛索銀錢；「因無食用，不能不向平民訛索」等等，均是最好的證明。

---

[854] 劉以桐：《民教相仇都門聞見錄》，《義和團》2，第 183 頁。
[855] 《義和團檔案史料續編》上冊，第 708 頁。

由此可見，團民在離家出走的三兩日之內，紀律可能稍微好些。過此以往，燒殺搶掠勢在必行，否則便無法生存，怎能做到「毫無滋擾」？對此情形，還在運動高潮到來之前的 1899 年 9 月就有官員看出來了。認為拳會之起是由於受教民欺侮的山東官員彭虞孫在分析大刀會的呈文中說：大刀會雖然以「不貪子女財帛」為炫人要訣，「而市井烏合，勢不能枵腹相從，浸假而強借苛斂矣，浸假而架人勒贖矣，浸假而焚掠搶奪矣。……甚至教民逃空，則誣良民藏匿，居則供酒食，行則索餱糧。是教罹其殃，民亦被累。」[856]敵視義和團的縣令勞乃宣亦說：「其黨既眾，無以為食，非擄掠不能給，其不得不反者，勢也。」[857]

有的論者承認隨著義和團運動的發展，參加的人數越來越多，規模也越來越大，單靠自備糧食、經費和武器已不能滿足需要。但又說：「因而出現了官商百姓自願資助義和團的情形。御史劉家模在奏摺中寫道：『拳民倡義，先得人和，爭為投錢輸粟。……所至之處，人多贏糧景從。父兄莫可拴束，妻子不能阻撓，獨悻悻以殺敵致果為心。』」「在天津保衛戰中，廣大人民群眾積極熱情地支持義和團對侵略軍作戰。《天津一月記》載，外地義和團來津，『均住城內，每日皆津人供給，臨戰則送至陣前，面餅曰得勝餅，佐以綠豆湯』。當時，幾乎家家戶戶都做得勝餅、綠豆湯等慰問團民。也有大師兄向民間索要者，但『家家皆樂送之，且必誠心敬意，不敢稍褻。甚至有家無隔宿之糧，而亦虔誠備辦者，為求福也。由是各壇中大餅，皆堆積如山。』這不僅僅是『求福』心理，也表現出中華民族萬眾一心、同仇敵愾的民族情感。」[858]

---

[856] 《義和團檔案史料續編》上冊，第 424 頁。
[857] 勞乃宣：《拳案雜存》，《義和團》4，第 451 頁。
[858] 黎仁凱等：《直隸義和團運動與社會心態》，第 197-198 頁。

　　這裏引用的資料無可置疑。問題在於沒有引全，不能真實地反映情況，掩蓋了紀律敗壞的一面。

　　如劉家模在歌頌了一番（論者引用的）後又寫道：「臣聞彰義門、永定門外久有充義和團殺掠行路者，城內各街巷亦有夜間叫門，託名捕教，擾害居民者。」[859]論者就未引用。

　　天津人民一開始送得勝餅、綠豆湯，確有其事。但《天津一月記》在「佐以綠豆湯」之後，緊接著還寫道：「久之，惑人之術已窮，人又不堪其擾，適馬軍門至津，人方推崇，乃轉送馬軍，團中人不復得湯餅矣。」[860]又為論者所捨棄。

　　考察史實，天津人民對義和團的好感為時非常短暫。「立團之始，頗能踐言，與人無擾。未三日，即令每家備麵餅五張，又令有力者施送米麵，又向富戶勒捐銀米。」[861]6 月 16 日以後，天津人民見義和團「並未認真接仗，每出必反奔，死亡相繼」[862]，不敢上前線殺敵，只會吹牛騙人，要吃要喝，非常氣憤，就不再給他們送吃送喝了。「各處居民多往前敵，與練軍、毅軍送白糖餅、綠豆湯、西瓜、冰水等食物。途遇拳匪，問向何處送，民等因眾拳匪只能吃大餅，不敢臨敵，乃對曰：請老師前敵去吃。」[863]因此，決不能以最初兩日的情形為據，斷言整個運動時期義和團均得到人民的熱烈擁護。

　　此外，尚有一些似是而非的說法和文學性質的故事傳說，就不一一討論了。

　　義和團燒殺搶掠勢在必行的另一個重要原因，是頭目和骨幹分子打洋教志在「發洋財」。而要「發洋財」，勢必燒殺搶掠。

[859] 《義和團檔案史料》上冊，第 178 頁。
[860] 佚名：《天津一月記》，《義和團》2，第 149 頁。
[861] 佚名：《天津一月記》，《義和團》2，第 143 頁。
[862] 僑析生：《拳匪紀略》卷 2，第 1 頁。
[863] 劉孟揚：《天津拳匪變亂紀事》，《義和團》2，第 35 頁。

　　當初參加義和團的均為愚昧無知的群眾，稍明事理的良民均不加入。如陵縣「民本馴良，安分畏法。且去年迭蒙上憲出示嚴禁，均知有干法紀，並無學習之人。」[864]「龍門皆老實農民，無有蹈此術者。」[865]定興縣倉巨村「良民無學拳者，愚勸之不聽。」[866]

　　誤信義和團神術的良民參加之後，一旦明白道理，均能聽從勸諭，醒悟過來，毅然退出或解散。這一類的事例很多。如 1900 年 3 月間，數十名團民由平原縣一帶竄入茌平縣，縣令豫咸督率官兵追襲。頭目聞風潛遁，豫咸單騎出諭其他團民，力陳禍福。「眾呼青天，釋兵刃，稽首散去。」[867]觀城縣以前「習拳技之人，自從去冬憲台頒發告示，飭以卑職查禁，迄今均尚未蹈故轍。」[868]淄川縣也是這種情況：「迭見示諭，均知其哄誘騙人，法令森嚴，利害明晰，前學者亦各改悔。」[869]外地團民到寧陽縣黃茂村，「約人入籍，無人附和。」[870]巨鹿縣團民竄入柏鄉縣，自言能避槍炮，行將作亂。知縣戚朝卿呼拳首「至大堂撫慰之，曰：『爾等皆饑民耳，焉有能避槍炮者乎？宜悉入保甲局為鄉勇，不得自稱義和團，驚擾鄉里。』眾皆曰：『唯，唯。』是年獨柏鄉無教案。」[871]曉得義和團刀槍不入完全是騙人的把戲以後，退出或解散的更多了。茲舉一例：陽信縣的團民知「神法亦不足避禦槍火，所有脅從俱各解散，拳場亦自行撤閉。至附近各村莊尤觸目驚心，大為省悟，深悔從前之被惑矣。」[872]還有群眾赴壇掛號，「見大師兄貪財，請歸民團。」[873]

864 《山東義和團案卷》上冊，第 315 頁。
865 《龍關縣新志》，《義和團史料》下冊，第 985 頁。
866 艾聲：《拳匪紀略》，《義和團》1，第 443 頁。
867 《茌平縣誌》，《義和團史料》下冊，第 1029 頁。
868 《山東義和團案卷》下冊，第 925 頁。
869 《山東義和團案卷》上冊，第 198 頁。
870 《籌筆偶存》，第 367 頁。
871 《柏鄉縣誌》，《義和團史料》下冊，第 993 頁。
872 《山東義和團案卷》上冊，第 32 頁。
873 柳堂：《宰惠紀略》，《義和團》1，第 402 頁。

「傳習拳棒」的師兄們和堅持到底的骨幹分子「皆係無籍遊民」[874]，「多係窮極無賴之徒」[875]，「市井無賴之流，鄉鄰鬥狠之輩」[876]。還有些不軌之徒和盜匪，在惠民正法的「孫玉龍、梅鴻文，營混也；王惟仔、王雨仔、趙長命仔，人販也，鹽梟也；王之才，殺其幼女以禍人者也；張黑小，馬賊也；皆盛世所不容也。李芳同、王正南、于兩仔，亦土棍也。」[877]石槐樹以「搶劫為生。歷年所作大案甚多，一時不能記憶。」大刀會王蠍子性一慣偷盜，右臂刺有「竊盜」二字。[878]

遊民沒有固定的職業和可靠的經濟來源，大多依靠非法手段求得生存，倘若所求不得，「則思強取之，不顧性命，不計利害。此等人若常遇豐年，又無盜賊為之榜樣，則暫可相安；一遇外緣，無不烈發。」[879]他們是社會上最不安定的因素，當生活瀕臨絕境時，就會越軌犯禁，流而為丐為盜為匪。他們鬥爭勇敢，但無明確的政治目標，更無「反帝」的宏大抱負，具有極大的盲目的破壞性。他們參加義和團的目的同頭目們完全一樣，就是為了「發洋財」。因此，在取得清政府的縱容和支持之後，便把破壞和貪婪的本性充分地赤裸裸地暴露出來，肆無忌憚地濫殺無辜，訛詐勒索，綁票勒贖，搶劫掠奪，砸毀焚燒。早在 1896 年，祖護團民的山東巡撫李秉衡便指出了遊民的危害性：「各處游勇聞風麕至，遂至肆行焚掠。」[880]即使官府發給錢米，也滿足不了他們想發洋財的慾壑，搶掠依然如故。如倉場侍郎劉恩溥在天津招集的團民，雖然「齎給之」，但「來

---

[874] 《義和團檔案史料》上冊，第 90 頁。
[875] 《山東義和團案卷》上冊，第 235 頁。
[876] 《原亂二》，《義和團》4，第 228 頁。
[877] 柳堂：《宰惠紀略》，《義和團》1，第 402 頁。
[878] 《山東義和團案卷》上冊，第 431-432 頁；下冊，第 564 頁。
[879] 《論義和拳與新舊兩黨之相關》，《義和團》4，第 180 頁。
[880] 《義和團檔案史料》上冊，第 5 頁。

者日益多，頗不得償，則公為盜寇，虜略殺人，脅取財物，不能應，輒夷其宗。」[881]

既然打洋教的唯一目的是為了「發洋財」，紙面上的戒律嚴明規定必然變為無情的諷刺。

與紀律相聯繫的是義和團要不要遵守統率義和團大臣載勳、剛毅等於 7 月 27 日刊發的《團規》。有的論者認為：「很顯然，由官制定的團規既是束縛義和團的枷鎖，又是屠殺義和團的憑據。不少團民因堅持獨立自主慘遭殺害，更多的團民卻受團規約束而被載漪、剛毅等人所控制。」[882]言下之意，團民不該遵守。

制定《團規》，確是為了約束團民，限制其為非作歹。但說它「既是束縛義和團的枷鎖，又是屠殺義和團的憑據」，就令人匪夷所思了。

評論一個文件好壞的標準，就是看其內容。如果《團規》確實反動，義和團當然有理由不去遵守，自行其是。《團規》規定：「如有不守團規，徇私偏聽，藉端滋事，誣害良民，或報復私仇，或意圖訛詐，任意燒殺搶掠等情，即係匪徒假冒。……若經訪有確據，或被指名告發，稟明總團，即帶團往拿，照匪徒辦理，如敢抗拒，應格殺勿論」；「拿獲教匪，必須帶至壇上，明試真偽，以供眾睹」；「各團師兄殺死教匪後，查明房間係教匪產業，應即封閉入官，不可燒毀；所有一切什物，應查抄入官，變價充公，不可喝令搶奪；如係他人產業，應從寬免其究問。」[883]這些規定同前面引用過的戒律規定，如「一不許殺無辜百姓，二不許無故焚燒民房，三不許坑害百姓」，「毋違朝廷法」，「不強迫百姓送東西，對百姓秋毫無犯」，等等相比較，基本精神並無本質區別，目的都是為了防止人做壞

---

[881] 李希聖：《庚子國變記》，《義和團》1，第 18 頁。
[882] 廖一中等：《義和團運動史》，第 305 頁。
[883] 《團規》，《義和團史料》上冊，第 2-3 頁。

事，看不出《團規》有何反動性，為什麼義和團就不應該遵守？難道「堅持獨立自主」，就是讓義和團「藉端滋事，誣害良民，或報復私仇，或意圖訛詐，任意燒殺搶掠」，「喝令搶奪」財物？非但不應該鎮壓，反而應當大加鼓勵、獎賞，才是正確的？

《團規》還規定：「義和團承天命奉佛法，保國家，正所以保身家也。如遇臨敵打仗，自當奮勇殺賊，不可畏葸退縮，應與官軍聯成一家，不可稍存爾我之見，致誤戎機」；「如遇調遣出征，當謹遵號令，不可稍存觀望。」[884]這些規定與義和團標榜的「滅洋」宗旨完全一致，也是義和團應當竭力做到的，錯在哪裡？難道見了洋兵就逃，遇到調遣去打洋兵時就跑，才真正是義和團「反帝愛國」和「大無畏精神」應有的表現？

世界上沒有絕對的自由，國有國法，黨有黨規，軍有軍紀，任何組織和團體均有約束本成員的章程或條例。沒有紀律約束的隊伍絕對不會為國為民著想，只會為害社會。據說當時北京手持武器的團民有八萬之多，對這麼多的人倘若不加約束，任其為所欲為，社會秩序便無法維持，人民的生命財產便沒有任何保障，有什麼理由不讓義和團遵守《團規》？如果認為他們可以不受約束，那麼，義和團的戒律豈不也變為「束縛」自己的「枷鎖」，「屠殺」自己的「憑據」？怎能用來論證紀律嚴明？如果義和團根本不應遵守戒律，制定只不過是為了騙人，為何還要津津樂道，極力頌揚？

2.怎樣看待史料

義和團的紀律之壞明擺在那裏，有關的資料觸目皆是。有的論者出於種種考慮，對此避而不談。有的論者無法否認，為了證明紀

---

[884] 《團規》，《義和團史料》上冊，第 2-3 頁。

律嚴明，便把壞事都歸咎於達官貴人、士紳富豪設立的壇口和混進義和團中的壞人。

這種辦法倒是極為簡單，然而無論是達官貴人、士紳富豪，還是冒牌貨及混入者，均為數甚少。而從鄉村到城市，從教民到平民，從陸路到水路，只要是義和團活動的地方，均毫無例外地有燒殺搶掠、敲詐勒索、綁架勒贖、強捐勒派等事發生，此乃普遍現象，不是少數情形。承認這個事實，就不能斷言壞事只是少數壞人幹的。

有論者辯護說：「無庸諱言，義和團的紀律，前後階段，可能有所變化，在處罰為虎作倀的教士、教民中，也可能有些擴大化。但不加分析，僅僅依據片斷史料，就遽下結論，則是不妥當的。如據載，義和團『搜燒教民之產，遂燒大柵欄德記洋貨鋪與屈臣氏大藥房。』結果延燒到了大柵欄、廊房頭、二、三條胡同直至正陽門城樓大片地區。但這並非他們任意焚燒『與洋教無干涉者』。相反，他們一開始即曾嚴令，除德記洋貨鋪與屈臣氏大藥房外，『斷不連燒民屋。』只是由於『孰知竟無把握』，蔓延成數千家『商戶俱燼』的大火災。我們認為，即使『搜燒教民之產』的做法，也是不妥當的，並且，這次事件也造成了『大失商民之心』的不良影響。但據此而苛責義和團的紀律，則是不公平的。」[885]

非常奇怪，論者可以認為搜燒教民之產不妥當；別人要說紀律不好，那就是「苛責」，「不公平」。人們不禁要問：什麼叫苛責？售賣洋貨犯了什麼法？義和團有何權力去燒？想燒哪裡就燒哪裡，難道不是「任意焚燒」？更加奇怪的是辯護理由：「他們一開始即曾嚴令，除德記洋貨鋪與屈臣氏大藥房外，『斷不連燒民屋。』只是由於『孰知竟無把握』，蔓延成數千家『商戶俱燼』的大火災。」

---

[885] 孫祚民：《建國以來義和團運動史若干理論問題研究評議》，《義和團運動與近代中國社會國際學術討論會論文集》，第 954 頁。

請問：義和團「一開始即曾嚴令」何人「斷不連燒民屋」？要說是沒有參加義和團的群眾，這些人根本不去放火，而且反對義和團放火。要說是放火的團民，團民本就大言決不延燒，何用「嚴令」自己？剩下的那就只有嚴令「火」了。而「火」卻是個沒有生命、毫無人性的東西，根本不理會義和團的「嚴令」，於是就放肆地大燒起來了。「斷不連燒民屋」純粹是義和團可用「法術」控制火勢的騙人鬼話，而論者竟然信之不疑，並把它作為反駁別人的論據，不能不令人吃驚。像這種燒毀北京幾千家最富庶的商戶，造成無法估量的經濟損失和極其嚴重的社會後果，不論其主觀動機如何，不論按照什麼時代的法律，都該處死，豈可以不痛不癢的「不妥當」三字了之！否則，還成什麼社會！

更有一些論者為了說明義和團的紀律嚴明，行為正義，把一切有損於義和團形象的記載，全部說成是封建官僚文人惡意誇張，造謠攻擊，捏造誣衊。

此處提出的問題不僅關係到本書的論述有無價值，而且也關係到所有學者對義和團運動的研究有無價值，必須辨析清楚。

這種「誣衊論」可說是為義和團洗刷污穢最直截了當的辦法，然而依舊達不到目的。

封建官僚文人所寫的東西並非都是捏造的，決不能以虛無主義的態度對待歷史文獻。從古代至義和團運動時期，中國所有的歷史文獻資料，均出自奴隸主和封建官僚文人之手。如果認為皆不可信，一部中國史根據什麼去寫？以義和團運動史的研究來說，除了少數揭帖告白（亦經封建文人之手得以流傳下來），義和團沒有留下任何真實記錄，最有價值的文獻就是封建官僚文人所記述的了。如果認為都是誣衊捏造，義和團運動史根據什麼進行研究？僅憑半個多世紀以後的一點調查資料行嗎？否定封建官僚文人記述的歷史文獻，無異於否定中國的全部文明史。

　　否定史料必須拿出證據，不能採取死不承認主義。由於種種原因和條件限制，有些史料記載的未必皆真實可信，需要花費極大的力氣進行考證、比較、辨別，去偽存真。認為某條史料是捏造誣衊，惡意誇大，必須擺出事實，拿出有力證據，講出道理，此乃治史者的起碼常識。否則，就不能僅憑主觀臆測武斷地加以否定，即使一條孤證，也只能存疑。對史料採取死不承認主義，是十足的偏見；無端地給它扣上一頂誣衊捏造的大帽子，對封建官僚文人來說，實際上也是一種誣衊捏造行為。例如，有論者說濟南府向巡撫毓賢稟報朱紅燈與心誠和尚「搶劫」、「訛詐」、「聚眾橫行」、「勒索」銀錢以及「殺人放火」，純屬誣衊不實之詞。濟南知府所云是經過審訊以後上報的，與歷城縣審訊的結果相同，連毓賢親自提審也無法將事實推翻；而朱紅燈與心誠對此均供認不諱，他們的供詞至今尚在，可以復案；並且還有其他旁證。斷言「純屬誣衊不實之詞」，不知何所據而云然？如果拿不出來，人們就有理由懷疑這種斷言是捏造罪名，誣衊濟南知府。事實就是事實，決不是一句嚇人的空話所能否認抹殺的。

　　判斷史料真偽，不能以是否符合自己的觀點為準，認為符合的就是真實的，不然就是誣衊捏造。學者對歷史的認識有各種各樣乃至相反的觀點，如果人人隨意宣稱不符合自己觀點的史料均為誣衊捏造，那麼，所有的歷史文獻便都不能引用，研究歷史也就無法進行了。

　　判斷史料真偽，也不能以原作者對義和團採取何種立場為準，認為敵視者記述的皆不可信，擁護者記述的皆可信。敵視或擁護反映出來的是立場和觀點的區別，對事實的記述不一定會有太大出入。何況時人記載的是見聞，見聞什麼就記什麼。所以，不能因人而廢言。例如，對焚燒北京前門外大柵欄老德記大藥房，延燒數千家一事，時人記載頗多，其中不乏敵視者，但能因此否認有其事嗎？

再如，劉以桐極端崇拜義和團，他寫道：「所奇者，奉教之老少男女，住宅市房，一望而知，稍有猶豫，焚表問神。故從未錯燒一房，妄殺一人」。義和團的老師「善卜，能知未來，遇有疑難，燒香焚表，雖在千里，頃刻可至。……洋人用何邪術，一算即知破法。」[886]此類傳說在當時確實有，不必懷疑其記述的真實性。但能相信團民及其老師真有那麼大的神通嗎？

「誣衊論」還陷入自我矛盾之中。論者一方面斷言有損於義和團形象的史料都是封建官僚文人捏造誣衊，造謠攻擊，惡意誇張；另一方面又在論著中大量引用此類文獻，而且所占比例遠遠超過其他種類。對此，不知論者何以自解？

筆者無意論證絕無對義和團進行誣衊或惡意誇張的封建官僚文人，更非論證所有史料在事實上沒有一點出入。要求史料絕對準確不太現實，出入肯定有，誇張難以避免，誣衊可能存在。具體到哪條史料有問題，需要進行認真考證，擺出事實，不能武斷地隨意否定。從整體上和義和團的所作所為分析，從記載人非一人、地非一地，而內容大同小異的情況分析，應該說史料基本上是可信的。

---

[886] 劉以桐：《民教相仇都門聞見錄》，《義和團》2，第 183 頁。

三、八國聯軍之役與愛國

（一）何來八國聯軍之役

1.列強調兵保護使館無可非議

1900 年 5 月 31 日，列強調衛隊進京保護使館。如何認識此舉及 6 月 10 日增派衛隊進京，是正確評價八國聯軍之役的關鍵。只有討論清楚這個問題，才有可能分辨出引起八國聯軍之役的主要責任在哪一方，才有可能判斷其他一系列的是是非非。

一些論者認為，列強調衛隊進京保護使館是對中國主權的嚴重侵犯，衛隊是八國聯軍的先遣部隊，是發動侵略中國戰爭的開端。還有的說，各國「在各自使館駐紮重兵，把使館變成設在北京城內的外國軍事據點。這是完全違背國際法的。據當時歐洲的國際法學家的意見：『使臣公署，不得據之屯兵』，這是國際公法常識。」[1]

此論值得討論。

依據國際公法和慣例，保護使館的安全，是駐在國政府的責任，一般沒有外國自行派衛隊保護的。此即歐洲某國際法學家的意見：「使臣公署，不得據之屯兵」。然而，這是指平時正常的情況而

---

[1] 張海鵬：《反帝反封建是近代中國歷史的主題》，《中國青年報》2006 年 3 月 1 日「冰點」週刊。

言。遇到特殊情況是否如此呢？筆者查閱了一些國際法的論著，均無使館人員遭遇威脅時，不許外國調兵自衛，否則就是侵犯駐在國主權、違反國際公法和發動侵略戰爭開端的規定或論述。相反，倒有自衛符合國際公法的一些說法：「各國倘受侵凌，別無他策以伸其冤，惟有用力以抵禦報復耳。」[2]「因束縛宗教而不保護外國人之生命財產者，則外國政府利用強制手段可也。」或用「恐嚇對手國，使服從我之要求」的「強迫談判」；「或一面用強迫談判，一面派遣軍艦為示威運動，或為封鎖，訴諸暴力者是也。」「凡國際公法所認一切之不法行為，皆得為報仇之理由，不特對於外國臣民，即對於外國政府或其機關之不法行為，皆得據之為理由也。」[3]這裏所說的倘若受到「侵凌」或是遇有違反國際公法的不法行為，用武力進行「抵禦報復」、「訴諸暴力」、「報仇」等等，均屬於正當行為；雖然沒有明指是駐外使館受到嚴重威脅時採取的自衛行動，但完全可以理解為將這一行動包括在內。

美國國際公法學家伯根索爾（Thomas Buergenthal）、墨菲（Sean D. Murphy）則更明確地說：「國際法一貫承認因自衛而使用武力的合法性」，這是在1945年制定《聯合國憲章》之前「就存在的一種習慣國際法權利」，並且是「固有的」。不過要求自衛必須發生在「武力攻擊」之後。而「『武力攻擊』發端的性質，並非必須是傳統意義上的一國部隊入侵另一個國家奪取領土的行為。在1945年之後的很多情況下，有的國家當其國民在海外受到威脅時，以使用武力的方法展開營救活動。它們通常將其在這種情況下的行為定性為合法行使自衛權，其言下之意就是將對其海外國民的威脅視為『武力

---

[2] 丁韙良譯：《萬國公法》卷4，第1頁，四明茹古書局版，同治三年。

[3] 千賀鶴太郎著，盧弼、黃炳言譯：《國際公法》，第385-386、382、383、394頁，政治經濟社版，光緒三十四年。

攻擊』。」[4]這就是說，當駐外使館人員和僑民受到威脅時，本國政府調兵自行保護是「合法行使自衛權」，符合習慣國際法，並非侵犯駐在國主權，違反國際公法，發動侵略戰爭。

1906 年，作為孫中山助手的汪精衛在一篇與保皇派論戰的文章中論到八國聯軍之役時，就援引國際公法說，列強調兵進京保護使館，不是違反國際公法，發動侵略戰爭，而是正當行為。他寫道：「義和拳以扶清滅洋為目的，於是殺公使，毀教堂，戕人生命，掠人財產，以致聯軍入京。以排外為原因，以干涉為結果，固其所也。」「國際自衛權本分二種，一為干涉，一為對於直接之危害而用防衛之手段。若內地有警，各國派兵艦防護，可謂之防衛之準備行為，與干涉不同也。蓋國家於領域之內，不能自保，而使外國人蒙其損害，則對之可以匡正。匡正之法，國際之通則有二，過去之賠償與將來之保障是也。然使蒙急遽之危害，依此通則，有緩不及事之虞，則可以用防衛之手段，用強力於他國領域內，此國際法所是認者也。然則使內地有變，而危險及於外國人之生命財產，則外國派兵保護，以捍禦災難，不得謂之非理。然此與干涉固不同也。至於屯泊兵艦，以備不虞，則只可謂之防衛之準備行為，尤不必以干涉相驚恐。乃內地之人，既鮮知國際法，而詆毀革命者，又借此以號於眾曰：此瓜分之漸也，干涉之徵也。」[5]汪精衛如此說法，顯然對國際公法進行過一番認真研究，言之有據，並非信口雌黃。

調兵自衛不僅符合國際公法，而且合情合理。原因很簡單，當使館人員受到嚴重威脅，駐在國政府不進行認真保護或無力保護時，使節沒有不請求本國政府調兵保護，坐以待斃之理；各國政府

[4]　伯根索爾、墨菲合著，黎作恒譯：《國際公法》，第 223-224 頁，法律出版社，2005 年。
[5]　精衛：《駁革命可以召瓜分說》，張枬、王忍之編：《辛亥革命前十年間時論選集》第 2 冊，上卷，第 461、466 468 頁，三聯書店，1963 年。

亦沒有眼看著自己的駐外使館人員受到嚴重威脅而袖手旁觀之理。在當時唯一例外的就是不重視人權的清政府。慈禧下令圍攻各國使館後，儘管袁昶、許景澄奏稱：「若各國以我殺其使臣而不勝忿忿，先殺我使臣以償之，是直易刃而自殺其使臣也」[6]；翰林院侍講學士朱祖謀奏稱：「彼若殺我使臣以相報復，是朝廷自殺無罪之臣也」[7]；但慈禧、載漪之流不僅視外國人的生命如同草芥，就是本國駐外使館人員的死活亦毫不顧惜，圍攻之前既不召回，圍攻之後亦不設法援救。當德國公使克林德在北京遭到槍殺的消息傳到德國後，柏林民情激憤，群圍中國使館，拋擲石頭，欲得駐德公使呂海寰而甘心。呂海寰自知必無生理，已經寫好遺書，將其幼子托於幕僚，做好了身死異國的準備。幸「賴德皇嚴詔驅禁，始免於厄。」[8]除了柏林，其他國家沒有發生群眾圍攻中國使館的事件。而柏林事件由於德國皇帝嚴厲禁止，也很快平息。不能不承認，在這一點上，西方國家確比中國的執政者理智。

尤應看到，第一批衛隊進京是得到清政府允許的，既得允許，就不能說非法和侵犯中國主權。更主要的是衛隊（包括後來增派的）的任務不是和中國打仗，而是保護使館不受外來武裝暴力攻擊。對此，各國公使曾再三向清政府鄭重聲明（詳下）。這是一種預防自衛措施，並非開戰；侵略戰爭是主動以武力攻擊別的國家，二者性質絕然不同。因此，不能說調兵保護使館就是發動侵略戰爭的開端。

如果這些尚不足以說明在特殊情形下衛隊保護使館只是自衛，並非發動侵略戰爭的開端，那麼，請看實例。

列強調集衛隊保護使館在中國不乏先例，此前不久曾有兩度同樣的行動。第一次在甲午戰爭中。美國公使田貝談到當時的情形

6　袁昶、許景澄：《請速謀保護使館維持大局疏》，《義和團》4，第164頁。
7　《義和團檔案史料》上冊，第213頁。
8　龍顧山人：《庚子詩鑒》，《義和團史料》上冊，第61頁。

說：1894 年 11 月 22 日旅順港陷落，「在佔領時日軍表現了極可怕的殘暴行為。日軍於是進攻滿洲，推測要向天津及北京方面前進。我們在北京的情況是危險的。我們知道，假若北京、天津的路上發生戰事而華軍潰敗……的話，那麼潰軍在北京集合，我們的性命就朝不保夕了。」於是英、俄、法、西、義等國派遣衛隊來到北京。「無論如何，人們採取了預防的措施。中國海關及各使館的婦女們，除了英使歐訥格夫人以外，都離開北京。」[9]

　　第二次是 1898 年。9 月 30 日，北京街頭一群人對洋人實施暴行，美國使館一人及其父親身受重傷；英國使館一人及女眷一人，法國一人，日本二人，均遭辱罵，還有人向他們身上投擲石頭。他們向當地官廳請求保護，官廳推辭不理。義大利公使的內眷乘轎出門又遭到欺侮辱罵。事件發生後，各國公使議決由首席公使向總理衙門提出處分肇事者。英、德、俄三國公使「為保護其公使館員及其僑民，決定各自派兵前來北京」。總理衙門聲明負責保護，要求不要派兵來京。各國公使「對北京政府所採取的措施並不滿意，隨之斷然認定有必要派兵進京。」[10]「在自己的使館前佈置了三十名左右自衛的軍隊，以防止故意縱使來向他們尋釁的暴動者。」[11]「各國使館調集一些衛隊去到北京，僅是一種預防的部署，並不表示列強對中國宮廷中的內部爭端有任何干涉的企圖。」[12]

　　列強這兩次調兵保護使館，均是在特殊情況下為避免受到意外攻擊而採取的臨時性預防部署。由於使館安然無恙，事過之後衛隊

---

[9]　《田貝論中日戰爭》，中國史學會主編：《中日戰爭》7，第 487-488 頁，上海人民出版社、上海書店出版社，2000 年。

[10]　鄭匡民、茅海建選譯：《日本政府關於戊戌變法的外交檔案選譯》（一），《近代史資料》總 111 號，第 50-51 頁，中國社會科學出版社，2005 年。

[11]　《野蠻較佳于維新》，中國史學會主編：《戊戌變法》3，第 517 頁，上海人民出版社、上海書店出版社，2000 年。

[12]　《最近的局勢》，《戊戌變法》3，第 496-497 頁。

立即撤回，沒有發生侵華戰爭。可見列強調兵保護使館確實只是為自身安全著想，並無侵略意圖。因此，絕對不能將保護使館的衛隊視為侵略軍的先頭部隊和發動侵略戰爭的開端。如果視為發動侵略戰爭的開端，即表明戰爭已經爆發（沒有爆發就稱不上戰爭）。可是，歷史文獻中並沒有上述兩次列強調兵護館是「侵略戰爭」事實的記錄。如果將護館衛隊視為侵略軍的先頭部隊，而先頭部隊的具體「侵略」表現亦未在歷史文獻中留下任何痕跡。非但如此，在所有的近代史論著中，亦未見有人專門論述甚至不曾提及列強這兩次「武裝侵略」中國的重大事件。論者既然斷言 1900 年列強調兵護館就是發動侵略戰爭的開端和侵略軍的先頭部隊，就必須同時擺出列強前兩次調兵護館的侵略事實加以證明，或作出合理的解釋，方能令人信服。否則，就不能僅憑想像妄下論斷。

還有一個任何人也無法否認的事實，《辛丑條約》簽訂之後，不僅各國使館有衛隊駐紮，而且有外國軍隊駐紮在京榆鐵路沿線的各個戰略要地，情況比僅在使館駐紮衛隊嚴重得多，然而並沒有再度發生八國聯軍戰爭。時至今日，亦未見到認為此舉仍是列強在繼續對中國進行侵略戰爭之說。此亦可證調兵護館並不表明列強就是武力侵華。

如果這些仍然不足以說明在特殊情形下衛隊保護使館只是自衛，並非發動侵略戰爭的開端，請再看當代的兩個實例。

一為 1973 年美國駐華聯絡處以海軍陸戰隊警衛。5 月聯絡處主任布魯斯抵京時，全處共有二十六人，其中五人為海軍陸戰隊警衛。他們平時穿便裝，沒有引起中方注意。7 月 1 日正式舉行新址開館儀式時，五名警衛均穿正規軍裝出席，才引起中方反感。但僅此而已。只是後來這些警衛修建酒吧，鬧得四鄰不安，又因發會員證引起各國駐華人員的爭執，中國政府才要求布魯斯將他們撤走。布魯斯承認他們需要嚴加管束，但希望能留下來。11 月 13 日美國國務卿季辛吉（Henry Alfred Kissinger）訪華時又向國務總理周恩

來求情。周恩來向季辛吉和布魯斯提出三個條件：第一，對外不能以海軍陸戰隊的名義，要尊重中國作為主權國家的習慣；第二，如果在自己臥室內穿軍裝，我們不管，但不能穿軍裝到外面；第三，不能帶武器到館外，武器只能在館內配帶。季辛吉表示同意，五名警衛繼續留下。1974 年，由於警衛向各國駐華使館提議組織壘球協會等事，中方再次向布魯斯交涉，布魯斯方將他們撤走，其內部的保衛工作改由外事安全官員接替。而安全官員實際上仍是由海軍陸戰隊選派的，但不再著軍裝。此事發生在「文化大革命」之中，「東風吹，戰鼓擂，現在的世界誰怕誰，不是人民怕美帝，而是美帝怕人民」的歌聲經常響徹雲霄。如果美國以海軍陸戰隊士兵保衛駐京聯絡處是侵略軍的先頭部隊和發動侵略戰爭的開端的話，一定會在中國大地上引起「最最最」（文化大革命中的語言）強烈的反響。可是，中國政府並沒有將「美帝」這一行動看得多麼嚴重，亦未因交涉而影響兩國關係的大局。不知論者對此作何評價？

二為 2004 年中國派武警保護駐伊拉克使館。2003 年美、英兩國對伊拉克進行軍事打擊結束之後，在伊拉克首都巴格達工作的每個人都會受到戰爭與死亡的威脅。外出開會、辦事，隨時都可能遇到槍戰、汽車炸彈、路邊炸彈和遙控炸彈爆炸等不測事件。伊拉克既不能保護各國使館和外僑人員的安全，各國政府不得不派自己的武警前去保護，預防搶劫、威脅、傷害事件發生。因此，幾乎每個國家的使館都配備有武裝警衛。鑑於這種情況和戰後中國使館遭到伊拉克人數次武裝搶劫，2004 年中國恢復使館工作時，特派裝備著防彈衣和武器的六名武警隨同外交人員進入伊拉克，其目的就是為了保護駐伊使館人員的生命和財產安全。給外交官派遣武警保衛並不是各國的本意，而是出於實際需要。2005 年 1 月，八名中國公民在伊拉克遭到綁架。當中國人員開著防彈車前往營救時，陪同他們的就是保護使館的武警。

這一事實更能說明，在使館受到威脅，沒有安全保障，駐在國政府不進行認真保護或無力擔負起保護責任時，外國調兵自衛屬於正當行為。倘若不以為然，請問：中國派武警進駐在伊拉克的使館，是不是侵犯伊拉克的主權？伊拉克使館是不是中國的軍事據點？此舉是不是發動侵略伊拉克戰爭的開端？守衛的武警是不是侵略軍的先頭部隊？違反國際公法？

2.保衛使館確有必要

使館受到威脅時調兵保護屬於合法行使自衛權，不違反國際公法，已如上述；從 1900 年當時的事態上看亦十分必要。

不少論者認為，保護使館和僑民不過是帝國主義聯合侵華的藉口，因為在宣戰之前，清政府對使館、教堂和外僑已經在盡力進行保護。清政府下令圍攻使館是 6 月 20 日，而八國聯軍的醞釀組建是幾個月以前的事情，而此時使館區還沒有受到任何威脅。圍攻使館事件與八國聯軍侵華沒有直接因果關係。

事實勝於雄辯，且看列強兩次調兵護館是在什麼情形之下決定的。

過去清政府一直禁止義和團活動。但到了 1900 年初，慈禧命光緒下詔立載漪之子溥儁為同治皇帝之子（大阿哥）以後，以候補太上皇自居的載漪已成為慈禧的心腹，且與軍機大臣剛毅、啟秀、趙舒翹、大學士徐桐結成一黨。他們都是封建頑固守舊派中的死硬分子，對世界大勢一無所知，惟知結黨營私。在他們及黨羽的影響下，加之廢立陰謀受到列強抵制，慈禧對義和團的態度漸漸有所改變，1 月 11 日頒發的上諭實際上默認了義和團的合法存在。

駐京英國公使竇納樂研究了這道上諭，顧慮重重。1 月 25 日，他與美國公使康格、德國公使克林德和法國代辦唐端商議後，於

27 日送交總理衙門一件同文照會，要求宣佈鎮壓義和團，同時送交的還有義大利公使薩爾瓦葛。

　　竇納樂的照會寫道：義和團「四處掠奪基督教徒的家庭，搗毀他們的禮拜堂，搶劫及虐待無辜的婦女兒童；我要提請殿下及閣下特別注意的一個事實是：這些胡作非為的人所打的旗幟上，寫著『滅洋』字樣」。1 月 11 日的上諭將結社區分為好壞兩種，給人的印象是，中國政府對義和團抱有好感。「騷亂還沒有達到採取迅速有力行動不能撲滅的階段，但如不立即採取此種行動，暴徒們便將得到鼓勵，認為他們有政府的支持，並繼續犯下更嚴重的罪行，從而嚴重危及國際關係」。「我必須要求頒佈並散發一道上諭，下令指名對『義和拳』和『大刀會』進行全面鎮壓和取締。同時我要求在上諭中清楚說明：凡加入其中任何一個結社或窩存其任何成員者，均為觸犯中國法律的刑事犯罪。」[13]

　　慈禧對義和團的認識搖擺不定，清政府沒有理會上述照會。山東各地的義和團「以仇教為名，到處滋擾，初尚僅與教民為難，漸且擾害良善，綁人勒贖之案，層見疊出。近已波及直隸南境深、景一帶。」[14]以後蔓延到直隸固安縣、涿州和天津城廂。

　　2 月 27 日，英、德等國公使照會總理衙門，特別強調指出：「除非立即同意我們的要求，我們將極力勸告我們的政府，為了保護我們各國人民在華的生命財產而採取其他措施是可取的。」[15]3 月 2 日，英、美、德、法、義五國公使再次前往總理衙門，要求發佈鎮壓義和團的上諭，並在《京報》公開發表，以便得到傳播。總理衙門拒絕在《京報》上發表。10 日，五國公使電告本國政府，「必須採用在中國北部水域舉行聯合海軍示威的形式」[16]，警告清政府。

13　胡濱譯：《英國藍皮書有關義和團運動資料選譯》，第 12-13 頁。
14　《義和團檔案史料》上冊，第 64 頁。
15　胡濱譯：《英國藍皮書有關義和團運動資料選譯》，第 5 頁。
16　胡濱譯：《英國藍皮書有關義和團運動資料選譯》，第 16 頁。

14 日，清政府任命以庇縱義和團著名的毓賢為山西巡撫。在竇納樂看來，「毓賢被指定擔任如此重要的一個職位，不能不認為是中國政府方面對列強的意見和抗議特別缺乏考慮的表現。」[17]

3 月下旬，「天津通城貼有匿名揭帖，煽惑人民，殺害洋人。並定於三月初一日（3 月 31 日）起事，攻打各國租界。」[18]

鑒於義和團運動愈益發展，4 月 6 日，英美德法四國公使奉其政府密諭，聯名照會清政府，「請兩月以內，悉將義和團匪一律剿除，否則將派水陸各軍馳入山東、直隸兩省，代為剿平。」[19]次日，公使收到清政府的照會，同意不繼續要求在《京報》上發佈上諭；但聲明：「如果他們不接受我們所建議的措施，我們要使中國政府對由此產生的任何其他後果承擔責任。」[20]12 日，英美法俄各國艦隊集於大沽，再次嚴正警告清政府：「山東亂匪勢益猖獗，政府若於兩月以內，不能鎮撫，則各國聯合以兵力伐之。」[21]同日，《京報》上發表了直隸總督裕祿的一件奏摺，表示要妥為彈壓義和團，保護教堂。後有「朱批：知道了。即著隨時認真查禁，毋稍疏懈。」[22]竇納樂看到以後，認為清政府的態度較好，立即命令開往大沽的兩艘軍艦駛回。

而直隸的義和團卻在迅速發展。保定府約有萬人，「遍貼匿名揭帖，聲稱定於本月二十號（4 月 19 日）起事也。」[23]靜海、清苑、文安、霸州、安州、固安、雄縣、新安、容城、涿州、任邱一帶，義和團都大肆活動起來。

---

[17] 胡濱譯：《英國藍皮書有關義和團運動資料選譯》，第 16 頁。
[18] 左原篤介、漚隱輯：《拳亂紀聞》，《義和團》1，第 108 頁。
[19] 左原篤介、漚隱輯：《八國聯軍志》，《義和團》3，第 169 頁。
[20] 胡濱譯：《英國藍皮書有關義和團運動資料選譯》，第 33 頁。
[21] 左原篤介、漚隱輯：《八國聯軍志》，《義和團》3，第 169 頁。
[22] 《義和團檔案史料》上冊，第 73 頁。
[23] 左原篤介、漚隱輯：《拳亂紀聞》，《義和團》1，第 109-110 頁。

　　法國公使畢盛非常驚惶，請求俄國公使格爾思合作，「促使中國政府有力地壓制義和拳，因為他們已經威脅著住在北京的一切外國人」。格爾思考慮到「義和拳業已在帝國京郊出現，而且可能與住在京郊中的外國人發生衝突」，「此種衝突對中國無疑會有最嚴重的後果」，4 月 15 日約見總理衙門章京聯芳，「勸告總理衙門不要失去時機，在義和拳還沒有強固和還沒有在集於北京周圍的大隊士兵中獲得信徒時，有力地將他們鎮壓下去。」總理衙門聲明將要進一步調查有關保障教民安全的問題。公使們「認為滿意」，通知總理衙門大臣說，「將傳教士以後的命運完全交給中國政府負責。五位外國代表對總理衙門的共同壓力以此一同樣照會結束。」[24]也就是說，他們不再談派兵代剿義和團，而讓清政府自行處置。

　　然而，沒過幾天，劉十九和韓以禮都在天津郊區設立了總壇口。運動擴展到蠡縣、完縣、遵化縣和張家口等地。義和團潛入京師，「遍黏招貼，謂三月杪當與教堂為難。」通州無數團民亦「聲言欲與洋人為難」。[25]4 月 29 日，北京街頭出現了「殺盡洋鬼子」[26]的揭帖。5 月 1 日，「一概鬼子全殺盡」[27]的揭帖又遍貼天津各處。5 月 12 日，淶水縣的義和團在高洛村殺害了六十多名以上的教民和傳教士，次日焚燒了定興縣倉巨村十幾家教民的房屋。保定一帶的義和團也開始焚毀教堂，殺害教民。

　　5 月 15 日，格爾思對總理衙門章京聯芳說：義和團到處滋事，「現在京城地面，大街小巷，亦紛紛傳習，各處張貼揭帖，內言某日焚毀北堂，某日焚毀使館。凡在京洋人，均有自危之心，各將情

24　張蓉初譯：《紅檔雜誌有關中國交涉史料選譯》，第 213 頁，三聯書店，1957 年。
25　左原篤介、漚隱輯：《拳亂紀聞》，《義和團》1，第 111 頁。
26　轉見陳振江、程歗：《義和團文獻輯注與研究》，第 14 頁。
27　左原篤介、漚隱輯：《拳亂紀聞》，《義和團》1，第 112 頁。

形,電達本國。各國政府以為中國自己不能管轄其民,勢必派兵來京,自行保護。……總之,中國現在如不趕緊設法,嚴禁拳匪,恐貽巨患。」[28]並託他將此意轉告慶親王奕劻。

義和團運動愈益高漲,「其勢甚熾,較前更為猖獗,地方官亦不竭力剿辦」。北京的團民「現更聚集無數,勢已岌岌可危。」[29]19日,法國主教樊國梁致函法國公使畢盛,告以局勢已變得日益嚴重和危險。各國使館同時收到好幾份類似的揭帖,「其中絕大部分在措辭上不甚文雅,而且包含著對外國人的更粗野的謾罵,但所有揭帖的主題都是說必須將一切外國人處死。」[30]

20日,外交使團召開會議,討論了樊國梁信件及中國政治局勢。法國公使畢盛認為,對前途的危險無論怎樣估計也不過分,提出應聯合照會總理衙門,要求採取鎮壓義和團的特別措施。德國公使克林德強調說,對中國政府施加壓力的最有效方法,是在山海關附近集中軍艦,如有必要,就調兵進京保護外國人。會議決定:「如果騷亂仍繼續下去,或者是五天內對他們的照會未得到一項圓滿的答覆,他們便將採取進一步的措施。」但沒有決定究竟要採取什麼措施。公使們對調遣衛隊前來北京進行保護亦普遍反對,認為最好的辦法,就是派駐使節的所有海軍國家「舉行一次海軍示威」,「在必要的情況下,衛隊應在軍艦上做好準備。」[31]次日,首席公使葛絡幹將外交團的照會送交總理衙門,提出嚴厲鎮壓義和團的六點要求。

與此同時,直隸安平縣的義和團聚眾抗官,鹽山、南皮及交河縣的義和團群起響應。數千團民圍攻駐淶水縣石亭村的小隊官軍,刺死率兵前去援救的分統楊福同。

---

28 《義和團檔案史料》上冊,第 99 頁。
29 左原篤介、漚隱輯:《拳亂紀聞》,《義和團》1,第 112-113 頁。
30 胡濱譯:《英國藍皮書有關義和團運動資料選譯》,第 70 頁。
31 胡濱譯:《英國藍皮書有關義和團運動資料選譯》,第 18 頁。

25 日，總理衙門答覆外交團說，正在奏請發佈一道命令採取有效行動的上諭。

26 日晚上，外交團開會討論局勢。畢盛認為，一次危及在北京的所有歐洲居民生命的嚴重騷亂即將爆發。極力主張：「如果中國政府不立即採取行動，各國使節應馬上調來衛隊」。最後決定：必須要求總理衙門明確說明他們已經採取的措施，並把上諭的措辭通知各國使節。如果 27 日下午不能得到圓滿答覆，決定調來衛隊。[32]

而從 27 日開始，形勢突然發生巨變。三萬團民佔據了涿州城，並焚毀琉璃河車站及涿州鐵橋，盧保鐵路火車不通。

當日下午，竇納樂會見慶親王奕劻，轉達了外交團的意見。奕劻表示：「已向直隸總督發出最嚴格的訓令，要他逮捕和懲罰首惡分子，並驅散受他們欺騙的人」。還表示：「他願意親自承擔對所有外國人的保護」。竇納樂警告說：「所有國家的使節都認為局勢極端嚴重，並因此報告他們的政府。如果他們不能從中國政府方面得到他們企圖得到的保護，那麼，他們自衛的方法便將採取調集使館衛隊的形式。」繼之，外交團議決：「鑒於總理衙門的保證，將再等待一天的時間，以便收到它已答應送來的信件，而且今晚以前關於使館衛隊問題暫不作出任何決定。」[33]

28 日，總理衙門將上諭的內容及鎮壓義和團措施的細節送交外交團。但義和團又拆毀了琉璃河至盧溝橋的鐵路，砍斷沿路電線，焚毀長辛店、盧溝橋車站和料廠。縱火焚燒了在盧漢鐵路工作的洋人房屋。北京貼出許多「驅逐洋寇，截殺教民」的告白。[34]尤

---

32 胡濱譯：《英國藍皮書有關義和團運動資料選譯》，第 19-20 頁。
33 胡濱譯：《英國藍皮書有關義和團運動資料選譯》，第 76-77 頁。
34 轉見陳振江、程歊：《義和團文獻輯注與研究》，第 21-22 頁。

其讓洋人驚駭的是，「拳民之旗幟，已飄揚於空中，鮮紅之布，大書『扶清滅洋』四字，彷彿吾歐人之血所染也。」[35]

外交團「考慮治安措施的純例行套語的時候已經過去，因為那些例行套語甚至寫在紙面上也是令人不滿的。」「鑒於中國政府漠不關心和局勢的嚴重性」[36]，以及「中國軍隊無所作為」，各國公使「一致同意不失時機地調來衛隊，保護各國使館」。授權首席公使葛絡幹照會總理衙門，決定調集特遣部隊立即前來北京，並要求提供運輸便利。[37]

義和團以更加迅猛的勢頭擴展，張德成在靜海成立了「天下第一團」，天津各處紛紛立壇。豐台車站及機器局焚燒殆盡，外國工程師受傷。北京遍貼「掃除外國洋人」[38]的告白。清軍的態度更令洋人大感不安：一些外國人「在他們面前通過時，遭到了侮辱，受到長矛的威脅，而且石頭紛紛扔來，把他們從路上攆走。同時士兵們公開揚言：他們被派至該處站崗，是為了反對外國軍隊通過城門。」[39]二十餘名遭到追殺的洋人逃到北京。

30 日，總理衙門照會首席公使，拒絕外國衛隊來京，表示將全力保護使館的安全。

各國使節深感「此時局勢極為嚴重。人們很激動，而且士兵叛變。毫無疑問，現在的問題是這裏歐洲人的生命財產正處於危險中。」中午，各國使節舉行會議，認為「來自清軍的危險，較來自義和拳的危險更為嚴重，並且我們迫切需要得到保護。」會議以後，法、俄、美、英四國公使告知總理衙門：「鑒於嚴重局勢和中國軍隊的不可靠，各國使節為保護在北京的歐洲人的生命，必須立即調

---

[35] 朴笛南姆威爾：《庚子使館被圍記》，《義和團》2，第 207 頁。
[36] 胡濱譯：《英國藍皮書有關義和團運動資料選譯》，第 78、21 頁。
[37] 胡濱譯：《英國藍皮書有關義和團運動資料選譯》，第 78-79 頁。
[38] 轉見陳振江、程歗：《義和團文獻輯注與研究》第 22 頁。
[39] 胡濱譯：《英國藍皮書有關義和團運動資料選譯》，第 79 頁。

來衛隊」。「為了使衛隊或許能夠於明天到達這裏，如果直隸總督今晚沒有收到訓令，便將產生嚴重的後果。」[40]

當天晚上，公使們將這一決定用電報通知了駐天津首席領事。法國總領事當即面見直隸總督裕祿，告以「各國此次送兵進京，並非與中國為難，不過自為保護起見。」[41]裕祿不准美國士兵乘火車進京。各國公使聞信嚴詞照會總理衙門：「倘果不能立刻任洋兵由津搭坐火車進京，各國即須多調兵士到來，不問華人是否阻止，定須用強進京。」[42]

31 日黎明，總理衙門致信外交團，同意各國調兵進京保衛使館，但聲明衛隊人數應與 1898 年相同，一旦恢復平靜，便將撤退。外交團匆匆召集會議，決定在天津已準備就緒的特遣部隊立即前來北京。晚上七時左右，各國使館衛隊三百三十餘人抵達北京。

上述過程極其清楚地表明，從 1 月 11 日清政府默認義和團合法起，至 5 月 28 日止，在這四個多月的時間裏，列強一直把取締義和團的希望寄託在清政府身上，通過和平交涉解決問題。雖然曾經考慮調集海軍向清政府示威，聲言將調兵自行剿滅義和團，其目的無非是威逼清政府對取締義和團採取堅決有力的措施，並未付諸實施。只要從清政府那裏看到一線希望，他們也不放棄，繼續等待。直到 5 月 28 日局勢變得極為嚴重，深感清政府不可依恃時，才毅然決定調兵進京保衛使館和僑民的生命安全，絕無蓄意對中國發動一次侵略戰爭的意圖。

此時使館雖然尚未受到直接攻擊，但在義和團一再聲稱「殺盡洋鬼子」的揭帖中，使館人員已經成為他們放言殺害的對象；而且義和團人數大量增加，在京城附近佔據城市，抗拒官兵，毀壞鐵路

---

[40] 胡濱譯：《英國藍皮書有關義和團運動資料選譯》，第 21、80、22 頁。
[41] 《義和團檔案史料》上冊，第 106 頁。
[42] 左原篤介、漚隱輯：《八國聯軍志》，《義和團》3，第 170-171 頁。

電線，燒殺搶掠教堂教民，殺害傳教士和其他洋人，誰也不能保證使館不是他們下一個攻擊的目標。同時令公使們憂心如焚的是清軍對洋人的敵視，清政府不提供有效保護。使館業已受到嚴重威脅是非常明顯的。不能因為北京此時尚未出現針對使館、教堂和洋人的暴力行為，就認為使館沒有受到威脅。處此情形之下，公使們自然膽戰心驚，要求調兵保衛，採取預防措施。調兵保衛使館在事實上是有必要的，不能責其無理，說是藉口。

由於與洋人為敵的不僅有北京郊區無數的義和團，還有站在他們一邊的清軍；遭到威脅的不僅有使館人員，還有其他洋人和逃到教堂避難的教民，教堂也需要保護，與 1898 年只有極少數群眾對洋人投石施暴和辱罵的形勢大異，一旦發生暴力攻擊事件，絕非二三十人所能抵禦得住的，故此次每個使館調集的衛隊人數也比 1898 年為多。在天津的法國總領事對裕祿說，調兵「七十五人赴京，以二十五人護南堂，二十五人護北堂，二十五人護使館，所分之人並不多。」對此，俄使格爾思對聯芳說得很清楚：「此次如再派兵，恐不能如上次之二三十名，大約各派數百，始能抵敵匪眾。」[43]英使竇納樂亦對奕劻講得很清楚：「所有國家的使節都認為局勢極端嚴重」，「如果調集使館衛隊，他們前來的人數無疑地將比以往大得多。」[44]所以，不能因為衛隊人數比以往多，就認為「不僅僅是為了防範義和團」，而是發動侵略戰爭。同時亦不能說「對皇宮構成威脅」，「極大地刺激了慈禧」[45]。事實上，慈禧已經有過 1894 年和 1898 年兩次使館調集衛隊進京的經驗，知道衛隊不是用來威脅皇宮的，不會受到「極大地刺激」。

[43] 《義和團檔案史料》上冊，第 106、99 頁。

[44] 胡濱譯：《英國藍皮書有關義和團運動資料選譯》，第 77 頁。

[45] 子喬：《就義和團運動的一些史實與袁偉時先生商榷》，載 2006 年 1 月 22 日教育部基礎教育課程教材發展中心網站。

增兵進京自衛究竟是藉口還是正當要求，請看以後的事實。

6月1日，直隸永清縣的教會遭到義和團襲擊，兩名傳教士被殺死。雄縣和蠡縣的義和團圍攻焚毀教堂。安肅縣的義和團焚毀車站、道房、橋樑。

2日，北京的義和團縱火焚燒外國人開設的麥加利銀行，並殃及外國曹廣和酒店。天津的二十五名俄國哥薩克兵前往迎接和援救三十六名歐洲人，行至獨流鎮，遭到義和團包圍襲擊。

4日，義和團將楊村鐵路橋、黃村車站及附近橋樑燒毀。天津的揭帖聲言：「三月之中都殺盡，中原不准有洋人」，「掃滅洋人」云云[46]。京城附近的教民遭到燒殺搶掠，全都逃至京城西什庫教堂內避難。計「有西人七十，男教友一千，婦女兒童二千二百。」[47]

同日，各國公使舉行會議，一致決定：為防備發生不測事件，各向本國政府請求派海軍進京救援。竇納樂致電英國外交大臣說：「目前北京的局勢是這樣的：我們在任何時候都可能被圍困在這裏，而且鐵路和電報線均被切斷。如果發生這種情況，我請求閣下促使對艦隊司令西摩（Edward Seymour）發出緊急訓令，要他同現在駐大沽的其他各國艦隊司令官會商，為營救我們採取協調一致的措施。」[48]

5日，淶水和定興縣的義和團分別與官兵楊慕時部、邢長春部發生戰鬥。通州附近的義和團也與官軍開仗，並殺死教民四十餘人。容城縣有兩名傳教士被殺害。

「各國洋人已甚憂憤，而天津租界之洋人尤深驚恐。」俄國公使格爾思見情勢危急，上書慈禧、光緒，內云：「義和團不但在外省，即在畿輔重地，猖獗作亂，中國必遭不料大患。竊維此亂害及洋人者，不能不使歐洲各邦想貴政府或偏庇義和團，抑或無力彈

---

[46] 佐原篤介、漚隱輯：《拳亂紀聞》，《義和團》1，第120頁。
[47] 包士傑輯：《拳時北堂圍困》，《義和團史料》下冊，第581頁。
[48] 胡濱譯：《英國藍皮書有關義和團運動資料選譯》，第24-25頁。

壓」。「歐洲各邦必當設以絕計，以救其民」。「為救中國，必須片刻不緩，極切極嚴，諭令淨絕義和團毫無意圖之不法行為。」[49]

寶納樂為了永清縣教士被害一事，向奕劻等人指出：「沒有絲毫跡象表明中國政府企圖嚴肅處理義和拳騷亂；這種態度的結果，便是在京城幾英里以內人們生命不安全，而且就在京城內也有發生騷亂的嚴重危險」。「不鎮壓義和拳正直接導致外國干涉，無論各友好國家對這一行動感到多麼遺憾。」[50]「如果中國政府不能有效地鎮壓義和團運動，那麼這種干涉將是必然的，因為這場運動危及了在華外國人的生命。」[51]

6日，義和團阻截護送洋人進京的俄兵，燒毀落堡、廊坊車站。一名法國人在豐台被毆傷。任邱、霸州、東安、永清、靜海、青縣的團民燒殺搶掠教堂教民，焚毀鐵路，抗拒官兵。

各國公使看到，「由於現在慈禧太后及其顧問中更保守的人物對排外運動的明顯同情，局勢正在迅速地日益嚴重。」[52]要求覲見光緒皇帝及慈禧太后，「以便奏聞：若清政府不能迅速平定義和團、恢復秩序時，除由各國親自執行平定工作外，別無他法。」[53]直到此時，他們仍然將取締義和團的希望寄託於清政府，但為總理衙門所拒絕。

這時英國海軍部命令海軍將領西摩：「當北京的各國使館，或者是北京或天津及其附近地區的英國臣民遭到危險的時候，您為了保護他們，可以和其他各國艦隊司令官一起，採取您認為適當可行的措施。」[54]當天英、俄、德、法、義、奧、美、日八國的海軍高級將領舉行會議，為必要時的聯合軍事行動做準備。

---

[49] 《義和團檔案史料》上冊，第 119-120、125 頁。

[50] 胡濱譯：《英國藍皮書有關義和團運動資料選譯》，第 26-27 頁。

[51] 《八國聯軍進北京》，《京津蒙難記》，第 103 頁。

[52] 胡濱譯：《英國藍皮書有關義和團運動資料選譯》，第 27 頁。

[53] 《北京使館區被圍日誌》，《京津蒙難記》，第 306 頁。

[54] 胡濱譯：《英國藍皮書有關義和團運動資料選譯》，第 29 頁。

7 日，外州縣義和團開始絡繹不絕地進入京師。清軍士兵在使館街襲擊了比利時使館的秘書。英國使館在西山的夏季辦公處被焚毀。

鑒於這種形勢，公使們決定將每個使館的衛隊增加七十五人。俄國公使格爾思認為，「此種增加是不夠的，因為中國軍隊站在義和拳方面是無可懷疑的了。政府決定不對他們有所行動，並禁止對他們進行射擊。情況千鈞一髮，只有列強有力堅決的合作才能制止運動。」[55]

英國外交大臣索爾茲伯理告知竇納樂：「局勢是困難的；您酌情處理事務的自由必須完全不受約束。您可以採取那些您認為方便的措施。」[56]隨後，俄、美、德等國駐華公使也分別從本國政府得到了類似的命令。

8 日，義和團在北京襲擊了英國的實習翻譯生；在揭帖告白中聲稱：「必須焚滅教堂，殺盡教民。」[57]「頗有約期燒毀東交民巷使館之謠」[58]。晚上八點鐘，「從東便門直至西便門，眾日（口）一詞，僉云：燒香磕頭，潑涼水，殺洋鬼子。」[59]並戕殺永定門外東管村奉教老少男女數百名，焚燒該村。通州的一群美國傳教士逃到使館避難。英國使館住滿了英國難民，其中絕大部分是婦女和兒童。

同日，清政府命令聶士成統領的武衛前軍撤回蘆台營地。此事表明「中國政府有心激勸拳匪，使與西人為難。」[60]竇納樂認為，它意味著「總理衙門聲言可以信賴的唯一的部隊，已經放棄了保衛北京的企圖。」[61]

---

[55] 張蓉初譯：《紅檔雜誌有關中國交涉史料選譯》，第 218 頁。
[56] 胡濱譯：《英國藍皮書有關義和團運動資料選譯》，第 29 頁。
[57] 佚名：《庸擾錄》，見《庚子記事》，第 249 頁。
[58] 《義和團檔案史料》上冊，第 122 頁。
[59] 鹿完天：《庚子北京事變紀略》，《義和團》2，第 398 頁。
[60] 僑析生：《拳匪紀略》卷 7，第 6 頁。
[61] 胡濱譯：《英國藍皮書有關義和團運動資料選譯》，第 31 頁。

9 日清晨，義和團焚燒了京西外國僑民的娛樂場所跑馬場的大看臺，晚些時候襲擊了英國使館的一群學員。通州新城南門外的教堂被焚毀，四鄉村落被擄掠。慈禧自頤和園回宮，命董福祥的軍隊進駐京城。董福祥「宣稱已命義和團充先鋒，剿滅洋人，我軍為之後應。」[62]

下午，竇納樂急電艦隊司令西摩說：「我認為北京的局勢極為嚴重，除非作出安排立即派增援部隊進軍北京，否則援軍就可能來得太遲了。」[63]繼而他把此事告訴了其他公使。法國公使畢盛說，他得到的消息都表明事情的結局將是較有利的。最後決定，在 10 日下午二時以前，不對各國艦隊司令發出電報。竇納樂又將這個決定電告了西摩。但到晚上八點鐘時，竇納樂從可靠的中國方面獲得消息說，「慈禧太后在召見大臣時，公開表示她希望把外國人逐出京城，同時董福祥的部隊只等待發動總進攻的命令」。他認為「危險逼近的跡象至為緊迫，不容許任何拖延。儘管各國使節早些時候作出了延緩採取行動的決定」，他仍向駐天津領事賈禮士發出急電，「請求他立即通知高級海軍軍官說，北京的局勢正每時每刻地變得更加嚴重，必須派部隊登陸，並且為立即進軍北京作出一切安排。這份電報於下午八時半發出，並重發給艦隊司令。」[64]

自此刻起，使館的衛隊「擦其槍管，分段駐守」，出現了「在友誼國之都城而有此舉動，豈不大奇」的局面[65]。

英國海軍艦隊司令西摩在大沽接到竇納樂告急的第一電後，馬上召集各國海軍將領開會，根據事先一致行動的協定，會議決定組成一支聯軍，立即登陸進京，以便「把他們的同胞從生命危險中解救出來」[66]。

---

[62] 柴萼：《庚辛紀事》，《義和團》1，第 306 頁。
[63] 胡濱譯：《英國藍皮書有關義和團運動資料選譯》，第 88 頁。
[64] 胡濱譯：《英國藍皮書有關義和團運動資料選譯》，第 88-89 頁。
[65] 樸笛南姆威爾：《庚子使館被圍記》，《義和團》2，第 214 頁。
[66] 《八國聯軍進北京》，《京津蒙難記》，第 107 頁。

　　10 日，使館與天津之間的電報聯繫中斷。京師的團民「日夜持械，百十為群，揚言奉旨逐殺洋人。董軍入都約千人，其所聲言亦相同。」[67]通州郵政局被焚毀。形勢愈益緊張。夜間，英國使館在西山的別墅被焚。

　　當天，由西摩率領的二千一百餘名聯軍由塘沽抵達天津，然後乘火車向北京進發。

　　由上可知，6 月 10 日以前，不僅義和團焚燒搶掠教堂教民，殺害傳教士，焚燒外國銀行、僑民的娛樂場所和使館的別墅，屢次襲擊在鐵路服務的洋人及其眷屬，援救他們的俄國軍隊，英國使館的實習翻譯生和學員，並在北京公開揚言「掃滅洋人」，「奉旨逐殺洋人」，約期燒毀使館；而且董福祥的甘軍也宣稱「剿滅洋人」，襲擊比利時使館的秘書。清政府雖然曾經下令壓制義和團，聲稱保護使館，但僅限於表面文章。實際情況是義和團已經絡繹不絕地湧進了京城，活動越來越升級。使館本身雖然尚未受到直接圍攻，但使館人員已經受到襲擊，洋人的生命財產屢遭武力侵犯，使館已受到巨大威脅，乃是無法否認的事實。公使們見清政府非但不認真進行保護，反而縱容義和團和清軍士兵燒殺搶掠，深感大禍臨頭，認為現有的衛隊數量過少，無法保證使館和僑民的安全，方才急急做出增調兵力保護的決定。若待使館被圍，受到直接圍攻，那就不是防衛，為時過晚了。

　　如果看一看當時洋人的恐懼心情，對公使們增調衛兵的決定或許就可以理解了。6 月 7 日，一個洋人見北京義和團「幾於到處皆是」，認為「目前事勢，已極危迫。如皇太后再不依照榮相（即榮祿）所言，將團匪立行剿辦，則國中將無太平之時矣。蓋因各處亂事一起，定必不可收拾。現在北省之團匪不下二十餘萬人，虎神營

---

[67] 左原篤介、漚隱輯：《拳亂紀聞》，《義和團》1，第 127 頁。

大軍尚不在內,如或並計在內,則其數愈多矣。目下在京西人及保護使館之兵士,統計只有二千餘人,實不足供該匪等之咀嚼也。」[68] 時隔一日,又一個洋人極其悲哀地寫道:「今日天已黑暗,復聞驚人之消息,彼頑固兇橫之董福祥,率其甘勇重入城中,駐紮於天壇、先農壇前之空地。……使館至此,始大震動,發急電與水師提督,速派援兵,至急至急。但為時已晚矣,真太晚矣!……蓋中國疏懶之政府,今已奮臂而起,不久將冒險來攻,或即將來攻,欲踏予等為肉泥,予等零星之同伴,渺小之衛隊,豈能當其一攻耶?予等至此,應如何悔恨前此信彼之過,如何責備予等之領袖耶!」[69]

顯然,增調衛隊並非為了發動侵略戰爭,而是出於防衛的實際需要,形勢的發展逼得他們不得不如此。袁昶即認為公使們的決定只是為了自衛,奏稱:「各洋公使因匪仇教,畏其凶鋒,情急自衛,現兵祇有四百十餘人,各保性命,是其實情。」他還提到,12 日啟秀等傳懿旨慰問各公使館時,公使們「口稱調洋兵為衛館保命起見,絕不敢干預中國國家公事,匪平無事,即行撤回,指天誓日,其詞決非虛偽。」[70]

3.誰先違反國際公法

在義和團運動中,是列強還是清政府首先違反國際公法?不少論者都認為是列強首先違反,其標誌就是 5 月 31 日派遣衛隊進京。其後的表現則是「開始了所謂的『獵取團民行動』」,及攻陷大沽炮臺等[71]。還有的說:衛隊進京後「又在使館內外肆意橫行,甚至公

---

[68] 左原篤介、漚隱輯:《拳亂紀聞》,《義和團》1,第 124 頁。
[69] 樸笛南姆威爾:《庚子使館被圍記》,《義和團》2,第 215-216 頁。
[70] 《袁昶奏稿》,《義和團》4,第 160 頁。
[71] 子喬:《就義和團運動的一些史實與袁偉時先生商榷》,載 2006 年 1 月 22

然在內城大街上向義和團和中國平民開槍開炮，……率先踐踏國際關係準則的正是外國使館！」[72]

是否如此呢？看看國際公法，即可明白。

「宗教之自由，普通公法之規定也。」[73]駐在國政府負責保護外國僑民的生命財產安全，為國際公法所公認。傳教與保護外國僑民亦載在清政府與各國簽訂的條約之中。侵犯宗教自由和外國僑民的生命財產，即是違反國際公法。而義和團一開始就使用武力焚燒搶掠外國教堂，從 5 月起，又殺害外國傳教士和在中國工作的洋人。

有論者引用美國歷史學家施達格的話說，在「1900 年 5 月 31 日之前，在整個義和團運動中，在中國的任何地方，沒有一個外國人是死在拳民手上的；唯一的一個就是卜克思先生在山東的遇害。」還說：「據施達格研究，1900 年 5 月 29 日～6 月 4 日，發生在河北省（筆者按：時名直隸省，改稱河北省在民國以後）雄縣附近義和團與京保鐵路洋工程師倭松的衝突，是義和團與武裝的歐洲人的第一次衝突，洋人先開槍，義和團從數百人聚集到萬人，對洋人加以追擊，『將洋人追擊上岸，未知存亡。』從這裏我們可以看見義和團殺教士、焚毀教堂、鐵路等的具體原因。」[74]

考察一下史料即可發現，這一論斷有違歷史事實。

第一，5 月 31 日以前被義和團殺害的洋人不止卜克思一個。

卜克思遇害早在 1899 年 12 月 30 日，除他之外，其後還有傳教士被殺死。據調查，1900 年 5 月 12 日，義和團攻打直隸省淶水縣高洛村教堂前，「南高洛教堂席教士，一面為教堂添置洋槍，組

日教育部基礎教育課程教材發展中心網站。

[72] 林華國：《歷史的真相》，第 176 頁，天津古籍出版社，2002 年。

[73] 千賀鶴太郎著，盧弼、黃炳言譯：《國際公法》，第 115 頁。

[74] 張海鵬：《反帝反封建是近代中國歷史的主題》，《中國青年報》2006 年 3 月 1 日「冰點」週刊。

織教民武裝;一面要脅官府派兵鎮壓」。12 日戰鬥時,近百名教民均在「洋教士指揮下」。但在千餘名團民的圍攻燒殺下,教堂內外只有三個教民得以逃脫,「其餘的均葬身火海」[75]。調查資料顯示,席教士死於此次事件,當無疑義。同月 18 日,義和團燒毀直隸省固安縣公村教堂時,又「殺害傳道者二人」[76]。

從 5 月 28 日起,義和團擴大打擊範圍,焚燒襲擊在蘆保鐵路服務的洋人。當天,他們在長辛店附近「與三合莊洋人尋釁」[77],焚毀了他們的住房,「物件被搶」[78],二十多名洋人被迫逃往山中。29 日,焚燒豐台車站及機器局時,又有「法國工程師受傷,比國工程師被圍。」[79]這兩次雖未有洋人斃命,但已造成對洋人的重大傷害。

第二,5 月 31 日義和團與武裝歐洲洋人的衝突並非洋人先開槍。

5 月 29 日,在蘆保鐵路服務的三十六名洋人(包括眷屬)為了避免遭到義和團的殺害,請求清政府地方當局派兵保護,雇船由保定去天津逃難。31 日,行經雄縣小龍王廟,突遇義和團截殺。後來直隸總督裕祿查明,到達天津的共二十九人,內有七人受傷,後又救出三人,其餘四人尚無下落。[80]據其他史料記載,沒有下落的四人均遭殺害:「洋人亡四名」[81],「死者四人」[82]。

關於此次衝突,論者斷言是「洋人先開槍」,雖然聲稱是根據施達格先生的研究,而其所引「將洋人追擊上岸,未知存亡」的史

---

[75] 黎仁凱主編:《直隸義和團調查資料選編》,第 153-154 頁。

[76] 鹿完天:《庚子北京事變紀略》,《義和團》2,第 397 頁。

[77] 《義和團檔案史料》上冊,第 108 頁。

[78] 林學瑊:《直東剿匪電存》卷 3,第 18 頁。

[79] 左原篤介、漚隱輯:《拳亂紀聞》,《義和團》1,第 115 頁。

[80] 《義和團檔案史料》上冊,第 116-117 頁。

[81] 劉春堂:《畿南濟變紀略》,《義和團史料》上,第 309 頁。

[82] 左原篤介、漚隱輯:《拳亂紀聞》,《義和團》1,第 118 頁。

料，則注明為 1900 年 6 月 2 日廷傑、廷雍等《致裕祿電》。事實如何，查閱原電便知。

查該電原文為：「自鐵路停輪，洋工司倭松等三十餘人急欲赴津，遂於本月初二日（5 月 29 日）雇民船十一隻，派護局馬勇十四名、步勇八名保護前進，孫道鍾祥親送至安州，回顧局務。茲於初五日（6 月 1 日）據去勇王得功等回稱，初四日（5 月 31 日）午前行至雄縣小龍廟莊，突遇拳匪數百名，隊與洋人均開槍抵敵，無如匪行陸贖（續）聚至萬餘，將洋人追趕上岸，未知存亡。伊等鳧水得生，計逃出步隊六名，馬隊四名，餘無下落。」[83]

電報中提到的王得功，是被派前往保護洋人逃難的兵勇，他回來稟報時說得明明白白：「突遇拳匪數百名，隊與洋人均開槍抵敵」。「抵敵」者，遇到敵人武力攻擊，起而抵抗之謂也。事情再清楚不過，是義和團首先開槍，而後才有護勇和洋人「開槍抵敵」。

與此同時，道員孫鍾祥也有電致裕祿，他在電中說得更明確：「據受傷弁兵回稟，撐船至任邱屬小龍王廟村，陡見拳匪擁至，約有萬餘人，攔截河岸，施放抬槍，致將船頭擊毀。該弁兵及洋人均開槍回擊，奈眾寡不敵，洋人男女共三十餘人，均赴水逃避，弁勇搶護，多受重傷及落水者，洋人全數存亡，至今未得確信。」[84]

裕錄在致總理衙門電中亦講得極為明確無誤：「據兩司（即廷傑、廷雍）及鐵路局孫道（即孫鍾祥）電報：盧保鐵路洋工司倭松等三十餘人自保定雇民船十一隻回津，由省撥隊護送，初四午前行至雄縣小龍王莊，突遇拳匪多人攔截河岸，施放抬槍，將船頭擊壞，弁兵眾寡不敵，洋人男女均上岸逃避，未知下落。」[85]

---

[83] 林學瑊：《直東剿匪電存》卷 3，第 45 頁。
[84] 林學瑊：《直東剿匪電存》卷 3，第 47 頁。
[85] 林學瑊：《直東剿匪電存》卷 3，第 43 頁。

　　上述三電，無論其中的哪一電，都清楚地證明：5 月 31 日小龍王廟的衝突事件，是義和團首先向洋人「施放抬槍」。

　　對於如此一件再簡單明白不過的事，論者卻一口咬定是「洋人先開槍」。若說不理解「抵敵」二字是何意思，寫論文不知引用最為關鍵的資料，那是對論者的莫大侮辱。而論者恰恰將判別誰先開槍的最為關鍵的「隊與洋人均開槍抵敵」一語棄而不引，卻又十分武斷地斷言「洋人先開槍」，將首先開槍的罪名加在洋人頭上，自然不是由於疏忽大意。對此唯一的解釋只能是：故作曲筆，掩蓋歷史真相，用以證明「義和團殺教士、焚毀教堂、鐵路等」完全正義。論者在同文中曾非常嚴肅而正確地指出：「歷史不是可以任意打扮的姑娘」；「如果不尊重歷史事實，對歷史事實、歷史過程作任意的解釋，那就是歷史唯心主義」。不知論者的上述做法是何主義？

　　義和團使用武力焚燒搶掠外國教堂，殺害襲擊外國傳教士和在中國工作的洋人，都是違反國際公法的行為。

　　依照國際公法和慣例，對使館人員和外國僑民，駐在國必須認真保護，這既是駐在國的責任，也是各國政府應盡的互相尊重的義務。一國因故意或過失侵害他國的國際公法或條約權利，即為國際侵權行為。對於這種行為，國家必須負直接責任。凡政府機關、官吏和人民在國家命令或特許下侵害他國合法權利的行為，國家也要負直接責任。如政府機關、官吏、人民侵害他國權利的行為不是出於國家的命令或特許，國家只負間接責任。但國家必須給受害者以應有的救護，並懲罰犯人。如果不履行，則國家所負的間接責任便成為直接責任。對於暴徒使用武力侵害外國人的行為，「國家有特別防止的義務。所以它如果未盡力防止，或其官吏與軍警參加或協助暴行，或坐視這種暴行發生，它的責任就很顯然。」[86]

---

[86] 崔書琴：《國際法》上冊，第 247 頁，商務印書館，1944 年。

　　義和團違反國際公法的行為雖然不是清政府指令幹的，並非國家行為；然而按照國際公法，作為有權管轄本國人民的清政府，既沒有採取有效措施保護外國人，亦不懲罰使用武力焚掠教堂和傷害外國人的義和團，就要對義和團的非法行為承擔直接責任。就是說，清政府沒有盡到保護使館人員和外國僑民生命財產安全的責任和義務，同樣是違反了國際公法。由此可見，首先違反國際法的是清政府。說 5 月 31 日外國衛隊進京、違反國際法在前，不能成立。

　　6 月 10 日之後，北京為何出現空前未有的動亂？有的論者說：「義和團在北京和各地殺傳教士，焚毀教堂、破壞鐵路和電線桿以及部分人的搶劫行為，都是在這批外國士兵進京以後發生的」，「洋兵入京是事變變得更加複雜和動亂的根源」。[87]

　　此論亦與事實不符。洋兵是在 5 月 31 日晚上七點鐘抵達北京的。而義和團在 5 月 27 日就開始了大規模地毀壞鐵路、電線，接著焚燒襲擊在鐵路服務的數十名洋人。即使 5 月 31 日截殺三十六名洋人，也是在上午，洋兵由天津出發進京之前。此時北京尚未出現大規模的動亂，那是因為義和團尚未進京的緣故。但至 6 月 4 日，慈禧、載漪和軍機大臣剛毅、趙舒翹、啟秀等，「皆以義和拳忠於中國，誠使分界利器，加之以精練，便成勁旅，可禦外兵」，「決計不剿」。於是義和團「如青蛙之亂躍於水田，都中入會之徒，日以百計，毫無顧忌，跳刀拍張。」[88]次日慈禧派趙舒翹和新任都察院左都御史何乃瑩前往涿州曉諭義和團解散，而何乃瑩到後對義和團首領說：「『爾等皆義民，……異日朝廷征服東西洋，必用汝為先驅。』皆撫掌大笑而散。」[89]其後剛毅前往涿州一帶與趙舒翹、何

[87] 張海鵬：《反帝反封建是近代中國歷史的主題》，《中國青年報》2006 年 3 月 1 日「冰點」週刊。

[88] 徐緒典主編：《義和團運動時期報刊資料選編》，第 233 頁。

[89] 胡思敬：《驢背集》，《義和團》2，第 485 頁。

乃瑩相遇後，「力言拳民可恃」[90]。在他們庇縱之下，加以「深信義和團為中國義民」[91]的載漪、載瀾指令打開城門，團民才得以從 6 月 7 日起陸續大批入京，12 日就開始焚燒教堂，13 日掀起更大規模的動亂。如果沒有清政府縱容慫恿，不開城門，便沒有大批團民進京，不會出現大規模的動亂。可見使「事變變得更加複雜和動亂的根源」，不在於洋兵入京，而在於清政府縱容慫恿。

那麼，如何認識 6 月 11 日以後洋人的「獵取團民行動」呢？

第一，應當看到，在洋人的「獵取團民行動」之前，套用這句話說，義和團和清軍士兵已經進行了整整一個月的「獵取洋人行動」（5 月 12 日至 6 月 12 日），即上面所舉一系列事實。而洋人開始「獵取團民行動」則在 6 月 13 日。有的論者以普特南威爾的日記為準，認為 6 月 12 日德國公使克林德(Klemens Freiherrvon Ketteler)主動襲擊路過使館區的兩個團民就已開始，不見得準確。因為記為 12 日的只有普特南威爾一人，記為 13 日的卻不僅有如論者所說的石濤山人，還有僑析生、袁昶，以及在外國教堂任職的鹿完天、英國公使竇納樂，普特南威爾將日期記錯很有可能。即使假定他記為 12 日沒有錯誤，也要作具體分析。這兩天義和團已經大批湧入京師，焚燒教堂，揚言「燒洋館」；董福祥的士兵擊斃了日本使館書記生杉山彬，傍晚又襲擊了幾名從車站回城的英國人。在這種最為緊張最為敏感的時刻，兩個團民竟「手執一刀」，乘車闖進使館街「狂馳」[92]，意欲何為，無法不令人生疑。克林德見他們手執兇器，當然以為他要行兇殺人，所以才舉杖襲擊，打跑一人，逮捕一人，交付衛隊。僅就此事而言，事出有因，也談不上多大罪過。13 日，義和團陡然在京城到處焚燒外國人經營的電報局、洋行和教堂。喧

---

[90] 柴萼：《庚辛紀事》，《義和團》1，第 306 頁。

[91] 佚名：《庸擾錄》，見《庚子記事》，第 249 頁。

[92] 樸笛南姆威爾：《庚子使館被圍記》，《義和團》2，第 218 頁。

嚷「燒盡洋樓使館，滅盡洋人、教民，以興清朝。」[93]教民及洋人雇用的中國人被害者達數百人。並「攻東交民巷使館」[94]，「縱火焚燒」[95]。有的論者將圍攻使館的日期定為 20 日，那是指清政府的正式命令，實際上攻擊從這天就開始了。「若值非常之際，必特別警衛外國公使館。刑法上對於加害者，必嚴重處罰。」[96]「苟疏於警察，怠於處罰，則該當政府對於被害國，不可不任違背普通公法之責。」[97]清政府不加保護，又一次嚴重違反了國際公法。洋人為了保衛使館，從此才開始了「獵取團民行動」。就是說，是義和團和清軍士兵「獵取洋人行動」在前，洋人「獵取團民行動」在後。沒有前者，即無後者，這是歷史事實。論者對洋人所表現出來的義憤是可以理解的，但顯然只注意到了這一方面，忽視了另一方面，這就在無形中掩蓋了兩者出現的先後次序和因果關係。有些論者說是列強肆虐挑釁行為升級導致了戰爭，也是忽視了這些事實。

第二，既然清政府慫恿義和團、違反國際公法在先，使館和外僑人員受到極其嚴重的武力威脅，外國就有理由合法行使自衛權，進行正當之干涉。這既不違犯國際公法，也不是發動侵略戰爭，而是維護國際公法的宗旨。尤其值得注意的是，依照國際公法，合法行使自衛的「『必要性』並不要求自衛方將其行為僅限於擊退進攻；一國還可以在自衛中使用武力清除對未來安全的持續性威脅。『對稱性』沒有要求所使用的武力僅是所遭襲擊的簡單翻版，也沒有要求自衛行動只能局限於某一特定區域。」[98]據此可知，聯軍在合法行使權利時，可以「使用武力清除對未來安全的持續性威脅」。就

---

[93] 仲芳氏：《庚子記事》，見《庚子記事》，第 12 頁。
[94] 僑析生：《拳匪紀略》卷 7，第 1 頁。
[95] 左原篤介、漚隱輯：《拳亂紀聞》，《義和團》1，第 132 頁。
[96] 千賀鶴太郎著，盧弼、黃炳言譯：《國際公法》，第 321 頁。
[97] 千賀鶴太郎著，盧弼、黃炳言譯：《國際公法》，第 122 頁。
[98] 伯根索爾、墨菲合著，黎作恒譯：《國際公法》，第 226-227 頁。

是說，凡是對使館和外國僑民構成持續性威脅的，不論在什麼區域，不論是對在京城大肆焚殺攻擊使館的義和團開槍開炮，「凡見路旁黑影，即開槍擊之」[99]，還是聯軍對阻礙其前進的清軍與義和團進行攻擊，包括奪取大沽炮臺的行動在內，均屬於合法行使自衛權利，行為正當，不違反國際公法。

聯軍奪取大沽炮臺，是在特定條件下發生的。6 月 13 日，清廷命令直隸總督裕祿實力禁阻使館衛隊繼續進京，聶士成和羅榮光加強防務。而同日天津的義和團就焚燒教堂，進攻租界；進京的第二批衛隊在廊坊繼續遭到義和團阻擊。14 日和 15 日，義和團仍在攻打使館，並開始圍攻西什庫教堂。清軍「在北京城外築造土壘，嚴加防堵，以阻西兵入京。又將炮位對準美國教堂及英使館安放。」[100]清政府此時雖未正式下令圍攻使館，實際上使館已被攻打，其危險程度不言而喻。16 日，儘管慈禧下令保護各國使館，但所派之兵，「率皆老弱癖煙，畏匪如虎，且多有為匪之黨羽者」[101]，根本起不了保護作用，不能將其視為切實有效的措施。

正是在這種情勢之下，大沽的各國海軍將領開會議定：「自從動亂開始以來，聯軍各國已經派遣分隊登陸，以保護其僑民及外交使團，對付通稱義和團的叛亂，並未受到阻擋。起初，清朝當局似乎還瞭解到他們的義務，並做出明顯的努力，企圖恢復秩序。但是，現在他們調集軍隊到鐵路線上，並且在白河口佈雷，明顯地表現了對外國人的敵人的同情，此種行動表明清政府已忘記其對外國人的莊嚴協定。由於聯軍各國司令官有必要和登陸的分隊保持經常的聯繫，他們決定通過協商或武力暫時佔領大沽炮臺，規定將炮臺交付聯軍的最後期限為 17 日上午 2 時整，並將此項決定通知駐津總督

---

[99] 樸笛南姆威爾：《庚子使館被圍記》，《義和團》2，第 222 頁。

[100] 左原篤介、泗隱輯：《拳亂紀聞》，《義和團》1，第 133-134 頁。

[101] 佚名：《庸擾錄》，見《庚子記事》，第 248 頁。

和炮臺司令官。」[102]之後，前去會見大沽守將提督羅榮光，對他說：「現時拳匪跋扈，官不能禁，兵不能遏，仇教仇洋，明目張膽撲犯租界，倘有疏虞，非僅外人之咎。今擬假道，俾輪船駛進，並望讓給南北炮臺，由余等代守，遣兵登岸，保護租界。」[103]羅榮光當即嚴詞拒絕。協商假道不成，聯軍遂於 17 日武力奪取大沽炮臺。清軍也開始炮擊天津租界。聯軍索要大沽炮臺的目的，各國海軍將領對羅榮光講得很清楚。關於聯軍進京的目的，各國海軍將領貼出的告示寫得亦極明白：「目下北省團匪作亂，各國之所以調兵進京者，不過為救援各國人民起見，並非另有他意。茲當拔隊進京，如有團匪或中國人民敢於阻禦者，定當痛加攻擊；苟不阻拒，亦斷不侵犯地方。」[104]他們進京「不過為救援各國人民起見」，只要不加「阻禦」，「斷不侵犯地方」，並非想侵略和瓜分中國。因此，將八國聯軍進京和大沽之戰視為武裝侵華戰爭是不妥的。前提既然不對，認為抵抗聯軍是完全正義的鬥爭，也就失去了依據。

1894 年和 1898 年列強兩次派兵保護使館，均以事後撤回，和平結束而告終。此次八國聯軍進京保護使館卻演變為中國與列強一次實際上的戰爭（列強始終未宣佈對中國作戰，清政府也未明確對列強宣佈作戰），究竟哪一方應負挑起釁端的主要責任？

與以往的鴉片戰爭、甲午戰爭皆由列強蓄意挑釁不同，1900 年列強皆無意以武力侵華。對於義和團運動，它們最初一直期望清政府鎮壓下去，保障外國人的生命財產安全，沒有直接出兵干涉和調兵保護使館的意圖。倘若清政府在 5 月 28 日以前採取堅決有力的措施取締義和團，而不是縱容其使用武力燒殺搶掠教堂，殺害傳教士，首先違反國際公法，便沒有列強要求調集衛隊保護使館之

---

[102] 《八國聯軍進北京》，《京津蒙難記》，第 128 頁。
[103] 僑析生：《拳匪紀略》卷 1，第 8 頁。
[104] 左原篤介、溫隱輯：《八國聯軍志》，《義和團》3，第 184 頁。

事。倘若沒有清政府縱容義和團和清軍士兵使用武力襲擊殺害洋
人，便沒有公使們的第二次增調衛隊進京。倘若沒有清政府開放城
門，便沒有大批義和團擁入京城，造成極度的動亂和對使館的嚴重
威脅。倘若沒有清政府拒絕第二次進京保護使館的聯軍進京，沒有
義和團進攻聯軍、天津租界和北京使館，便不會有大沽之戰及以後
的戰事發生。總而言之，正因清政府首先違反國際公法，迫使聯軍
「使用武力清除對未來安全的持續性威脅」，對阻撓其前進的清軍
和義和團進行攻擊，這才由僅僅為保護使館的防衛行動演變為實際
上的一次戰爭。所以說，挑起戰爭釁端、造成庚子動亂的主要責任，
應由清政府承擔，不是列強調兵保護使館之過。正如《新聞報》所
說：「自團匪仇殺外人，而各國有調兵之舉；自使館坐困，而各國
有大沽之役。在各國政府，亦以為此乃萬不得已之舉動，大沽領袖
提督宣示之用兵宗旨可證也。……春秋之義，不戮行人，使臣之
責，代將君命，使臣被困，而各國用全力以救之，不能責其為不
應。」[105]

　　按照國際公法，「若使節尚未出國境，兩國已開戰端，尤不可
不保護使節歸國，或與以保身狀，使安全通過戰場。若終任之使節
曾于駐紮國犯罪負債，亦不得阻其歸途。」[106] 6月20清政府下令
清軍與義和團圍攻使館，更是不折不扣、明目張膽的國際侵權行為。

　　按照「侵略論」和「滅洋」有理論的邏輯和觀點，攻打各國駐
華使館，甚至殺光使館人員都是應該的、正義的。因為使館也是列
強侵略的產物，公使及使館人員更是代表列強意志行事的，是列強
侵略政策的具體執行者。可是卻無人敢於理直氣壯地承認這一點。
此亦說明「侵略論」和「滅洋」有理論難以自圓其說。

---

[105] 《息禍篇》，《義和團》4，第178頁。
[106] 千賀鶴太郎著，盧弼、黃炳言譯：《國際公法》，第333頁。

　　關於克林德被殺一事，有的論者說：「當克林德行至東單牌樓時，適值神機營霆字槍隊章京恩海率隊巡街，『見洋人乘轎而來，亟讓在北首高處立住，取槍對準橋子，將發，而公使先在轎中開手槍，恩海讓過敵彈，即發一槍』，擊斃克林德」。「對克林德之死不能簡單地定性為享有豁免權的外交官被殺。因為他的行為早已背離了其外交使命，多次無故槍殺和綁架中國人民，變成了屠殺中國人民的罪犯。而這一次又是在他首先動手開槍殺人的情況下，被恩海還擊喪命，這在法律上是不難找到解釋條文的。」[107]

　　此論欠妥。從法律上看，國際公法規定，使節在駐在國享有不可侵犯權和豁免權。「就刑事而論，外交官不服從駐紮國之司法權。假令自甘服從，亦為公法所不許，僅能就其自身犯罪於本國法庭受審判耳。當其於駐紮國犯罪之時，駐紮國政府先通知本國政府，請求召還本人，處以刑罰，或因時宜給付旅券於本人，使之歸國。若其犯罪之性質對於駐紮國為國事犯者，或先逮捕本人，仍與本國協議之後，護送移交於本國，此時駐紮國之法庭不得加之以罰。」[108]「駐紮國對於使節之身體、居住、舟車、所持品，不得行警察權，即使節故意違犯警察規則，警官亦不得拘引而訊問之。但故意屢犯者，得通知本國政府，請求召還。若犯殺人放火重大之罪時，警官得強制遮止之；但既犯之後，警官對於使節亦不能有如何舉動也。」[109]照此規定，公使即使犯有殺人重大罪行，但因享有豁免權，駐在國政府亦僅能逮捕，移交本國政府審判，無權傷害，更不用說個人。恩海開槍打死克林德無疑違反了國際公法，肯定其槍殺的正當性，在國際公法中是找不到根據的。清政府沒有盡到保護的責任與義務，對恩海又不嚴加懲處，同樣違反了國際公法。

[107] 李德征等：《八國聯軍侵華史》，第 97 頁，山東大學出版社，1990 年。
[108] 千賀鶴太郎著，盧弼、黃炳言譯：《國際公法》，第 322-323 頁。
[109] 千賀鶴太郎著，盧弼、黃炳言譯：《國際公法》，第 323 頁。

從事實上看，對克林德被殺一事的記述不一，迄無定論。依論者所說，是恩海先「取槍對準轎子，將發」，也就是有了殺人的動機並開始了實際行動，犯罪在先，而後才有克林德看見身處危險，發槍自衛，但未打著恩海。而恩海還是開槍將其擊斃。後來的德國公使穆默審訊恩海，恩海供稱，「戕害克使係端王傳令所為」[110]。兩相印證，更能說明恩海是蓄意殺人。將罪責完全歸於克林德有失公允。至於說克林德「多次無故槍殺和綁架中國人民，變成了屠殺中國人民的罪犯」，乃是團民大肆焚燒教堂、洋樓、洋行，襲擊洋人，攻打使館，成為違反國際公法的罪犯之後的事，他是在合法行使自衛權，不是無故殺害。

（二）關於愛國諸問題

1.愛國之道

自鴉片戰爭至十九世紀末，列強數次武力侵略中國，清政府被迫簽訂不平等條約，割地賠款。面對列強的欺凌，稍有人心的中國人，誰不知恥？誰不知憤？誰不願反對列強侵略，報仇雪恨，維護國家主權和民族獨立？若以主觀動機而論，除了極少數甘當洋奴的漢奸，可以說人人皆是愛國者。

雖然如此，不同的階級、政治派別、團體和個人的愛國觀念和具體內容並不一樣，有的利於國家，有的可能適得其反。判斷愛國，不能僅僅看是否具備愛國的主觀動機，最主要的應看其言行是否有利於國家。平時（不包括抵禦外敵武裝侵略的特殊情況）衡量愛國

---

[110] 《義和團檔案史料》下冊，第894頁。

言行是否有利於國家，至少有三點必不可少。第一，其主張和辦法能否使國家富強。只有國家富強了，才能夠戰勝外來的武裝侵略，維護國家主權和民族獨立，廢除不平等條約，使洋教士遵守中國的法律，不敢為非作歹，壞教民不敢為虎作倀，欺壓人民。如果其主張和辦法使國家愈貧愈弱，更無力維護國家主權和民族獨立，就不是真正的愛國。第二，國家利益至上，言行必須以國家民族利益為重，以大局為重，當個人利益與國家民族利益衝突時，必須犧牲個人利益，維護國家民族利益，絕對不能因為發洩個人的私憤私怨私恨而使國家民族利益蒙受重大損失。做不到這一點，也談不到真正的愛國。第三，當國家民族被迫不得不做出犧牲時，必須千方百計使之減少損失，而不是相反。

愛國自有其道，必須嚴加區別，分清真愛國與假愛國。在諸多的愛國觀中，資產階級改革派和革命派以及某些官員都反對打洋教，主張自強。早在1878年9月，出使英國大臣曾紀澤在觀見慈禧太后時就說過：「中國臣民常恨洋人，不消說了，但須徐圖自強，乃能有濟。斷非毀一教堂，殺一洋人，便算報仇雪恥。現在中國人多不明此理。」[111]二十年之後出使美國大臣伍廷芳奏道：「我欲圖存，惟在自強，自強之要，先在內治，內治既定，外侮無自而啟。」[112]資產階級有識之士亦不斷指出，必須學習日本，變法自強。「夫為人臣子，見己國之不若人，事事為人所制，而思有以強其國，而思有以張其勢，其心非不忠，其名非不美。然必我之內政修，民志孚，實有其自強之本，而後可以勝人。若使內政不修，民志不孚，徒挾其虛驕之氣，逞其謬妄之思，冀以無實之大言，恫喝外人，則非徒

[111] 轉見劉泱泱：《近代湖南紳士與教案》，《義和團運動與近代中國社會討論會論文集》，第505頁。
[112] 國家檔案局明清檔案館編：《戊戌變法檔案史料》，第33頁，中華書局，1958年。

無益，且有大損。」[113]謀國者欲有所振作，「惟宜求進化以開民智，變法以立國憲，……近比日本，是其前例。」[114]他們提出，戰時當敵愾同仇，和時當講信修睦。要深謀遠慮，臥薪嚐膽，陰圖自強，聯合群力，變敝政，興新法，破忌諱，起痼痍，以為恢復之計。振興學校，以勵人材；整飭武備，增強國勢；務材訓農，通商惠工，挽回利權，開關地利。總之，力圖強固根本，不在逞一朝之忿，求一時之快。

國與國之間的競爭，依靠的是實力，落後就要挨打。十九世紀的中國在世界上處於劣勢，無力與列強對抗。要避免侵略，廢除不平等條約，首要的是使國家富強。要使國家富強，就應儘量避免與列強發生武裝衝突，利用和平環境，上下齊心，順應世界歷史潮流，努力學習西方，效法日本，師人之長，棄己之短，在各個領域實行改革，用先進的資本主義制度取代腐朽落後的封建制度，大力發展資本主義經濟和科技文化。國力大大增強以後，列強自然不敢輕侮，甚至可以與列強並駕齊驅。資產階級改革派和革命派要的是一個進步富強的中國，其主張可以說是當時唯一正確的愛國之道。這樣說決不等於外敵侵入時不加抵抗，亦不等於洋人欺凌時不進行抗爭，而是說處理問題應當從國家大局著想，把國家利益放置首位，講究鬥爭策略，做到有理有利有節，不要因小失大，小不忍則亂大謀。

封建頑固守舊派極其痛恨洋人，以把一切洋人驅逐出去為最快人意，以閉關絕市為復見太平，誰也不否認他們有愛國的良好動機。但他們「不究己之所以弱，而惡人之強，不求人之所以勝，而諱己之敗」，「力有未逮，則務為大言以快之；憤無所泄，則多作醜

[113] 《殲厥渠魁說申議》，《義和團》4，第184頁。
[114] 《論剛毅三大罪》，《義和團》4，第198頁。

詞以詆之；又親見爭戰之事，利鈍立見，恥相師法，則頗冀神怪。」[115]墨守成規，不知進取，惟以大言不慚為能事。他們的愛國觀依然是「華夷之辨」、「夷夏之大防」之類的陳詞濫調。按照他們的辦法，國家非但不會富強，反而會愈加貧弱，愈受列強侵略欺凌，其所謂的愛國並非真正的愛國，而是誤國。

打洋教的起因往往極為細微，但一些群眾置國家民族利益於不顧，逞其私憤，焚毀教堂，打殺教士、教民，掠奪財產。結果非但沒有達到「滅洋」的目的，沒有起到洗雪國恥的作用，反而使洋人得到藉口，要求懲凶賠款，甚至出兵強佔領土，禍及桑梓，貽害國家。此種行為對國家民族只有害處而無益處，同樣談不上真愛國。

真正體現義和團「反帝愛國」精神的是打洋教，抗擊聯軍並不在其預料之中。他們既無科學的反帝思想，亦無正確的愛國觀念，思想與封建頑固守舊派一樣，也是「華夷之辨」之類的陳詞濫調。他們違背歷史發展規律，企圖消滅一切資本主義的先進事物，非但無助於國家獨立富強和社會進步，反而成為國家社會前進的阻力。按照他們的辦法，只能使國家退回到完全閉關自守的年代，永遠愚昧落後，根本談不上真正的愛國。鄒容就說過：「野蠻排外的辦法全沒有規矩宗旨，忽然聚集數千百人，焚毀幾座教堂，殺幾個教士教民，以及遊歷的洋員，通商的洋商，就算能事盡了。洋兵一到，一哄走了，割地賠款，一概不管。……若是單逞著意氣，野蠻排外，也可使得。若是有愛國的心腸，這野蠻排外，斷斷不可行的。」[116]何況是在「滅洋」的口號之下，幹著肆意殺戮破壞、掠奪財富的罪惡勾當，引起列強干涉，使國家民族蒙受巨禍！他們貌似愛國，實乃禍國。

---

[115] 《論近日致禍之由》，《義和團》4，第182頁。
[116] 陳天華：《警世鐘》，中國史學會主編：《辛亥革命》2，第134頁，上海人民出版社，1957年。

275

舊的民族感情拒絕一切先進的東西，單純地強調民族感情而不區分是否有利於國家；只看到義和團虛假的「滅洋」動機，忽視其「滅洋」的實際內容，勢必得出具有高度愛國主義精神的錯誤結論。

2.要不要信守條約

談到愛國，還涉及到一個如何對待帝國主義與清政府簽訂的不平等條約問題。

有論者認為，對於帝國主義以武力強加於中國人民頭上的不平等條約，中國人民完全有權反對，有權要求廢除，不存在違約與不違約的問題。如果按照所謂「信守條約」的說法，中國只有永遠淪為帝國主義的半殖民地、殖民地，中國人民永遠遭受帝國主義的奴役不得翻身。這是一切還有民族良知的人都會懂得的道理。

對於不平等條約，說中國人民完全有權反對，有權要求廢除，十分正確，因為每個國民都有對國家大事表達自己意見的權利和自由。但違約與否則是另一回事，若說不存在違約與不違約的問題，值得討論。

第一，1969 年 5 月 23 日《維也納條約法公約》第五十一條規定：「一國同意承受約束之表示係以行為或威脅對其代表所施之強迫而取得者，應無法律效果。」[117]然而這個規定只適用於此後簽訂的條約，不適用於此前業已簽訂的條約。

此前歷史上國與國之間簽訂條約，無論其性質如何，都是合法的。例如，1945 年 2 月蘇、美、英三國政府首腦秘密簽訂的《雅爾達協定》，規定在歐洲戰爭結束後兩三個月內蘇聯對日作戰，其條件包括：維持外蒙古（蒙古人民共和國）的現狀；大連商港國際

---

[117] 轉見端木正主編：《國際法》，第 327 頁，北京大學出版社，1997 年。

化；蘇聯租用旅順口為海軍基地；中蘇共同經營中長鐵路；千島群島須交給蘇聯；蘇聯要和中國國民黨政府簽訂友好同盟條約。其後蘇聯即與國民黨政府簽訂了《中蘇友好同盟條約》，主要內容就是《雅爾達協定》規定的條款。《雅爾達協定》是蘇、美、英三國背著中國政府簽訂的，嚴重地損害了中國的主權和利益，對於中國來說，完全是非法的，不平等的。據此簽訂的《中蘇友好同盟條約》，當然也是個不平等條約。但在中華人民共和國成立之後的 1949 年 12 月，毛澤東前往蘇聯同史達林會談《中蘇友好同盟條約》問題時，致電劉少奇說：「關於條約問題，史達林說，因為雅爾達協議的緣故，目前不宜改變原有中蘇條約的合法性。如果改變原有的，重訂新的，就會牽連到千島群島的問題，美國人就有理由要拿走千島群島。……我說，照顧雅爾達協議的合法性是必要的。惟中國社會輿論有一種感想，認為原條約是和國民黨訂的，國民黨既然倒了，原條約就似乎失了存在的意義。」[118]在此，史達林談到了《中蘇友好同盟條約》的「合法性」，毛澤東談到要照顧《雅爾達協定》的「合法性」，對於《中蘇友好同盟條約》，他雖說因為國民黨業已倒臺，失去了存在的意義，亦未否認其合法性。所以不能因從現代國際法的觀點來看是非法的，就認為列強與清政府簽訂的不平等條約是無效的，可以不必遵守。

第二，國與國之間要講誠信。孔夫子云：「人而無信，不知其可也。」過去私人之間訂立契約總有「空口無憑，立字為據」的話，就是為了防止事後反悔。既立字據，就得遵守，想不承認也不行，打起官司必定敗訴。國與國之間簽訂的條約更是如此。國際間簽訂條約的目的，就是確定條約在當事國之間產生法律效力以及相互關

---

[118] 轉見逢先知、金沖及主編：《毛澤東傳》上冊，第 36 頁，中央文獻出版社，2003 年。

係中的權利和義務，並相約遵守這一行為準則。國際法理論與實踐
一致公認條約具有拘束力，要求締約國履行條約所載的義務。條約
必須遵守是一個很古老的原則，「無論哪一歷史時期，也不論什麼
學派，都一致承認條約必須遵守。」[119]因此，不論簽訂的條約被迫
與否，平等與否，如果事先不打算信守，就不要簽訂。既經正式簽
訂，就必須信守，善意履行，不能出爾反爾，不講信用，故意違約，
失信於人。

第三，清政府代表國家行使權力，在國際上是唯一合法的國家
代表，也是國際條約的簽訂者和執行者。作為國民，對簽訂的條約
儘管可以進行激烈的反對和批評，要求改正和廢除，但卻無權否認
國家簽訂條約的合法性，也否認不了。

第四，對於清政府與列強簽訂的不平等條約，當然不是說要永
遠信守，被帝國主義奴役下去，每一個有民族良知的人確實都懂得
這個道理。問題不在於此，而在於能否不信守，不信守對國家和人
民有利還是有害。今天我們局外人不當其時，不在其位，說說違約
無所謂，這畢竟是個學術問題，無論正確與否，都不會給國家和人
民造成直接損害；而對當時的國家和人民來說，卻是一個非常嚴重
的現實問題。如果清政府能夠戰勝一切列強，事情極為簡單，宣佈
廢除即可，甚至可以迫使列強簽訂有利於中國的條約。可是清政府
沒有戰勝列強的實力，不信守，列強以武力脅迫怎麼辦？僅靠豪氣
干雲的「打倒一切帝國主義」的空口號是嚇不倒列強的。真正與列
強開戰，中國必敗，敗後加在國家與人民身上的枷鎖會更沉重。探
討這個問題，應從現實即當時的國力出發，權衡利弊得失，不能單
純從民族感情上著想。如果違約給國家和人民帶來更大的損害，還
是以信守條約為好。「倘不遵守，則戰爭定無了期，必至被敵征服，

[119] 端木正主編：《國際法》，第318頁。

盡滅而後已焉」。「不能因利害迥異而廢也，雖曾被逼，猶必謹守為是。」[120]此說是有道理的。

或曰：清政府腐敗反動，人民有權不遵守它與列強簽訂的條約。然而，國際公法只承認國家為組成國際社會的單位，不承認國家所轄的地方政府和人民。所以如果地方政府和人民有破壞條約的行為，清政府應對違約後果承擔法律責任。譬如某些群眾或團體破壞了條約，清政府不加處理，列強就要找清政府算賬，受到損害的歸根到底還是國家與人民。即使推翻了清政府，像辛亥革命那樣，如果沒有強大的實力足以戰勝列強，仍得承認清政府與列強簽訂的一切條約繼續有效，孫中山在中華民國成立時就是這樣宣佈的。其後的北洋政府亦然。所以，不能不考慮國家實力，不能拋開國家與人民的現實利益於不顧，把事情看得太容易了。

3.該不該反抗

帝國主義侵略壓迫中國人民，中國人民起來反抗鬥爭完全正義。但有一個問題值得研究，即在無力戰勝敵人的條件下，該不該進行武力反抗。

有一種觀點認為，改良派主張要反帝只有在中國強盛以後，說具備了「自強之本，而後可以勝人」。這在實際上是取消殖民地、半殖民地人民的反侵略、壓迫的鬥爭。

反抗列強侵略絕對應該，但不能只強調武力反抗的一面，而不講究鬥爭形式和策略，不計給國家人民帶來的後果。反抗有種種形式，戰爭的，和平的，流血的，不流血的，利用何種形式和策略應視具體情況而定，並非只有使用武力才叫反抗，亦非只有武力反抗

---

[120] 丁韙良譯：《萬國公法》卷 3，第 12 頁。

才有利於國家人民。當外國進行武裝侵略時，中國軍民當然要拿起武器作殊死鬥爭；然而在和平時期發生的一些事情，例如某個傳教士干預詞訟，支持教民欺壓平民，就不宜使用暴力手段將其從肉體上加以消滅，而應通過外交折衝等途徑獲得正當解決，否則會給國家人民造成嚴重後果，得不償失，為智者所不取。採用非暴力手段進行鬥爭，也是一種反抗，而且是和平時期通常採用的形式，將此視為取消反抗，顯然不妥。

更主要的是，反抗有聰明和愚蠢之分，不是為反抗而反抗，只要運動，不要目的。戰爭的原則是消滅敵人，保存自己，而不是相反。「君子報仇，十年不晚」和千古傳為佳話、家喻戶曉的越王勾踐臥薪嘗膽的故事，說的都是一個最普通最淺顯的真理：報仇雪恥首先要考慮自己有無實力，不在一時的義憤，只有具備實力時才毅然行動，決不貿然為之。自古以來聰明者莫不如此。反抗帝國主義侵略壓迫同樣需要積蓄實力，謀求國家富強，提高國民素質，即具備「自強之本」。積蓄實力並非「取消反侵略、壓迫的鬥爭」，而是為反抗侵略壓迫做切實有效的準備。實力相差過於懸殊，武力反抗只能被人家消滅，被人家消滅了何能再反侵略壓迫？義和團反抗的結果再清楚不過地表明了這一點。明知不可為而為之，非愚則妄。匹夫之勇、血氣之勇、逞強鬥狠、魯莽行為，從來不值得歌頌。倘若以為實力相差懸殊反抗也是壯舉，那麼，世上再無智愚之別，實非理性的思考。近代中國的進步不是靠愚蠢推動，中國人民更不需要學習愚蠢行為。歌頌愚蠢行為，只能引導中國人民由智變愚。

還應指出，考察義和團的反抗不能只看表面，不顧實質。如同上面所論，打洋教是義和團貫徹始終的活動，其真實目的是掠奪財富據為己有，屬於盜匪行徑，不是什麼反抗侵略的壯舉。在同八國聯軍作戰時所表現出來的亦不是血戰到底的英雄氣概，而是畏縮逃跑，連清軍都不如，同樣稱不上壯舉。

4.能不能講和

慈禧曾幾次召開御前會議討論和戰問題，朝內朝外的官員爭論極為激烈。以光緒皇帝為代表的一派認為，傳教載在條約，朝廷明文保護，義和團擅殺教民，焚燒教堂，揆之於理，是彼之理直，我之理曲。中國極為貧弱，現有的兵力、餉力戰勝一個日本尚不可能，何況八大強國，其勢萬難與之爭衡。義和團係烏合之眾，託言神附，刀槍不入，荒謬已極，不可依恃。毀鐵路，抗官兵，目無法紀，恣肆猖狂，是亂民邪說，只能招患惹禍，貽害國家，不能抵禦外侮。此乃大亂之道，並非真正的民氣。因此，斷無與列強失和之理。

可是，以慈禧和載漪為首的一派，卻於 6 月 21 日對內發佈宣戰詔書，明令嘉獎義和團為義民，並令各省招集成團，藉禦外侮。這個決定愚蠢至極。他們不論是非，不問情勢，並無戰勝列強的可恃兵力和可倚奇謀，只為逞一朝之忿，抱著一種以為靠神奇的法術就能輕而易舉地把洋人勢力趕跑的幻想，便視民族危亡為兒戲，倉卒與八國開戰，註定必然失敗。

天津戰役打響以後，列強增兵，形勢日益嚴重。此時能不能與列強進行和談呢？

有論者駁斥主和觀點說：「在當時的歷史條件下，清政府怎樣才能求得『和』的局面呢？是放棄抵抗，聽任洋兵自由出入，讓他們在中國領土上放手鎮壓一切反帝活動嗎？這倒是可以避免清政府與列強間的戰爭。但這樣做就等於拱手讓出半獨立地位，使中國淪為列強直接統治的、列強共管的殖民地。這種『開門揖盜』的行為不是投降又是什麼呢？」「有些學者認為，袁昶的主張是可行的。這些學者似乎忽略了以下幾個問題：（1）用加強鎮壓反帝群眾來避免『外兵干預』，實際上是自告奮勇充當列強的忠實代理人和維護

列強在華統治的鷹犬。這難道能算是有『責任感和愛國心』嗎？（2）
袁昶以山東為例論證義和團不難剿滅，實際情況卻並非如此簡
單。……1900年3月22日，美國公使康哲曾赴總署指控，說山東
義和團活動情況『與前數月無異，可見中國並未彈壓拿辦……』袁
世凱未能讓列強滿意，裕祿更是如此，難道袁昶就有辦法平息一切
反帝鬥爭，使列強滿意而放棄『代行剿辦』嗎？（3）事實上，主
和派未能阻止列強出兵，洋兵已大舉侵入中國，在這種情況下，主
和派繼續堅持『主和』，反對抵抗，這不是『開門揖盜』的投降行
徑又是什麼？一些學者說他們只是贊成『主和』，並不贊成投降，
請問，他們能提出什麼既能『和』又不降的妙策呢？」「有的學者
提出，列寧也曾被迫接受屈辱的《布列斯特和約》，可見在敵我力
量懸殊的情勢下，屈辱求和是唯一正確的選擇。這些學者似乎忽視
了當時列寧所處的歷史條件和袁昶等所處歷史條件的根本區別。列
寧所處的歷史條件是：俄國新生的蘇維埃政權在國內外敵人夾擊下
處於即將被推翻的險境。列寧決定對德國退讓是為了以局部的犧牲
來保住革命的主要成果──蘇維埃政權，並集中力量『首先戰勝本
國的資產階級』。在一條戰線上退卻是為了保住主要陣地，並在另
一條戰線上轉入進攻。退是為了進，為了鞏固和發展革命。而袁昶
等主張對列強退讓卻是準備充當列強的鷹犬去鎮壓不願受外國奴
役的中國人民。把這兩種性質根本不同的退讓相提並論，絕不是歷
史的辯證法，而是對歷史的嘲弄。」[121]

　　為了便於討論，這裏先將簽訂《布列斯特和約》的過程略加敘
述。1917年十月社會主義革命勝利以後，第一次世界大戰仍在進
行，俄國還處於與德國交戰的狀態之中，為了鞏固新生的蘇維埃政

---

[121] 林華國：《有關八國聯軍戰爭的幾個問題》，《義和團運動一百周年國際學術
　　討論會論文集》，第969-972頁。

權，列寧領導的蘇維埃政府立即向各交戰國提出進行和平談判。但英、法兩國不肯接受。蘇維埃政府決定同德國談判。談判開始於12月9日，蘇方提出以沒有兼併沒有賠款的原則為談判基礎，德方虛偽地聲明同意，但隨後即藉口宣佈聲明無效，並於1918年1月5日向蘇方提出領土要求。蘇方要求暫停談判，黨內在是否簽訂和約的問題上發生了尖銳分歧。列寧權衡形勢，主張接受德方的條件，簽訂和約，以便得到喘息時機，鞏固蘇維埃政權。以布哈林為首的「左派共產主義者」集團堅決反對。托洛茨基則主張停戰，但不簽約，即所謂不戰不和。列寧的主張未獲得黨中央多數的支持，後來提出竭力拖延談判的提案獲得通過。1月14日，代表團團長托洛茨基動身前往布列斯特談判時，列寧與他約定，德國人不下最後通牒，就堅持下去，下了最後通牒再讓步。重新談判後，德方以通牒口氣要蘇俄立即接受條件。托洛茨基違背了與列寧的約定，聲明拒絕在和約上簽字，退出談判。德方即於2月16日宣佈停戰協定失效，18日發起全線進攻。俄軍在德軍的猛烈進攻下潰散。形勢十分危急，黨中央經過激烈爭論，通過了同意簽訂和約的決定。23日，又通過了德方提出的新的條件更為苛刻的最後通牒。3月3日，雙方簽訂了《布列斯特和約》。主要內容為：蘇維埃共和國同德方四國（包括奧匈帝國、土耳其和保加利亞）停止戰爭狀態，波蘭、立陶宛全部，白俄羅斯和拉脫維亞部分地區脫離俄國；俄國應從拉脫維亞和愛沙尼亞撤軍，由德軍進駐；德國保有里加灣和蒙海峽群島；蘇維埃軍隊撤離烏克蘭、芬蘭和奧蘭群島，並把阿爾達漢、卡爾斯和巴統各地區讓與土耳其。蘇維埃俄國總共喪失一百萬平方公里的土地。此外，蘇維埃俄國必須復員全部軍隊。同年8月簽訂的財政協定，規定俄國向德國賠款六十億馬克。

　　論者認為列寧所處的歷史條件與中國所處的歷史條件有根本區別，退讓的性質根本不同，所以不能相提並論。此乃知其一，不

知其二。歷史條件和性質雖不相同，並非沒有一點可比性。這個可比性就是議和的根本目的都是為了使國家民族遭到最小的犧牲，在這一點上二者是一致的，為什麼就不能相提並論呢？一些學者以列寧主張簽訂《布列斯特和約》為例來論證議和，就是從兩個國家民族利益的角度加以對比的。而論者卻將此拋開，純從列寧領導的革命利益出發，否定一些學者的論斷，這就曲解了別人提出問題的原意。再者，列寧在德國的進攻下，為了保住蘇維埃政權，「為了鞏固和發展革命」，尚且可以割讓一百萬平方公里土地，交付六十億馬克賠款，復員全部軍隊；而中國卻是在同時與八個強國交戰，危險情形更甚於當時的俄國，為什麼就不許為了中華民族和全國人民的利益，不割讓土地，盡可能減少犧牲，而對列強退讓呢？同列寧的辦法相比，這樣做並無過錯。須知妥協退讓不是無產階級政黨領袖單純為了本黨利益發明並取得的「專利」，只許他們使用，不許別的國家擁有；從古至今，除了一國吞併另一國之外，許許多多的國際武裝衝突，都是通過妥協退讓得到解決的。世界上任何一個國家都可以根據形勢作出是否和談的決定，歷史學家無權剝奪他們這個固有的權力，只能評論得失利害。

主和是否「投降」？

投降指停止對抗，向對方屈服。主和與妥協相同，指用讓步的方法要求結束戰爭，不是放棄抵抗，向對方屈服；讓步的條件也不像投降一樣，主要是受降一方說了算。二者是兩個不同的概念，不能將主和視為投降。

若論唱高調，「左派」布哈林等可說無人可及。他們認為與德國單獨媾和，就是與帝國主義做交易，完全違背無產階級國際主義的基本原則，所以堅決反對；他們主張對國際帝國主義宣佈革命戰爭，說什麼「為著國際革命的利益，我們認為那怕就是喪失這現時

變成為純粹形式東西的蘇維埃政權，也是適當的。」[122]按照他們的高調，為了「國際革命的利益」，即使喪失蘇維埃政權都是值得的，其革命抱負、國際主義原則與膽略氣魄均遠遠超過列寧，列寧的「以局部的犧牲來保住革命的主要成果」就顯得微不足道，甚至背叛「國際革命的利益」了。

然而，針對他們的高調，列寧反駁說，俄國「軍隊已經不能打仗，讓它在前線再留幾個星期都不可能了。十月革命以後，這種情況更加明顯，任何人，只要他願意看到事實，願意正視醜惡的令人痛心的現實，而不是躲起來或故意把眼睛蒙上，用傲慢的空話來回避現實，對這種情況都是一目了然的。」[123]「如果不能適應形勢，不準備在污泥中爬行，那就不是一個革命者，而是一個空談家。我建議這樣做，並不是因為我喜歡這樣做，而是因為沒有別的路可走，因為歷史的安排並不那麼符合我們的心願。」[124]「企圖依靠自己的幻想」，「是註定要失敗的」[125]。他特別強調指出：「假定您坐的汽車被武裝強盜攔住了。您把錢、身分證、手槍、汽車都給了他們，於是您擺脫了這次幸遇。這顯然是一種妥協。『Doutdes』（『我給』你錢、武器、汽車，『是為了你給』我機會安全脫險）。但是很難找到一個沒有發瘋的人會說這種妥協『在原則上是不能容許的』，或者說實行這種妥協的人是強盜的同謀者（雖然強盜坐上汽車又可以利用它和武器再去打劫）。我們同德帝國主義強盜的妥協正是這樣一種妥協。」[126]

---

[122] 聯共（布）中央特設委員會編：《蘇聯共產黨（布）歷史簡明教程》，第287頁，人民出版社，1954年。

[123] 《俄共（布）第七次（緊急）代表大會文獻》，《列寧選集》第3卷，第443頁。

[124] 《俄共（布）第七次（緊急）代表大會文獻》，《列寧選集》第3卷，第448頁。

[125] 《俄共（布）第七次（緊急）代表大會文獻》，《列寧選集》第3卷，第449頁。

[126] 《共產主義運動中的「左派」幼稚病》，《列寧選集》第4卷，第147頁。

　　中國同八個強國交戰，同樣依恃的是實力，不是空話和幻想。
當時中國的正規軍隊連一個日本都打不過，而且剛剛戰敗五年，割
地賠款，元氣大喪，再同時與八個強國開戰，只要神經正常、稍有
理性的人都會斷定中國必敗無疑。無論在當時還是現在，如果「不
是躲起來或故意把眼睛蒙上，用傲慢的空話來回避現實」，不是「企
圖依靠自己的幻想」和「發瘋」，誰都不會像「左派」布哈林那樣
置國家民族利益於不顧，僅憑空想大唱高調，硬說主和「這種妥協
『在原則上是不能容許的』，或者說實行這種妥協的人是強盜的同
謀者」。

　　進行戰爭是為了戰勝敵人，不是將國家民族推向苦難的深淵。
在俄國當時的條件下繼續戰爭，無異於把剛剛誕生的蘇維埃共和國
拿來作孤注一擲，所以列寧堅決主張與德國議和。1900 年，中國
以一個弱國同時與八個強國開戰，更無異於把國家民族拿來作孤注
一擲，所以主和實為當時唯一正確的選擇。論者認為與列強不能講
和，只能進行戰爭，請問戰勝聯軍的實力何在？正規軍隊不可指
望，那就只有像載漪、剛毅之流那樣，依靠神通廣大、「刀槍不入」
的義和團了。但神話無論多麼美好，終究還是騙人的鬼話。除了依
靠正規軍隊與義和團，還能拿出什麼戰勝聯軍的妙策？如果拿不
出，那麼，主戰正確就是一句毫無實際意義的空話。歷史已經為「戰」
做出了結論，慘敗的是中國，中華民族為此付出空前絕後的代價。
事實證明，無視國家實力，高談主戰，使國家民族蒙受奇恥巨辱，
未必就是愛國；主和使國家民族減少犧牲，未必不是愛國。愛國決
不能以主戰、主和為標準，應以哪種主張更有利於國家民族為標準。

　　論者認為中國與列強議和，「就等於拱手讓出半獨立地位，使
中國淪為列強直接統治的、列強共管的殖民地」，就是「『開門揖盜』
的投降行徑」，更令人震驚不已。

「開門揖盜」比喻引進壞人來危害自己，主和只是為了使國家民族減少損失，二者風馬牛不相及。

還是將列寧主和與中國主和加以對比吧。人們不禁要問：為什麼列寧堅決主和，「反對抵抗」，不是「『開門揖盜』的投降行徑」；中國如此做，就是「『開門揖盜』的投降行徑」？根據何在？為什麼列寧主張向德國割讓大片土地，交付巨額賠款，復員全部軍隊，非但不是使蘇俄淪為列強直接統治的、列強共管的殖民地，反而完全正確；而中國主和尚未向列強提出，更未開列退讓條件和復員全部軍隊，「就等於拱手讓出半獨立地位，使中國淪為列強直接統治的、列強共管的殖民地」？根據又何在？

從事實上看，布列斯特和談開始，德方要求俄國將十五萬平方公里的土地劃出去，賠款大約三十億盧布，實質上已提出最後通牒。由於「左派」反對，談判停止，德軍發起猛烈進攻，結果簽訂了一個更屈辱、更具掠奪性的和約。由此可見，形勢愈不利，國家民族犧牲愈大。中國若是在戰爭初起時就與列強進行和談，其時列強只有少數洋人遇害，一些教堂被焚搶，因戰爭造成的官兵傷亡和經濟損失極小，而且勝負未決，接受中國讓步的條件與戰敗之後相比，肯定只有很輕，不會更重，這是任何一個明白事理的人都可想見的。戰後簽訂的《辛丑條約》是列強懲罰中國最嚴厲的條約，然而也沒有「使中國淪為列強直接統治的、列強共管的殖民地」。而論者卻無視這一鐵的誰也無法否認的事實，硬是斷言戰爭初起時議和，中國必然「淪為列強直接統治的、列強共管的殖民地」，實在令人莫名其妙，不知依據的是何種事實、理論和邏輯？

論者認為「自行剿辦」，「用加強鎮壓反帝群眾來避免『外兵干預』」，「實際上是自告奮勇充當列強的忠實代理人和維護列強在華統治的鷹犬」。此處的前提是認定義和團為「反帝群眾」，而事實上義和團則是只知燒殺搶掠，挑起國際釁端，危害國家人民的盜匪。

對這類盜匪，本來就應該進行鎮壓，不使蔓延。前提既錯，結論自
然不會正確。

論者以袁世凱鎮壓義和團沒有讓美國滿意為例，證明難以剿
滅，並非實情。袁世凱上任之初，若非清政府連續下令不可一意剿
擊，他很快便可剿滅。雖然採取的主要辦法是查禁瓦解，拿獲首要，
解散脅從，但不到三、四個月，義和團在本地就立足不住，大部逃
往直隸去了。清政府嘉獎義民以後，義和團在山東才又死灰復燃。
但在整個運動期間，由於袁世凱未放鬆鎮壓，聯軍並未進入山東，
可見自行剿辦是可以辦得到的。

可是，只考慮一己私利的慈禧、載漪等人卻利令智昏，非但不
剿，反而大加縱容。慈禧說「剿之則即刻禍起肘腋」，有「萬不得
已之苦衷」[127]，乃是為自己的愚蠢決定辯解。倘若早就堅定不移地
剿撫兼施，同時採取適當的社會救濟安置政策，而不是大加縱容，
開放城門，何會團民大量進京？何有「禍起肘腋」之患？何來八國
聯軍之役？論者對義和團和清政府給國家民族造成奇恥大辱的行
為不加譴責，反給欲使國家民族減少損失的議和主張扣上一頂「開
門揖盜」、驢唇不對馬嘴的大帽子，既不公平，也無道理。

5.義和團應不應上前線

開戰之後，義和團應不應上前線與聯軍作戰？主張鎮壓義和團
的山東巡撫袁世凱認為應該。他箚飭府州縣官員說：「須知拳民、
土匪本有區別，迅往天津前敵助戰者，即是拳民。回竄內地滋擾者，
即是土匪。當此時局艱危之際，果是義民，必有赴湯蹈火而惟恐後
者，何肯擾害地方。其到處擾害地方，必是土匪無疑。」[128]庇縱義

---

[127] 《有關義和團上諭》，《義和團》4，第26頁。
[128] 《籌筆偶存》，第278頁。

和團的山西巡撫毓賢也認為應該，他張貼告示說：「義團真假，須
要分明。如果搶擄，強暴任情，即係土棍，嚴拿重懲。是真拳會，
赴縣報名，僻處演習，毋庸入城。按籍造冊，送至北京。隨營打仗，
共效忠誠。」[129]他們二人在對待義和團的立場和態度上完全相反，
但在義和團是否應該上前線與聯軍作戰這一點上則無二致，理由就
是「當此時局艱危之際」，真正的「義民」理應「隨營打仗，共效
忠誠」；土匪則只知「搶擄」，「擾害地方」，這是分別真假義和團的
試金石。

有的論者認為袁世凱區分真團、假團，不過是幌子，說到底，
就是要千方百計使義和團不復存在。清政府驅趕手執原始武器的義
和團到前線，與使用洋槍洋炮等新式武器的侵略軍隊硬拼，也是一
種陰謀手段，以圖削弱和消滅義和團。

此論令人費解。論者既然認為八國聯軍入京保衛使館是列強發
動的侵略中國的戰爭，那麼，在國難當頭、民族危亡之際，抵抗侵
略，保衛國家，人人有責。義和團高喊「扶清滅洋」，「殺盡洋人」，
以「滅洋」英雄自居，而且「刀槍不入」，神通廣大，更是責無旁
貸，理應義無反顧，奔赴前線，與聯軍血戰到底。袁世凱和清政府
之所以讓義和團而不讓其他人民群眾上前線同聯軍作戰，道理就在
這裏，決不能因其手執原始武器而遏抑他們「滅洋」的雄心壯志。
不論袁世凱和清政府的真實意圖是什麼，只要認定八國聯軍之役是
列強侵略中國的戰爭，其所持的理由就是光明正大的。說是陰謀削
弱和消滅義和團，實質上就是認為根本不應該讓義和團去抗擊聯
軍，他們的唯一任務只能是打洋教，去做盜匪，即燒殺搶掠中國同
胞，以飽私囊。但抗擊聯軍正是某些論者所頌揚的義和團抵抗列強
侵略的「壯舉」，「愛國主義精神」的高度體現，也是肯定運動「反

---

[129] 《山西省庚子年教難前後記事》，《義和團》1，第 507 頁。

帝愛國」性質的主要根據，若說他們不應當上前線抗擊聯軍，這些就勢必化為烏有了，還有什麼「壯舉」、「反帝愛國」可言？而燒殺搶掠中國同胞的盜匪行徑，更難以認定是「反帝愛國」了。這豈不是把義和團運動全部徹底否定了嗎？

四、所謂「英雄氣概」

　　義和團投入抗擊八國聯軍正面戰場的人數僅為一少部分。山東絕大部分團民在天津戰役打響以後沒有前去與聯軍作戰，只在本省燒殺搶掠教民和平民。少數團民雖然聲稱北上助戰，實際上是借此為名，進行搶掠。如館陶縣有外來大刀會一千餘人，「以赴津滅洋為名，沿途搶掠馬匹軍械。」[1]繼而又竄入邱縣塢頭、榆林二村，「搶掠馬匹器械」。旋內部「不睦，各自分股，或一二百人，或七八十人不等，四散分竄搶掠，或路卸車騾，或闖村搶糧，或向富戶借錢。」途經曲周城外，還「向縣官借銀千兩」。[2]有些團民進入直隸，依然是以搶掠為唯一目的。「鉅鹿、隆平等縣教堂二十餘處，為由山東北上之義和團全行焚抄。」[3]另有一些團民一路搶劫勒索焚燒，到了天津附近，聽說洋兵難打，嚇得立即逃回。武城縣團民孫氣供稱：「聽從王奉田聚眾三百餘人，分持刀械，先後勒訛武城、夏津、恩縣西莪寨、朗寨、魏家等村莊不知姓名教民十一處，均經人說合，共訛得京錢一千九百五十串。並焚毀房屋五處，共計十一間。又攻打劉王莊、十里莊兩處……後回原夥，起意往北攻打洋人，行至天津迤南不知莊名地方，因見另起拳夥紛紛南投，聞聽洋人難打，旋即折回。」[4]

---

[1]　《山東義和團案卷》下冊，第 853 頁。
[2]　《籌筆偶存》，第 298、430 頁。
[3]　轉見李文海等：《義和團運動史事要錄》，第 226 頁。
[4]　《山東義和團案卷》下冊，第 570 頁。

　　直隸的大部分義和團亦不上前線抵抗聯軍，只知燒殺搶掠，大發洋財。他們「假赴敵為名，廣招黨類，勒捐訛索，擾害地方，糧賦差徭，抗不輸納，甚或圖劫軍械，窺伺城垣。」[5]如著名拳首「王之臣糾邀萬眾，盤據滄城內外，詭言赴津助戰。」[6]實際未去，只在城內外燒殺搶掠。有個名叫蘭午亭的人，義和團讓他為糧台。他說：「君等果赴前敵，為國效忠則可，若徒事焚殺劫掠，吾不以客位容贓也。」「拳首怒，眾刃交下，頃刻成泥。」[7]勸他們上前線抗擊聯軍的人竟被他們殘害。

　　不上前線抗擊聯軍，只顧燒殺搶掠中國同胞，恰恰將義和團的盜匪本質暴露無遺，證明他們的「滅洋」並不是為了「反帝」。

　　那麼，參與抵抗聯軍的義和團表現如何？

（一）戰場上的懦夫逃兵

　　肯定義和團的論者無不讚揚其「英雄氣概」，說他們以血肉之軀與侵略軍搏鬥，英勇抗擊，發揚了革命英雄主義，用鮮血和生命譜寫了一曲曲壯麗的頌歌。

　　實際上，唯一充分表現義和團「英雄氣概」的，就是燒殺搶掠分散在各地、手無寸鐵、沒有反抗能力的教民和平民，以及老弱婦孺。若是在戰場上與聯軍作戰，只能說頭一兩次參加戰鬥的團民，以為吞符念咒獲得了「神力」，表現得甚為勇敢；但在神話破產以後，「英雄氣概」便迅即喪失了。愈往後愈是畏敵如虎，龜縮在官兵後邊，不敢出戰，拼命逃跑。且看義和團在幾次戰役中的表現。

---

[5]　《義和團檔案史料》上冊，第 599 頁。
[6]　《義和團檔案史料續編》上，第 793 頁。
[7]　龍顧山人：《庚子詩鑒》，《義和團史料》上冊，第 90 頁。

1.廊坊戰役

6 月中旬義和團攔擊第二批進京的聯軍，這是他們首次與聯軍交戰，自以為有「刀槍不入」的神通，開始時表現得確實非常勇敢，但為時甚短。

12 日，西摩率領的聯軍到達廊坊，鐵路已被毀壞。義和團發起攻擊，「揮舞著劍、叉子和棍棒，迎著機槍的射擊越跑越近，……那些年輕的男人們，明顯地處於極度瘋狂狀態，他們撒野地跑在那些瘋狂人群的前面。這些人總計約一千五百人。他們顯示出使人震驚的英勇，向英國人猛衝，並且把他們自己赤裸的胸膛暴露在外國人的步槍和子彈前。持續了一個小時的連續速射……抵擋著手持原始武器的狂熱者無數次的猛烈進攻。他們被擊退，並確信他們已受到了沉重的打擊。」[8]「當他們接近我們的時候，他們就跪下來，向天空舉起手，向義和團主要崇敬的戰神祈求援助。然後他們就衝鋒，直到我們的排槍開始射擊時才又跪下來。不到二十分鐘，他們就全部撤退了，戰場上留下六十具左右的屍體。」[9]

13 日，一個分隊美國士兵受到了一大群揮旗舞刀的團民的「兇猛攻擊」，聯軍「迅速地擊退了他們。」[10]

14 日，義和團吶喊著衝向聯軍，企圖奪取並摧毀裝甲列車。聯軍向他們猛烈射擊，「但他們仍以驚人的勇敢向前衝，完全暴露在聯軍的火力之下，毫不顧及自己生命地揮著刀劍。當他們衝到最後六十或七十碼時，一挺馬克沁機槍向他們開火了，……儘管盲信之徒極其勇敢……但當後面的隊列踏在前面隊列的屍體和倒下的

---

[8] 《八國聯軍進北京》，《京津蒙難記》，第 109-110 頁。
[9] 璧閣街：《在華一年記》，《八國聯軍在天津》，第 231 頁。
[10] 《八國聯軍進北京》，《京津蒙難記》，第 111 頁。

傷員之上時，他們的勇氣喪失了，扔下了長柄叉、大刀和火繩槍，為了寶貴的生命逃走了。」[11]

落垡戰役時，團民也承認：「落垡那兒有個萬喜棧，藏著四十多個真毛子。我說：『走，咱們逮活的去。』毛子在房上趴著，叭一下，颼的過去了。我們攻到墳山子後頭，槍子還老飛。上邊（指從北京方面來的）嗚嗚的又來兩個火車，車上淨是穿白衣裳的，車一站住就往下貫，下車就開火了。義和團可頂不住了，讓毛子給打散了。往家跑吧。」[12]

2.天津戰役

攻擊天津租界的戰鬥在 6 月 13 日就打響了。此時駐守天津的洋兵並不多，大約是廊坊義和團「刀槍不入」的神話已被戳穿的消息傳開，天津的義和團連他們開始進攻時的「勇敢」都未表現出來。

15 日，曹福田帶領團民赴馬家口前線，前面打著一杆紅旗，紅旗上大書一個曹字，「側書扶清滅洋、天兵天將」，看這架勢，豪情萬丈。他騎著馬，戴著墨鏡，口銜洋煙捲，身穿青長衫，腰束紅帶，足蹬烏緞靴，腰間插著小洋槍，背負快槍，活脫脫像個黑社會頭子。「手中則持一秫秸，語路人曰：『汝等盍往觀乎？但學我手持一秫秸，臨陣一揮，洋人立即授首』」。許多人跟著前往觀看。入城西門，出城東門，將近馬家口，曹福田「輒曰：『再進已有地雷埋伏，我已算出，不入洋人陷阱』。隨由渡船渡河，意似赴河東車站，亦能與洋人戰也。及渡河，不復南趨車站，而竟北越街衢，經錦衣

---

[11] 《八國聯軍進北京》，《京津蒙難記》，第 112 頁。
[12] 黎仁凱主編：《直隸義和團調查資料選編》，第 477 頁。

衛橋至河北，又渡河而南，肅旅而歸。」這樣轉了一個大圈，根本沒有同洋兵打仗，就回來了。而猶「大呼大得全勝，向居民勒得勝餅、綠豆湯，飽餐戰飯矣。」次日又令商民立購蒲包數千個，麻繩數千根。人問何用？他答道：「用繩縛洋人來斬之，用蒲包函其首也。」然而，其「後久不臨陣間」。[13]他就是這麼「英勇」地與聯軍作戰的。

18 日，義和團與官軍聯合包圍了有千餘名俄軍盤踞的老龍頭火車站，自早至午，炮聲不斷。團民散佈說：「義和拳與洋人合仗，洋人不能敵，忽洋人軍隊中有一婦人赤體立，義和拳法術被沖，不敢前進。」[14]其在戰鬥中的表現不問可知。團民自此日「被洋人轟死累累以後，惟躡官軍之後，虛張聲勢。」[15]

27 日，曹福田向各國下了一道戰書，其文曰：「統帶津、靜、鹽、慶義和神團曹，謹以大役佈告六國使臣麾下：刻下神兵齊集，本當掃平疆界，玉石俱焚，無論賢愚，付之一炬。奈津郡人煙稠密，百姓何苦，受此塗炭。爾等自恃兵強，如不畏刀避劍，東有曠野，堪作戰場，定準戰期，雌雄立見。何必縮頭隱頸，為苟全之計乎！殊不知破巢之下，可無完卵，神兵到一處，一概不留。爾等六國數十載之雄風，一時喪盡。如願開戰，定準戰期。」[16]這道戰書被讚揚為充滿了對侵略者的藐視，充分表達了義和團大無畏革命精神和把反帝鬥爭進行到底的堅強決心。

次日，張德成率領號稱「天下第一團」的四五千人到達天津，即與曹福田聯名出示，29 日與洋人「合仗」。而 29 日「竟未出戰。

[13] 僑析生：《拳匪紀略》卷 2，第 2 頁。
[14] 劉孟揚：《天津拳匪變亂紀事》，《義和團》2，16 頁。
[15] 張廷襄：《不遠復齋見聞雜誌》，《義和團史料》下冊，第 650 頁。
[16] 劉孟揚：《天津拳匪變亂紀事》，《義和團》2，第 25 頁。

據云：因今日是東南風，不利於軍，改日再戰」。「其實拳匪皆不敢臨敵，故每託詞為東南風不利，藉以偷安。」[17]

在開戰後的十幾天內，義和團雖然參加了戰鬥，但每次「攻擊洋人時，皆係官兵在前，拳匪在後相隨，不敢前進，不惟無用，而且于官兵之或進或退，諸多不便，為其累於後也。」[18]有時團民「至敵界外叩首舞刀，而洋人槍炮齊發」，團民即「反奔，必俟練軍禦之而回。」[19]

7月4日，裕祿與馬玉昆、聶士成等會商剿辦機宜，決定由馬玉昆、聶士成兩軍聯合張德成、曹福田兩團，分路進攻紫竹林租界。當天，雷電交作，大雨傾盆。「團喧言出戰，至城外，遇敵即敗回。問何以敗？曰：『大雨不能上法，神不附體。』有人目睹初八（4日）之役，團至老龍頭浮橋，過橋即紫竹林界。練軍見團至，笑曰：『老師來何事？』曰：『與洋人戰。』練軍曰：『不必不必，眾老師又不能戰，徒將洋人惹出來，我們又要費力。』團怒，將與練軍為難。練軍曰：『真能打仗，我軍當助爾三炮。』團許之。練軍乃開三炮，洋人果出，僅三人，各執槍向團。團即反奔，途中自相語曰：『天雨矣，可以回家種地矣，似此吃苦，何益？』次日即散去大半。」[20]

義和團不敢與洋兵打仗，但忘不了爭搶功勞。7月4日下午四點鐘，租界洋樓遭官兵炮擊起火，濃煙沖入雲際。義和團就散佈說，「係被張老師用法術所焚」[21]，恬不知恥地將功勞據為己有。

6日，官軍與洋兵打得極為激烈，槍彈橫飛，三點鐘炮聲停止。義和團又搶功勞，散佈說：「義和拳老師將炮閉住矣，真神人也，若非老師神力，天津不保矣。」[22]

---

17 劉孟揚：《天津拳匪變亂紀事》，《義和團》2，第27頁。
18 劉孟揚：《天津拳匪變亂紀事》，《義和團》2，第20頁。
19 僑析生：《拳匪紀略》卷3，第2頁。
20 佚名：《天津一月記》，《義和團》2，第152頁。
21 劉孟揚：《天津拳匪變亂紀事》，《義和團》2，第30頁。
22 劉孟揚：《天津拳匪變亂紀事》，《義和團》2，第31頁。

另有記述說，張德成「臨陣殺敵事，則實無一能也。聯軍前鋒來，裕（祿）日促張出督戰，張皆以時未至辭。強之，不得已，始一行，然亦惟率眾出東門，繞從北門入，極不敢越城東南一步也。而歸則張大其詞以惑眾。」[23]

還有記載說，裕祿令各團齊出，與官軍夾擊洋兵。張德成「聞令將行，忽蹶然起曰：『不好不好，今晚有人燒我公館，當親往捉之。』大師兄等問：『此人安在？』張曰：『在獨流鎮。』師兄曰：『獨流相距百餘里，刻須出戰，焉可往？且每有所擒，遣人去未嘗不獲，又何須親往？』張曰：『此人法力甚大，他人不能敵也。』眾乃嘩曰：『汝欲臨陣脫逃耳，我們既被汝誘惑至此，汝不能獨去。』因派人將其看管，戒之曰：『師如逃，必殺汝等』。張氣沮，乃出隊。平日皆出東門，張曰：『東門不利出征，宜出得勝門。』問：『何門為得勝門？』張曰：『北門也。』大隊乃出北門。津中好事者多隨之。次日哄傳：團出北門後，張即止不行，告於眾曰：『昧爽時天氣少涼，方可往戰。』迨東方既白，槍炮聲稍稀，乃曰：『大軍勝矣，焉用我團往乎？』因繞東門而進。團中人每向人云：『此夜之戰，洋人斃數百，皆老師法力所致也。』」[24]關於此事的記述，也許有些誇張渲染，但決非子虛烏有。

同日，有些團民進攻租界，均被聯軍擊退。在另一些地方，團民則「匿伏民居中，肆意搶掠，軍前不見匪跡。」[25]

8日，炮轟之聲齊起，「眾拳匪皆不敢前進」。

9日早晨，炮聲仍然不斷。義和團「又往播威洋行搜索財物」。上午，官兵敗回，炮彈橫飛，「拳匪見勢不好，即刻還鄉者紛紛於道，

---

[23] 湯捷南：《天津拳禍遺聞》，《義和團》2，第69頁。

[24] 佚名：《天津一月記》，《義和團》2，第152-153頁。僑析生《拳匪紀略》記述大致相同，惟時間有別。

[25] 僑析生：《拳匪紀略》卷3，第8頁。

亦有背負行李者，亦有不及攜行李而空身逃走者。」張德成搶掠洋行後，下午雖然到了戰場，亦不過「率眾揮刀舞械，瘋鬧一場。」[26]

10 日，崇拜義和團的倉場侍郎劉恩溥至天津，「諭拳匪戰，不從。」[27]不少人乘亂搶掠，接著逃離。

在官軍與聯軍惡戰的日子裏，一直是這種情況：「當攻擊洋人時，官兵在前，拳匪僅在後相隨，或招搖過市，以示威武。」[28]

12 日，義和團「攻紫竹林租界，皆不敢前進。嘗謂人曰：洋人現擺一陣，非白大姐不能破，刻已派人迎請，不日即可來到，待此位一到，自可將洋人掃淨也。彼等所謂白大姐者，亦一紅燈照也。」[29]

13 日，交戰之先，裕祿和宋慶約張德成和曹福田相助，張、曹「乃藉口時尚未至，或云日干不利，任意推諉，已非一次。即至進戰，大軍奮勇直前，忽四處地雷轟發，數十里內木石橫飛，天地變色，當是之時，義和團已不知去向。」[30]當日夜晚，「城內義和團全部撤出來，外來的義和團全按原路撤走，本市的義和團在撤退中解散，各自回家。」[31]「大家都各自帶著人馬出城回老家去了」[32]。

以上記述皆有具體時間，沒有具體時間和概述的尚有不少。例如：

「一日，洋兵來攻匪，匪群出撲之。洋兵忽返奔，奔數十步，回身舉槍，不響，仍返奔。再回身舉槍，不響，仍奔如前。匪若謂洋槍不過火矣，極力趨之，勢將及矣，忽洋兵一轉身，排槍遽發，

---

26 劉孟揚：《天津拳匪變亂紀事》，《義和團》2，第 33、34 頁。

27 李超瓊：《庚子傳信錄》，《義和團史料》上冊，第 214 頁。

28 《天津政俗沿革記》，《義和團史料》下冊，第 962 頁。

29 劉孟揚：《天津拳匪變亂紀事》，《義和團》2，第 38 頁。

30 《義和團檔案史料》上冊，第 366 頁。

31 南開大學歷史系編：《天津義和團調查》，第 143 頁。

32 黎仁凱主編：《直隸義和團調查資料選編》，第 532 頁。

其聲崩然,立斃十數人。匪急退,槍又發,復斃十數人,餘遂四散。」[33]

「拳匪所居,必擇民居茂密、市肆繁盛之處。每聲張臨敵,率皆繞城而行,去敵尚遠,群伏屋角籬根,須臾肅隊而歸,輒喧呼曰『大得全勝』。」義和團「意洋人必戰於河東、馬家口兩路也,乃日向城南挑洋人出戰,稍近即反奔,日凡數次。」[34]

「紫竹林西人悉毀界外民舍,而遍佈以沙囊,每處數人扼守之。遇匪眾來攻,扼要發槍,擊斃少數,餘匪即退。」[35]

「城內關廟設一壇,自開仗三戰三北,紛紛散去。」[36]

「一夕,大風雨,敵兵驟至」。「裕祿大懼,出毛瑟槍百桿授拳匪,使助官軍。行不數武,隔水聞炮聲,皆棄械走,官軍反為所遏。」[37]

「城陷時,拳匪奔走,紅巾紅帶除之易,去便與平民同,惟髮際紅繩迫不能去,因此為洋兵、官兵擊斃者,不可勝數。」[38]

下面再看幾個被調查的團民對參加天津戰鬥的述說。

當時任拳首王蔭榮衛隊隊長的李九恩說:「首次跟敵人作戰,是去攻打老龍頭車站。那次……有五六千人。……敵人嚇破了膽,升起白旗要求講和,……這次戰役我們打勝了,但犧牲的人不少。第二次也是打老龍頭、老鹽坨一帶,均在五月間。第三次是打海大道。這回戰役,沒有人受傷,但回到後方一點名,發現西壇口短了七個人。……我又回到海大道找那七個人,找到了,原來躲在大醬

[33] 管鶴:《拳匪聞見錄》,《義和團》1,第489頁。
[34] 僑析生:《拳匪紀略》卷2,第6頁;卷3,第3頁。
[35] 龍顧山人:《庚子詩鑒》,《義和團史料》上冊,第67頁。
[36] 佚名:《天津一月記》,《義和團》2,第146頁。
[37] 胡思敬:《驢背集》,《義和團》2,第497頁;龍顧山人:《庚子詩鑒》,《義和團史料》上冊,第145頁。
[38] 僑析生:《拳匪紀略》卷2,第1頁。

園裏。……以後，我們又打海光寺日軍營地，……攻不上去，就撤回鼓樓。隔天……義和團很快就把隊伍拉開了，但是那天並沒有作戰。」[39]這股義和團打過兩次仗後，就有七人躲藏起來，不敢上前線了。第四次敗了下來，以後未再打仗。

團民郭世榮說：「第一次……拿著刀槍到了馬家口，在那裏聽說外國人有埋伏，沒敢動手就回來了。第二次打武庫，……見洋人槍炮不斷打來，避了槍，避不了炮，於是義和團就撤下來了。回來之後，有些人就動搖了，退了。……第三次是打東局子。……共有幾千人……開仗後，有一百來個外國人騎著馬排成橫排，下了馬，端著槍向義和團射去。義和團當時本無槍，又夠不上洋人，站著挨打，於是大家都爬在地上避槍炮。」[40]他參加的這股義和團只打過三次仗，第一次「沒敢動手就回來了」；第二次同樣如此，而且有的動搖逃跑了；第三次不敢向敵人衝鋒，「大家都爬在地上避槍炮」。

團民王文發說：「義和團出了南門，就和住在紫竹林的六國軍隊招呼上了，……整整一天，殺了個天昏地暗。……第二天又跟著打了一仗，夜裏還是回到江蘇會館過夜。他媽的，洋毛子……拼命地往這一帶打那個開花炮。……不知是誰說：『這炮可惡呀！咱們別打了，回老家吧。』就這樣，我們十二人就夜溜出城，回到老家──鄭樓來了。」[41]這十二個團民只打了一仗，就逃回老家了。

二師兄李長慶說：「有一次，可能是個法國人，趕著水車走來，一到這裏就被我們剁死了，還奪來了一支槍。又有一次，來了鬼子的一隊馬隊，為首的兩匹上是女的。我們見了後，就把他們轟到鐵

---

[39] 南開大學歷史系編：《天津義和團調查》，第 138-139 頁。

[40] 南開大學歷史系編：《天津義和團調查》，第 145-146 頁。

[41] 黎仁凱主編：《直隸義和團調查資料選編》，第 529-530 頁。

路下邊，就在鐵路下邊和他們打了起來，共打死他們七人，奪了兩三支槍，一匹馬。咱們死了七十二人。……（7月8日）紀家莊就打起來了，馬場也著火了。於是我就領著這十來個人趕回去，剛到紀家莊，敵人就放二排槍，不一會，莊上跑出個人來說，鬼子過橋了！我抬頭一看，莊子也起火了，這才撤回家來。……鬼子佔領了海光寺，從此，我們就散了。我逃到離此三十里的大泊子，我的刀就埋在那裏。」[42]這股團民開始遇見一個單身洋鬼子，打了勝仗。第二次遇見的是馬隊，以兩個女人為首，很可能不是正規戰鬥部隊，所以能打死七個敵人，團民犧牲的多達十倍。後來尚未見到敵人，一聽說鬼子過橋，便撤了回來，接著就逃走了。

幾個團民的自述說明，義和團決非具有大無畏氣概的英雄。

天津淪陷之後，義和團嚇得膽戰心驚，魂飛魄散，再也不敢上前線「滅洋」。倉場侍郎劉恩溥奏道：「津城不守之後，洋人聲言專殺義和團民，以致東安、武清各團，皆已聞風解散。」「接奉諭旨，飭臣會合團民，短兵相接，出奇制勝。惟團民業已潰散，臣竟無法可施。」[43]總督倉場、戶部右侍郎、辦理通州防剿事宜長萃亦奏道：「前經奏准招募兩營，扼要駐防，業經出示曉諭，而義和團民竟無應募之人。」[44]

在北京的義和團同樣。長麟「帶六千團以行，團有泣者，有解紅巾而裹者。」[45]載漪令董福祥挑選義和團精壯，「率以禦敵，乃皆不之應。又命前侍郎長麟、郎中文潤率之赴通州浚城濠，亦不往。」[46]

---

[42] 南開大學歷史系編：《天津義和團調查》，第 126-127 頁。

[43] 《義和團檔案史料》上冊，第 343 頁。

[44] 《義和團檔案史料》上冊，第 418 頁。

[45] 高枬：《高枬日記》，見《庚子記事》，第 159 頁。

[46] 李超瓊：《庚子傳信錄》，《義和團史料》上冊，第 216 頁。

　　義和團非但不敢攻打聯軍，就是教民力量集中的教堂亦不敢攻打。據長萃說，7月5日，團民已集萬餘，進攻通州賈家疃教堂，攻了多日，而洋樓巍然。21日再次進攻，副將史濟源先令各團分持秫秸土袋，一俟兵勇進攻，即便填壕。兵勇冒險由西南直搶圍牆，「而西北各團全不努力進攻」，以至哨勇陣亡受傷者二十餘名。「及見兵勇受傷，各團即將秫秸土袋棄擲於道，各自散歸」。28日再次發起進攻時團民共有四千七百餘人，各團分攻東、南、西三面，兵勇專攻北面。當弁勇攻到圍牆附近時，「各團仍在圍牆二里之外，亦有稍近圍牆之團，不過聲喊助威，虛糜火藥，一見有受傷之人，立即紛紛撤隊」。長萃總結道：「統觀兩戰，皆由團民不能得力，以致無功。夫慮其防守乏食也，則逐日運米麵以濟之；慮其臨敵畏難也，則先期備攻具以授之。而一經接仗，乃復如此者，則氣之餒也久矣。」[47]

　　裕祿兵敗自殺以後，慈禧命李秉衡督師抵擋聯軍。李秉衡出師時帶了三千團民，還有分持引魂幡、混天旗、雷火扇、陰陽瓶、九連套、如意鉤、火牌、飛劍的「八寶」。但在8月10日聯軍兵臨通州城下時，「團民聞警，星散一空。」[48]

3.北京戰役

　　6月20日慈禧下令攻打使館之前，曾有義和團一隊向使館區進發，被洋兵打死幾人，即不敢逼近。有些團民遇到洋兵出巡時，「皆扯脫紅帶，伏地哀鳴，以冀免死。」一次洋兵在廟中堵住正在對教民施以酷刑的團民，有一個頭目怕死，竟然大呼曰：「我吃過

---

[47] 《義和團檔案史料》上冊，第418-419頁。
[48] 《義和團檔案史料續編》上冊，第783頁。

教的」[49]。為了活命，竟然自稱教民，甘當「二毛子」，但其衣下露有紅線，仍然免不了一死。

慈禧令清軍圍攻使館以後，義和團助攻。攻打比利時使館時，被擊斃六七十人，「自是，拳眾漸知槍炮之不可避，遇西兵則相率鼠竄。城外東麟堂等處拳壇，一聞警耗，皆連夜徙避。」「初，拳匪自恃其術，每出攻猶踴躍自效，既知炮火之烈，乃悉諉諸官兵，而自任守門。」[50]即使守門，由於前門與使館相近，義和團也將守護的職責讓官兵擔當，自己遠遠逃離。所以打了沒幾天，義和團「凡攻使館多不上前，獨董軍圍攻而已。」[51]

從 6 月 15 日開始，義和團攻打西什庫教堂，直到 8 月 15 日京城失守，整整兩個月，投入數萬人，有時官兵也參加助攻，仍未將教堂攻開。僅此一點，即可看出義和團是如何的怯懦。第一次攻打，團民出動二三千人，高聲喊叫：「燒呀，殺呀，二毛子呀，你們的生日可到咧。」繼而奔向教堂大門。守護的洋兵打了幾排搶，「後來者全然跑出口（胡同口）外去了。眼見拳匪死者三十餘人，未死受傷者趴的趴，滾的滾，皆奔命向西滾去。」[52]其後，每次攻打皆敗，並有死傷。大師兄、二師兄「日見有傷亡，故不敢爭先競進也」。「拳匪久憚西什庫教民槍炮，每逢助攻，吶喊作勢而已。」[53]即使剛毅督戰，亦不起作用，在敗退時拼命奔逃，差一點將剛毅踩死。7 月中旬，王德成帶領義和團專程由天津到京支援。打了一兩次，聽說天津失守，「很多團民都無心留在北京，想回家。教場這一團有三十多個人住在一起，大家一商量就想回家，在京的時間最多不

---

[49] 朴笛南姆威爾：《庚子使館被圍記》，《義和團》2，第 226 頁。
[50] 龍顧山人：《庚子詩鑒》，《義和團史料》上冊，第 130、132 頁。
[51] 趙聲伯：《庚子紀事長箚》，《義和團史料》下冊，第 655 頁。
[52] 包士傑輯：《拳時北堂圍困》，《義和團史料》下冊，第 598 頁。
[53] 趙聲伯：《庚子紀事長箚》，《義和團史料》下冊，第 655、657 頁。

過一個星期。第二天早上，天上還有星星，就出來，向蘆溝橋出發。」[54]至 8 月 5 日，情況仍是這樣：「每日雖然眾團蟻聚，不過虛張聲勢，並無一人敢往前敵。」[55]

　　8 月 7 日，各州縣義和團「皆因外信緊急，遂多瓦解。」10日，李秉衡全軍潰敗，聯軍直逼通州。「外鄉義和團紛紛逃竄，紅布裹首之人，沿街頓覺減少大半。」11 日，通州失守，「各處義和團之壇，盡都拔旗拆棚，掩門潛逃。」12 日，「義和團外鄉之人，連夜逃遁，在京之人，改裝易服。一日一夜之間，數十萬團民蹤跡全無，比來時猶覺迅速也。」「偶有京中之人，或有一二處未及拆棚毀壇而逃者，一聞洋人兵到，亦皆拋擲家眷，抱頭遠揚。」[56]

　　14 日，「前所謂義和團者，早已鼠竄獸散矣。」[57]

　　8 月 15 日，北京淪陷。

　　義和團攻打安家莊失敗之後，易州的財主們挖苦說：「義和團真能幹，姚村街上打前站。刀切卷子小米兒飯，要說吃飯真能幹，聽說打仗就跑散。」[58]這首打油詩雖指一地而言，但卻是義和團普遍而真實的寫照。

（二）抗擊聯軍的主力是官兵

　　義和團在抗擊聯軍的戰鬥中起了什麼作用呢？有的論者認為，「義和團的基本群眾在天津是同帝國主義侵略軍作戰的主力，

---

[54] 南開大學歷史系編：《天津義和團調查》，第 147 頁。

[55] 仲芳氏：《庚子記事》，見《庚子記事》，第 29 頁。

[56] 仲芳氏：《庚子記事》，見《庚子記事》，第 29-32 頁。

[57] 張廷襄：《不遠復齋見聞雜誌》，《義和團史料》下冊，第 642 頁。

[58] 黎仁凱主編：《直隸義和團調查資料選編》，第 93 頁。

他們英勇地戰鬥在反侵略的前線。」[59]更有論者在敘述各次戰役中，極力突出義和團的主力作用，將官兵置於配合作戰、無足輕重的地位，或說部分清軍官兵參加了反侵略鬥爭，也是受到義和團反帝精神的感召，把一切功勞歸於義和團。

聯軍裝備著當時最先進的武器，義和團只有長矛、大刀等原始武器，說他們是抗擊的主力，而非裝備精良、訓練有素的官兵，不僅無法令人信服，而且不可想像。連團民都說：「民等皆用刀矛，打交手仗尚有把握，惟洋兵皆用槍炮，民等血肉之軀，萬難抵禦。」[60]即使他們在裕祿的允許下取得槍械之後，由於「既不解施放，又未配好子彈」[61]，也難以擔當抗擊聯軍的主力。

戰場上的實際情況表明，從始至終，雙方打的都是槍炮戰，近距離的肉搏極少。打槍炮戰時義和團的刀矛無有用武之地，長槍也發揮不出威力，擔當主力的一直是官兵。在前期主要是聶士成的萬名武衛前軍和何永盛的練軍。「自大沽失守以後，津京旦夕可危，有能首創西兵，以禦急難，使津郡得延一月，而京師得獲暫安者，則聶軍之力也。至二十八日（6月24日），各國兵大隊赴援至津，聶以久戰之兵，又無繼援，勢始不支，然猶退守津城附近，力遏西師。」[62]洋人說：「方我軍之攻紫竹林也，惟練軍接戰為最厲。蓋此軍駐津久，其室人皆寄居河北之窯窪，所謂為國為家，人自為戰也。」[63]6月29日馬玉昆率領的六七千武毅軍抵達後，又加強了抗擊的主力。義和團不是避戰，就是搶劫，即使到了戰場，也是躲藏在官軍後邊，不敢衝鋒陷陣，怎麼可能成為主力？

[59] 胡繩：《從鴉片戰爭到五四運動》下冊，第609頁，人民出版社，1981年。
[60] 《義和團檔案史料》上冊，第298頁。
[61] 僑析生：《拳匪紀略》卷1，第6頁。
[62] 左原篤介、漚隱：《拳事雜記》，《義和團》1，第258-259頁。
[63] 湯捷南：《天津拳禍遺聞》，《義和團》2，第69頁。

　　既然肯定義和團是抗擊聯軍的主力，自然要大加歌頌，為其塗脂抹粉。此類事情不僅表現於抗擊聯軍的戰役之中，也表現在與官兵戰鬥之時，茲舉兩例。

　　1899 年 11 月，袁世敦的親軍營與朱紅燈的義和團在平原縣森羅殿打了一仗。據毓賢奏報，「傷斃營勇三名，轟斃匪徒二三十名，該匪遂即四竄。」[64]明明是團民死傷嚴重，戰敗逃竄，而在論者的筆下，卻變成「平原大捷」：「義和團見被三路敵軍包圍，乃採取集中力量中路殲敵的方針。朱紅燈……率領超過袁軍二、三倍的團民，朝中路敵兵猛殺過去，當即擊斃擊傷十餘人，大挫敵軍鋒芒。中路敵兵雖擁有洋槍洋炮，但見義和團人多勢眾，勇猛異常，一個個心寒膽裂，狼狽逃竄。其餘兩路見中路潰敗，顧不得前來配合，也不戰而逃。」[65]事情的真相完全被掩飾了，人們看到的只有團民的「英勇」及其「大捷」。

　　1900 年 6 月 6 日，負有保護京津、蘆保鐵路電線責任的聶士成帶隊乘火車督察，行至落垡，見團民將鐵路占住，不讓前進，諭令速退，團民不聽。告訴他們「鐵路乃國家產業，豈可作踐？」團民卻破口大罵，拋擲磚石，開槍打死兩名士兵。聶士成仍約束士兵，命哨官前去解散，不料又被團民打傷。聶士成見團民不可理喻，方下令開槍。結果「斃匪四百八十人，士兵則損失十二人，並守備一人，由是始得安靜。至四十八點鐘後，上諭到來，將軍門申斥，不應擅自攻打，著飭退往蘆台。」[66]「剛毅聞報，恨之刺骨，面訐于朝，太后信之，令聶退回蘆台。」[67]聶士成部退回蘆台，係奉朝命行事，並非被義和團擊敗。而在論者的筆下，此事又變成義和團的

64　《義和團檔案史料》上冊，第 35 頁。
65　廖一中等：《義和團運動史》，第 81 頁。
66　左原篤介：《拳亂紀聞》，《義和團》1，第 121 頁。
67　徐緒典主編：《義和團運動時期報刊資料選編》，第 233 頁。

「英雄業績」:「聶士成軍在京津鐵路沿線義和團的連連打擊之下，無處立足，被迫於 6 月 8 日從落垡狼狽退回楊村。」[68]

在抗擊聯軍戰役中義和團到底起了什麼作用？

先看廊坊戰役聯軍因何退往天津的。聯軍司令西摩報告其海軍部說：6 月 13 日，義和團發動兩次進攻，均被擊退，團民死傷甚重，我方無損失。14 日，大批義和團襲擊停在廊坊的火車，被擊敗，大約有一百人斃命。我方五名義大利人陣亡。同日下午，義和團對落垡車站的英國留守部隊發動進攻。派回援軍，並將敵人擊退，殺死一百人，我方兩名水兵負傷。部隊向前推進到安定，兩日與敵作戰，擊斃一百七十五名，我方無傷亡。前面的鐵路遭到極大破壞，不能乘火車繼續前進，因此於 16 日決定返回楊村，打算在該處乘船前往北京。18 日，留在廊坊繼續後撤的兩列火車，遭到義和團和清軍的襲擊，他們有四五百人被擊斃。我方六人陣亡，四十八人負傷（一說被擊斃約五十人）。當天晚上，這些火車同我在楊村會合。我們發現楊村的鐵路完全被破壞，火車無法開動；部隊缺乏給養，並且因有傷員而行動困難，迫使我們撤回天津。[69]

破壞鐵路，使聯軍無法前進，是義和團所為，但 18 日使聯軍遭到重創的則是董福祥的部隊。董福祥的部隊裝備著現代化的武器，射擊技術比較優良，殺傷力遠非義和團的長矛大刀所可比擬，所以能夠有此戰果。參加作戰的團民也直言不諱：「洋毛子兵死的不多，義和團死了不少。……董福祥大帥的大兵來了，才把洋人打跑了。」[70]

有的論者談到聯軍退回天津時，則不提董福祥軍隊所起的作用，完全歸功於義和團的截擊：「英海軍提督西摩率領侵略軍一千

---

[68] 廖一中等：《義和團運動史》，第 137 頁。
[69] 胡濱譯：《英國藍皮書有關義和團運動資料選譯》，第 57 頁。
[70] 黎仁凱主編：《直隸義和團調查資料選編》，第 576 頁。

八百餘人，由天津乘專車向北京進犯，沿途遭到義和團的英勇截擊，團眾挑開車軌，圍攻車廂，殘餘的侵略軍狼狽逃回天津。這是義和團給予侵略軍的第一次嚴重的教訓。」[71]「正是義和團戰士這種可歌可泣的英勇犧牲的戰鬥精神迫使西摩爾聯軍『除了撤退之外，毫無其他任何選擇的自由。』」[72]

再看義和團在天津戰役中的作用。

有一則史料記述6月中旬陳家溝的戰情寫道：「連日與洋人戰於陳家溝，團為先鋒，淮練各軍及武衛軍繼其後，團皆望風潰。」[73]但論者在引用時，卻將「團皆望風潰」這句最關鍵的話刪去，成了「『團為先鋒，淮練各軍繼其後』，打得侵略軍『皆高掛白旗，以示不戰。』」[74]如此一來，義和團就由「皆望風潰」變為打敗聯軍的超級「英雄」，歷史的本來面目就這樣被輕輕地改寫了。

6月18日，俄軍在老龍頭火車站被消滅五百餘人。西方記者報導說：「華人自六月十七號起開炮轟擊天津，至二十三號止，計被轟擊六日，……華兵……大半係聶軍門由蘆台調來之部下洋操兵，所帶軍械均係極佳之毛瑟快槍，並有極好炮隊，……租界房屋無一處不被擊毀者，……六月十八號在鐵路車站處一仗最屬，俄兵二千名內，竟死傷有五百名之多。」[75]然而這一事實，又被許多論著曲解為是參與助戰的義和團立下的功勳。

各種文獻顯示，在其後的進攻租界和保衛火藥局的各個戰鬥中，主力部隊均為官兵。如裕祿奏稱，7月1日聶士成親督兩營，「將陳家溝鐵橋洋兵擊退，並奪回閘口。俄有洋人步隊來爭，亦經

---

[71] 張寄謙等：《義和團在北京的戰鬥》，見路遙編：《義和團運動》，第380頁。

[72] 牟安世：《中國人民反對外國教會侵略的鬥爭和中國近代史的主要線索》，《近代中國教案研究》，第9頁。

[73] 佚名：《天津一月記》，《義和團》2，第144頁。

[74] 廖一中等：《義和團運動史》，第315頁。

[75] 左原篤介、漚隱輯：《八國聯軍志》，《義和團》3，第191頁。

擊退。少頃，洋人馬隊復來，該軍以炮轟擊，傷斃洋兵數十名，……始行潰退。」聯軍企圖奪取老龍頭一路，馬玉昆部「奮勇迎敵，槍斃其前隊二十餘名。」7月2日，馬玉昆親率各營分路進剿，與二千聯軍激戰，晝夜不停。「陣斃洋人百餘名。該軍愈戰愈奮，洋人力漸不支，直至初七傍晚，退歸老巢。該軍遂將火車站奪回」。該軍分統郭殿邦、張相泰督飭弁勇，「力戰兩晝夜之久，擊斃洋人百餘名之多，實為異常苦戰。」[76]「自六月初十日，軍事日緊，槍炮聲晝夜不輟。十二日洋兵分路出戰，聶軍、馬軍、淮練各軍，分頭堵禦，竟日酣戰。」[77]

洋人亦寫道：「華兵接連開炮，轟至四點鐘之久，租界中房屋多處俱遭擊損」。「華人炮火，其準頭甚準，頗為利（厲）害。」「聯軍與華兵惡戰，自清晨八點鐘起至下午四點鐘始止。」[78]「中國兵知道，如果天津城失守，那他們是不會得到饒恕的，所以，他們使出渾身的解數不讓聯軍接近內城的城牆和大門。他們向聯軍劈頭傾注了密集的火紅的鉛彈。」[79]「那些十倍于聯軍的中國軍隊，與各國聯軍進行的戰鬥是一場艱苦卓絕的殊死搏鬥，其情景是文字難以形容的。清軍直到天津陷落那天仍然繼續戰鬥。」[80]等等。

7月13日，聯軍開始攻城，曹福田和張德成逃跑，裕祿和馬玉昆也撤離天津，擔負著守城重任的僅有練軍、水師營、剛剛組成的蘆勇和打雁的獵戶。少數團民未來得及逃走，已經魂飛膽裂，躲藏起來。有些論著說義和團勇敢地擔負起了守城的重任，次日城陷時仍與聯軍展開激烈巷戰，均非實情。聯軍「進城後十二點鐘內，

---

[76] 《義和團檔案史料》上冊，第 229-230 頁。

[77] 佚名：《天津一月記》，《義和團》2，第 154 頁。

[78] 左原篤介、漚隱輯：《八國聯軍志》，《義和團》3，第 192、193 頁。

[79] 德米特里·揚契維茨基：《八國聯軍目擊記》，第 238 頁。

[80] 《八國聯軍進北京》，《京津蒙難記》，第 172 頁。

華兵尚在四周圍用炮攻擊，奮力巷戰，⋯⋯第一隊為英、日、美三國兵暨奧國水師，十七日（13日）凌晨各炮一齊開放，彈指城垣，華兵踴躍還炮，極有準頭，⋯⋯第二隊之俄、德、法三國兵已進攻駐守津北鐵路之華兵，亦是一場惡戰。」[81]14日確有一股團民遇到日本兵，「日本兵擊之，匪度不能脫，乃與鬥。」[82]他們眼見無路可逃，只好上前拼命，並不是主動抵抗。

　　事後，裕祿、宋慶和劉恩溥曾將13、14兩日天津失陷的情形上奏朝廷。有論者認為他們說的前後矛盾，有意諉過義和團。寫道：「裕祿懼怕朝廷追究失地之罪，在奏報中⋯⋯不提團民與練軍浴血守城，反而說：『該團野性難訓，日以仇教為名，四出搶掠，並不以攻打洋兵為心。』又說：『十七日（13日）交戰之先，約彼相助，乃藉口時尚未至，或云日干不利，任意推諉，已非一次。即至進戰，大軍奮勇直前，忽四處地雷轟發，數十里內木石橫飛，天地變色，當是之時，義和團已不知去向。且值居民驚避之際，或掠良家財帛，或奪勇丁槍械，甚至搶劫衙署，焚燒街市，事後則解去紅巾，逍遙遠避。』⋯⋯全然忘了他在7月12日的奏摺中關於報告練軍統領何永盛『會同義和團張德成並團民多人，由馬家口進攻紫竹林，用炮轟毀平頂洋樓一座，擊斃洋兵數十名，洋人遂紛紛竄出，該兵團等衝出復入』的話了。還有倉場侍郎劉恩溥，他於7月13日的奏報中述說：『未刻，聞宋軍、馬軍後隊均退至十八里之北倉。團民雖抵禦不退，苦無軍火⋯⋯』但僅僅過了4天，劉恩溥卻在17日的奏報中完全變了口氣，說什麼『臣密派委員跟蹤窺探，見多有撤去紅巾改裝易服者，其為真正退縮無疑。時值南門處練軍團民同時潰散，守禦空虛，敵人即於十八日寅刻扒城而入。』這兩個人不僅

---

[81]　《〈萬國公報〉所載庚子見聞》，《京津蒙難記》，第80-81頁。
[82]　僑析生：《拳匪紀略》卷4，第2頁。

都把失城之責推給了義和團,而且都強調天津失陷之後各路團民都
潰散遠逃,已無法再進行整頓,會合官兵奪回天津。」[83]

閱讀原折,裕祿並無誣過義和團的意思。此折是專為回答朝廷
要他重新整頓義和團,收復天津問題而發的。所講「該團野性難
訓」,「交戰之先」云云,指的是 7 月 13 日以前義和團平日的行為,
與前奏 12 日張德成曾隨練軍進攻租界不相矛盾。不能因張德成團
曾在 12 日參戰就否定了其平日的行為和 13 日的逃跑。核之前述事
實,裕祿並未說謊。

劉恩溥的前後說法不一,但前說 13 日「團民雖抵禦不退」,並
未經過調查。四天之後說「臣密派委員跟蹤窺探」云云,則是 13
日當天聽到「探報云:團民退縮,被練軍殺斃三十餘名」之後的情
形。且說:「臣又急覓團民,奈竟不見一人。臣只得趕赴北倉,與
臣裕祿會商。」[84]後一種說法是經過派人調查並親自查看的,與當
時團民爭相逃跑的情況完全一致,沒有理由懷疑其真實性。

紅燈照參加抗擊聯軍之說,根本沒有可信的史料為據,不過想
像而已。

至於說京城將要陷落時,義和團奮勇抗擊聯軍,展開激烈的巷
戰,亦無其事。失陷前團民基本上都逃跑了,堅持戰鬥的只有官兵。
「中國兵隊,其在京城與聯軍開仗者,約有三萬餘人,傷亡之數,
約以四千計。當聯軍奪據京城之際,最稱奮勇者,為董福祥一軍」。
「華兵在滿(內)城東牆防守之際,堅忍異常。」[85]聯軍攻開城門
之後,官軍猶「據城迎敵,或城內巷戰。」[86]8 月 15 日,「華兵因
聯軍已解使署之圍,乃堅守皇城及滿(內)城大半之處,並在各街

---

[83] 李德征等:《八國聯軍侵華史》,第 153-154 頁。

[84] 《義和團檔案史料》上冊,第 342 頁。

[85] 佛甫愛加來、施米儂:《庚子中外戰紀》,《義和團》3,第 310-311 頁。

[86] 仲芳氏:《庚子記事》,見《庚子記事》,第 32 頁。

道與聯軍迎戰。」[87]「清晨洋兵破齊化門而入，旗兵與之巷戰，均能奮不顧身，彼此死傷遍地。」[88]

　　義和團不敢上前線打洋兵，到各處轉上一圈，就呼叫「大得全勝」；炮火停止，就吹噓是張德成、曹福田的法術將敵人的槍炮閉住，自吹自擂，貪天之功以為己有。一些論者不去正視事實，諱言逃跑，以敗為勝，跟著吹捧，甚至不惜掐頭去尾，歪曲史料，移花接木，偷樑換柱，故意為其塗脂抹粉，掩蓋事實真相，實非學者所應有的科學態度。

（三）「英勇」來自興奮藥

　　人世間有各式各樣的英勇，如與入侵外敵血戰到底的英勇，抗擊官軍的英勇，正義之士慷慨赴難的英勇，強盜不怕殺頭的英勇，天津土棍「以敢死為能事」[89]式的英勇，不一定每一種都值得歌頌，要因人因事而定。像當今賓‧拉登份子和一些甘作「人體炸彈」的極端恐怖主義分子，英勇犧牲的精神均達到了登峰造極、無以復加的地步，但因其針對並殘害無辜平民的生命，卻遭到世界人民的強烈譴責。

　　許多論者均認為義和團在同八國聯軍的戰鬥中表現得非常英勇，引以為據的一則史料就是：「拳匪信槍彈不傷之妄，遇有戰事，競衝頭陣。聯軍禦以洋槍，死者如風驅草，乃後隊存區區之數，尚不畏死。」[90]

---

[87] 佛甫愛加來、施米儂：《庚子中外戰紀》，《義和團》3，309 頁。

[88] 陳慶恒：《清季野聞》，《義和團史料》下冊，第 638 頁。

[89] 管鶴：《拳匪聞見錄》，《義和團》1，第 471 頁。

[90] 徐緒典主編：《義和團運動時期報刊資料選編》，第 19 頁；左原篤介、漚隱：

團民一開始同八國聯軍作戰的時候確實有過短暫的英勇，這種英勇來自何處？

有的論者相信義和團確實有刀槍不入的本領，說：「義和拳本是有數百年以上歷史的『拳術』。我國拳術本有內外兩派，所謂『內練一口氣，外練筋骨皮』。義和拳亦名義合拳，可能是內外兼修的。內外兼修的拳術往往能練出一些科學上不能解釋的『特異功能』來。朋友，這種特異功能是實有其事啊！如今不僅大科學家錢學森篤信不疑，連不才也不得不信，因為我曾親自參加過中國氣功大師嚴新的『帶功講座』。親眼所見，哪能是假呢？最近僑美鄰人之妻，一位50開外的華裔老太太，就因為練氣功的『自發功』而不能『收功』，一下『飛』出了兩丈多遠而摔斷了膀子呢！……義和拳早期的大師兄本明和尚，據說就是『渾身氣功、能避槍炮』。……義和拳那一套事實也就是一種『氣功』。」[91]

氣功和特異功能絕對不會使人產生刀槍不入的神通。氣功只是一種健身功夫，不會像義和團那樣練三五天就能取得驚人的成就，更不會刀槍不入。特異功能是否存在，尚有爭論，即使存在，也只個別人具備，絕不會像義和團那樣人人具備，否則就不叫特異功能。特異功能再特異，也不可能刀槍不入。本明和尚「渾身氣功」，還不是被毓賢梟首示眾，哪裡「能避槍炮」？號稱「天下第一團」的最為著名的大頭目張德成，還不是曾被流彈打傷手臂，最後被群眾剁成肉醬，又哪裡有刀槍不入的本領？嚴新的特異功能再大，只要不穿防彈衣，也不可能以血肉之軀擋住衝鋒槍的子彈。對於氣功師帶功講座時聽眾出現的特殊現象，據內行人士稱，這是一種「類意症」，此類病人第一次練功，感受到別人發出的氣時，往往急性

《拳匪紀聞》，《義和團》1，第149頁。
[91] 唐德剛：《晚清七十年》，第374頁，嶽麓書社，1999年。

發作，表現為情感暴發，哭笑無常，痙攣抽動，滿地翻滾等。是否如此，不得而知，但可以肯定的是，這種現象並不能證明發功的人有刀槍不入的神通。

不少論者皆認為，義和團是依靠降神附體、吞符唸咒、刀槍不入產生英勇無畏的氣概，鼓舞鬥志。這種觀點有一定的道理，但還限於表面。倘若後面的團民看到前面的犧牲，便會想到這些法術不起作用，從而產生畏懼，以至逃走；可是後面的團民仍然繼續衝鋒陷陣，出現前面讚揚者所引以為據的那條史料描述的情況。對這種現象，就非此說能夠作出圓滿的解釋了。

還有一種觀點認為，義和團的英勇無畏來自「現實的革命狂熱」和「反帝愛國精神」：「『神靈』當然是不存在的，至於『畫符唸咒』使之『附體』以求『刀槍不入』，更屬荒誕無稽。實際情況是，每逢戰事，信槍彈不傷者『競衝頭陣，聯軍禦以洋槍，死者如風驅草』。血的教訓，團民當然會意識到符咒難以制敵，身軀無法抵擋槍炮。那麼，他們何以始終堅持『畫符唸咒』衝鋒陷陣呢？答案只能是：義和團信神不是在祈求宗教的心靈解脫，而多半是取其形式；他們之所以執著地唸著咒上陣，恰似後人作戰，必誓以與陣地共存亡一樣，是為了增強決勝的信心。也就是說，在迷信的背後，隱藏著現實的革命狂熱。這是一種置生死於度外的愛國主義精神」。「對此只能從舊式農民鬥爭的角度去剖析，而切忌以今天反迷信的標準來衡量。否則，那多半是在發歷史的幽情，而非鄭重的科學評價。綜上所述，我們的結論是：義和團篤信『畫符唸咒』、『神靈附體』等迷信，既是農民小生產者愚昧落後的表現，又是當時聯絡下層民眾禦侮保國的一種有效手段；『神拳』說到底是一種鴉片劑，但在神秘面紗的背後，又蘊藏著灼熱的置生死於度外的反帝愛國精神。歷史的辯證法就是如此。」[92]

---

[92] 喬還田：《也評義和團的「排外」和迷信色彩》，《義和團運動與近代中國社

此論是不是「鄭重的科學評價」和「歷史的辯證法」呢？筆者不敢苟同，因為它解釋不了下列問題：

「革命狂熱」和「反帝愛國精神」產自內心，不必假借神靈附體，畫符唸咒。明知神靈並不存在，畫符唸咒荒誕無稽，做這種表面文章沒有任何意義。

退一步說，假如在戰場上「為了增強決勝的信心」，「取其形式」尚有必要的話；那麼，在練習時不與侵略者戰鬥，「取其形式」就絕無必要。但在事實上練習時也「取其形式」。「學法畫符，請神附體。」[93]「入其教者，雖名為習拳練技，實為演誦符咒，詭稱神靈附體。」[94]大刀會於「夜半跽而受業」時，亦「燃燈焚香，取新汲井水供之。以白麵畫符籙，……另授以咒，誦咒焚符，沖水令其跪飲。」[95]顯而易見，義和團練習時這樣做的目的絕對不是「誓以與陣地共存亡」，不必多此一舉。

「革命狂熱」與「置生死於度外」應該貫穿於戰鬥的始終，不會在短時間消失。可是，無數的文獻記載皆是團民喊殺一會，便畏懼敵人槍炮，逃之夭夭，並非總是前仆後繼，上面羅列的許許多多事實即是證明。這種情形與「革命狂熱」和「反帝愛國精神」大相徑庭。

團民在吞符唸咒以後，即出現一種與常人迥異的情況，文獻中有許多這方面的描述。諸如：「閉目跳舞，狀若癡顛。」[96]「仰面僵臥，移時陡然起立，其形如瘋，手舞足蹈，喘氣如牛。」[97]「神

93　艾聲：《拳匪紀略》，《義和團》1，第 444 頁。
94　《義和團檔案史料》上冊，第 93 頁。
95　《義和團檔案史料續編》上冊，第 10 頁。
96　《義和團檔案史料》上冊，第 91 頁。
97　劉孟揚：《天津拳匪變亂紀事》，《義和團》2，第 8 頁。

一附體，即昏迷不醒，但執槍刀亂舞而已。」[98]「如同些醉漢一樣，仰著頭，合著眼，也不管有人無人，就掄著大刀向左右亂砍亂舞。」[99]被調查的團民也說：「義和團上法後，眼發直，身不由己，直向前走，力氣很大，可以持極重的刀耍弄。」[100]「唸咒完畢，伏地不動，霎時，口吐白沫，一蹦即起，渾身哆嗦，口中『噓、噓、噓』」。「周老昆所領之嫡系團眾衝鋒時，先喝一符，復以一符貼胸前，據說可避槍炮。當即喊口令：『亂三絞四四，乒乓枯唏。』喊畢出發，面色立變，青紅而紫，目赤切齒，如瘋如狂，如醉如癡，從外表看去，完全不像本人原貌。」[101]毋庸置疑，吞符唸咒以後，團民已處於神志不清、如醉如癡如狂的瘋癲狀態。人體形態神情發生如此巨大變化，與「革命狂熱」和「反帝愛國精神」也無「辯證」關係。

義和團「上法是為了不叫洋人放槍，避住火，讓自己槍響。」[102]大頭目劉十九回答團民「為啥下陣不靈」的疑問時說：「上陣之後就會有神」，「打仗要往前頂，到了戰場，神一附體就上天了，鬼子是打不著的。」[103]

刀槍不入是不可能的，神靈附體是騙人的。但調查證據顯示，上法以後，團民的勇氣確實來了。有些團民說：「義和團上法才能打勝仗」。「磕頭上法，大喊大叫地往前闖，看樣子都忘了洋人的洋槍子彈蹭頭髮了。」「打仗時神護著你的身體，槍子來了就順著身子的兩邊跑過去了。神讓你累也不知道累，分外的有精神。」[104]文

---

[98] 艾聲：《拳匪紀略》，《義和團》1，第 447 頁。

[99] 黎仁凱主編：《直隸義和團調查資料選編》，第 366 頁。

[100] 南開大學歷史系：《天津義和團調查》，第 155 頁。

[101] 黎仁凱主編：《直隸義和團調查資料選編》，第 37 頁。

[102] 黎仁凱主編：《直隸義和團調查資料選編》，第 555 頁。

[103] 南開大學歷史系編：《天津義和團調查》，第 128 頁。

[104] 黎仁凱主編：《直隸義和團調查資料選編》，第 526、525、473 頁。

獻也有同樣的記載:「團中童子甚多,有年僅八九歲者,執刀臨陣,自云上法後,身不自主,但覺氣急不可耐,故前奔耳。」[105]

那麼,義和團上法之後神就附體,「競衝頭陣」,「視死如歸」的奧秘到底在哪裡?團民的自述可以為我們解開這個謎團。

上法的關鍵不在唸咒請神,而在吞符。「義和團每人一道符,用朱砂畫在麥黃紙上。」符的形狀如同一個人形,然而又無手無足,非神非妖,和皇曆上張天師祛病驅妖符差不多。為什麼喝了符就有勇氣?一位世世代代在義和門習武的團民索克恭予以最直截了當的回答:「畫符用的紅砂是興奮藥做的,喝過符一小時內,心神煩昏,光想打仗。一個時辰過了就沒事了。」另一位團民說:「喝符僅能在一個時辰內管用」[106]。

奧秘就在「興奮藥」三個字。符是用摻了「興奮藥」的朱砂畫的,喝下符就等於服用了「興奮藥」。「興奮藥」含有使人興奮和暫時迷失本性的成分,所以團民喝下以後,「心神煩昏,光想打仗」;而且這種藥只在一個時辰之內發生作用,過了這個時間就不起作用了,人也恢復了原樣。義和團的「英雄氣概」就是來自這種「興奮藥」。

儘管目前筆者只見到這一位團民將「英雄氣概」的奧秘曝光,顯得證據略嫌孤單,然而這個答案卻是正確的,無可置疑的。

首先,該團民世代習武,瞭解不為外界所知的絕密內情,他以當事人的身份揭示出請神附體、畫符唸咒背後所蘊藏的詭謀,證實了義和團「英雄氣概」產生的真實原因。喝下了「興奮藥」,團民處於神志不清、昏迷不醒的癲狂狀態,既不知身在何種危險境地,亦不知槍炮可以斃命,光想打仗,所以只知掄著大刀向左右亂砍亂舞,身不由己地冒著槍林彈雨向前衝去。一個義和團的大師兄也坦然承認:「他們所以把自己弄成這樣的昏迷狀態,是可以避免對刀

---

[105] 佚名:《天津一月記》,《義和團》2,第145頁。
[106] 黎仁凱主編:《直隸義和團調查資料選編》,第123、116、37頁。

斫劍擊的任何感覺。」[107]這在不瞭解真實內情的外人看來，團民所
表現出來的自然是視死如歸、大無畏的英雄氣概。

其次，合理地解開了不易為人們理解的某些謎團。神靈附體、
畫符唸咒在一般頭目、團民和外人的眼裏，僅僅是「取其形式」而
已。其實並非如此，更非「祈求宗教的心靈解脫」，而是有其實際
意義，即假借這種形式，讓團民服用了「興奮藥」。

團民在戰場上吞符唸咒以後為何神志不清、如醉如癡如狂，毫
無畏懼地向前猛衝亂殺？因為吞符便是服用「興奮藥」，精神失常，
根本不能控制自己。

後面的團民見前面的同夥被擊斃，為何尚不畏死，繼續前衝？
因為他們也吞了符，服用了「興奮藥」，在「興奮藥」的控制催動
之下，意識不到前面的同夥被擊斃，亦不曉得槍炮之厲害。

團民為何衝殺一陣便敗退下來？因為「興奮藥」發揮作用最多
只有一個時辰，團民在這個時間之內可以充滿勇氣，「置生死於度
外」，超過起作用的時間，神志清醒，便畏死逃跑了。

在練習時大頭目們為何也讓團民吞符唸咒？這是為了讓練習
者表現出「神拳」的超自然的神秘力量，使人們易於相信，欺騙煽
惑更多的人跟著他們行動。

無獨有偶。在與義和團相隔一個世紀有餘的當今世界上，也出
現了服用興奮藥的「勇士」。「據英國《每日鏡報》報導，伊拉克的
反美武裝分子為了對付裝備精良的駐伊美軍，每當發起進攻前，都
要服用一種類似於興奮劑的特殊藥物，吃後立刻感覺自己像『超人』
一樣厲害，對美軍毫不懼怕。」[108]這一事例可以作為義和團「英雄
氣概」就是來自「興奮藥」的有力佐證。

---

[107] 張蓉初譯：《紅檔雜誌有關中國交涉史料選譯》，第 214 頁。
[108] 《文摘報》，2005 年 12 月 18 日。

　　研究歷史，只能用今天的認識去觀察衡量歷史上發生的一切，反對迷信亦然，史學研究之所以能夠常新不衰，道理就在於此。如若都用義和團的標準看問題，迷信根本就不存在；如果都以當時敵視義和團者的標準看問題，也不能把問題剖析得透徹。科學愈發達，愈能把具有神秘色彩的東西解釋清楚，解決這一類問題，非用今天的認識觀察不可，非用今天的標準去衡量不可。以後科學更發達，還可能有更新的解釋。這不是「在發歷史的幽情」，而是進行科學的論證。只有真實才能合理地圓滿地說明問題，主觀想像無論如何做不到這一點，亦稱不上科學和歷史的辯證法。

　　論者還認為，「對其迷信色彩大加鋪敘，且一味強調其消極作用，一度被視為客觀分析和有講實話的勇氣。依我看，這種做法也是欠公允的。……對這種迷信現象僅僅限於暴露、譴責是片面的。重要的是，要『用歷史來說明迷信』。（恩格斯語）……義和團之所以篤信『畫符唸咒』、『神靈附體』、『刀槍不入』的迷信，也唯有從小生產勞動者的特點那裏才能得到真正解釋：他們需要一種信仰力量來作為超出自己狹隘經驗範圍的精神支撐；而在這些見聞有限、閉塞落後的人看來，神無所不能，憑藉之後自是法力無邊。歷史和生活表明，篤信迷信並不僅僅發生在義和團身上，以往的歷次農民起義也多皈依上帝，甚至在現今農村，已經富裕起來的農民，還張貼門神。」[109]

　　「用歷史來說明迷信」當然是對的，不僅僅是迷信，對任何歷史現象都需要「用歷史來說明」。但「用歷史來說明」，不等於對反動的落後的現象不應或不能暴露譴責。不能因其是義和團就可以不分是非，不論功過得失。

---

[109] 喬還田：《也評義和團的「排外」和迷信色彩》，《義和團運動與近代中國社會》，第 465-466 頁。

　　以「用歷史來說明迷信」而言，論者亦未真正做到。歷史上確有農民起義利用封建迷信，然而，如秦末的劉邦、項羽起義，唐末的黃巢起義，北宋的王小波起義，元末的朱元璋起義，明末的李自成起義等等，在訓練和打仗時就沒有義和團的「畫符唸咒」、「神靈附體」、「刀槍不入」那一套。同樣是「小生產勞動者」，為什麼會出現這種差別？單純用「小生產勞動者」是說明不了問題的。

　　過去及現在確實都有封建迷信的人們，但卻不能以此為義和團辯護。封建迷信對一般缺少文化、思想愚昧落後的群眾而言，雖然受騙上當，但並不危害別人。義和團的頭目們與一般群眾的封建迷信不同，與江湖上常見的風水、算命和相師等術士也不同，他們不是為了騙幾個小錢，心裏都十分清楚，所謂「神靈附體」、「刀槍不入」是根本不存在的，但卻廣為散佈傳播這些妖言邪說；自己絲毫沒有「滅洋」的實際本領，卻狂放「滅洋」的妄言。其所以如此欺騙宣傳，並讓團民吞服含有興奮藥的符籙，使之神志不清，喪失常人理智，以證明有「滅洋」的實際本領和神靈的保護，目的就在於利用社會上出現的罕有饑荒，吸引盜匪、流氓無產者和饑民加入隊伍，到處燒殺搶掠，劫取別人的財富據為己有，抵抗進行彈壓的官兵。在此，作為群體凝聚力的不是封建迷信，而是「發洋財」的迷夢。揭露譴責義和團的封建迷信，決不是苛求。因為與千百年前和同時代的其他「小生產勞動者」相比，他們要愚昧落後得多，其頭目更是蓄意利用封建迷信製造混亂、危害社會的罪魁禍首。

　　在探討義和團「勇敢」的問題時，還有一個非常值得注意的現象，即參加義和團的「年紀大都在十二三歲，大者不及二十也。」[110]為什麼大頭目們「專誘十數齡之童子」[111]？這不僅因為年輕適合習

---

[110] 唐晏：《庚子西行記事》，《義和團》3，第 471 頁。
[111] 徐緒典主編：《義和團運動時期報刊資料選編》，第 26 頁。

武,更主要的是青少年單純,皆為法盲,不懂世事,愛意氣用事,對迷信的虛妄更少懷疑,極易受人欺騙蒙蔽,走上歧途。特別是在大饑大荒之年,「發洋財」的迷夢最易煽動、誘惑那些饑餓無食、命在旦夕的青少年。到了戰場上,他們吞下興奮藥以後,「以為槍炮不入,無懼軍火,膽量甚壯。」[112]「拳匪中之最勇敢者,即為此等小童,彼毫無畏懼。」[113]因而,「團與洋人戰,傷斃者以童子為最多,年壯者次之,所謂老師、師兄者,受傷甚少。傳言童子法力小,故多傷亡。年壯者法力不一,故有傷有不傷。老師、師兄則多神術,槍彈炮彈近身則循衣而下,故無傷。」其實,造成這種慘狀的原因是:「臨陣以童子為前隊,年壯者居中,老師、師兄在後督戰,見前隊倒斃,即反奔。」[114]這個事實充分暴露出大頭目們的欺騙、狡猾和陰毒。用迷信神符毒害無知無辜的無數青少年,使他們白白地犧牲於槍林彈雨下,是大頭目們不可饒恕的一大罪狀。

再者,大頭目們儘管自吹神通廣大,法術無邊,可是從不見他們「競衝頭陣」,浴血奮戰。張德成、曹福田、劉十九、韓以禮等沒有一人戰死在與聯軍拼殺的沙場上,均在危急時刻當了可恥的逃兵。他們的行為不僅比起中日戰爭中的鄧世昌、林永升等愛國將領、民族英雄有天壤之別,就是當時官兵的英雄氣概、愛國精神亦高出他們不止千百倍。聶士成一有戰事,便馳赴各營,激勵士兵。7月9日,帶兵進攻紫竹林,突遇大隊敵人,仍然親冒炮火向前猛進。到達八里台,「洋兵四面環擊,槍炮如雨」,他「兩腿均受槍傷,猶督兵不許少退,營官宋占標勸令退後將息,該提督奮不可遏,仍復持刀督戰,又被敵槍洞穿左右兩腮、項側、腦門等處,臍下寸許

---

[112] 《八國聯軍志》,《義和團》3,第178頁。
[113] 朴笛南姆威爾:《庚子使館被圍記》,《義和團》2,第226頁。
[114] 佚名:《天津一月記》,《義和團》2,第148頁。

被炮彈炸穿，腸出數寸，登時陣亡。」[115]「身受七傷，末一傷洞穿胸際，血肉糜爛，不可辨認，死事情形，最為慘烈。」宋占標「有戰必先」，與其一起壯烈犧牲。營官徐照德帶隊攻入武庫，「短兵相接，手刃敵人者三，忽中槍彈，猶揮手殺敵，氣盡而止。」幫帶呂光烈「首先攻入武庫，中彈身亡。」[116]營官潘金山守衛東局子，「右腿被槍子洞穿，裹創力戰。」馬玉昆部右路統領李大川帶領部隊進攻，「鼓勇先趨，當將鐵路奪占」，後來「中炮陣亡」[117]。哨官以下英勇戰死的不計其數。

　　有些士兵死的也極為悲壯。潘金山部被迫從東局子撤退時，有兩個士兵留下來埋上地雷，聯軍衝近後，他們毅然拉響了地雷，與敵人同歸於盡。被俘的戰士同樣顯示出威武不屈的英雄氣概：「一個可怕的高大而帶有挑戰似的表情的清軍人影正盯著我的面孔。他一動不動地坐在拷問台附近的拘留所的旁邊，……他的雙手被綁在後面……他的衣服破碎了，在胸口中央露出了幾英寸深的傷痕，是大刀與刺刀砍傷的。他的衣服和褲子全都被血浸濕了，而傷痕猶新，血流如注，他一定痛苦極了。但是，他沒有一句求饒的話，也沒有一聲痛苦的呻吟。他無言地端坐著，泰然自若的臉上現出自豪與蔑視交織在一起的可怕的表情。他的嘴緊閉著，眼睛不眨一眨，緩慢地把尖銳的目光投射在一個一個地帶著搶劫品跑出城門的外國人。」[118]這樣的戰士，在洋人眼裏也不失為一個真正的英雄。

　　總的來說，廣大官兵是勇敢的，雖有敗退的時候，但卻不像團民那樣，不敢上陣，在危機時刻只顧保命逃跑。

---

[115] 《義和團檔案史料》上冊，第 277 頁。
[116] 楊慕時：《庚子剿匪電文錄》，《義和團》4，第 361、362 頁。
[117] 《義和團檔案史料》上冊，第 208、291 頁。
[118] 《八國聯軍進北京》，《京津蒙難記》，第 191 頁。

（四）敗後表現

北京淪陷，鄉村的團民全部逃回，城市的有不少留了下來。鄉村中的許多義和團聽從地方官員勸告，紛紛撤壇解散，有的被收編為鄉團。有的流落他鄉，隱姓埋名，過起普通百姓的生活；有的消極悲觀，當了和尚、道士。這方面的情形已有論者述及，此處做些補充。

一部分團民甘為「順民」。聯軍到直隸各村搜捕團民，「各團云：『此處無團，請搜。』匍匐叩頭乞命，求再三，令立和（合）同方饒。」[119]更有些對搜捕表示歡迎，如日本的田邊少佐統帶軍隊「討伐拳匪餘黨，自楊村至寶坻縣，……至河西務，所遇匪徒莫不向該軍歡迎，而毫無拒阻之意。」[120]天津、北京的絕大多數團民為了保命，於失守後在門口掛上白旗，當了「順民」。天津「多有迎降引導者。向者目洋人為大毛子，至是咸尊以洋大人。」[121]排外之風一變而為媚外之舉。拉人力車的，「什八九皆義和團也」。過去他們無比地痛恨洋物，「今乃大異，西人破帽、隻靴、垢衣、窮絝，必表出之，矮簷白板好署洋文，草楷雜糅，拼切舛錯，用以自附於洋。昂頭掀脣，翹若自熹。」[122]不知人間尚有羞恥事！

另一部分團民充當了漢奸。這種情況以天津、北京為多。列強在天津錄用的華巡捕，「內有曾充拳匪者甚多，從前仇視洋人，此刻又樂為所用。」[123]「拳眾皆鄉曲無賴，聯軍至，其黠者不惜倀導

---

[119] 杜某：《庚子日記》，《義和團史料》下冊，第571頁。
[120] 《八國聯軍志》，《義和團》3，第251頁。
[121] 龍顧山人：《庚子詩鑒》，《義和團史料》上冊，第74頁。
[122] 佚名：《綜論義和團》，《義和團史料》上冊，第193、194頁。
[123] 劉孟揚：《天津拳匪變亂紀事》，《義和團》2，第55頁。

西兵，毒螫鄉里。」[124]「洋兵破城，遂變紅巾而為洋僕，藉勢擄掠，人皆挾貲。觀其衣服麗都，日徜徉於妓寮茶肆者，不料其為昔日之拳匪，今日之漢奸也。」[125]更可惡的是：「曩之為拳匪者，今多自稱奉教，恫嚇愚弱，誣指曰：『爾是拳匪，將扭送外國衙門。』愚弱者懼而賂之，即免，又顧之而他。」[126]北京同樣：「京師既破，搖尾供奴隸役者，皆拳黨也。」[127]「近日各使館役使之人，多係匿名之拳匪謀充，出入使署，依勢欺人，橫行無忌。」[128]「團中領佐大半為西兵嚮導，或為僕役，且藉西兵之勢，劫奪戕殺，無惡不為。」[129]

還有一部分團民仍做盜匪。有些團民本來就是盜匪，有些是運動期間燒殺搶掠當了盜匪，失敗以後仍有許多拒不解散。其中少部分在聯軍剿捕時為了保命曾經被迫進行抵抗，但並不為了「反帝」而主動攻擊。繼續堅持活動的都是運動中的頭目和骨幹分子，他們匪性不改，仍然為盜，禍害人民。

二師兄龐圍供稱，天津失守後逃回山東臨邑縣原籍，糾邀同夥，「迭次搶奪臨邑、陵縣、平原等縣平、教各民錢文衣物，並嚇詐教民楊丙午等錢財」。後將張莊圍子攻破，「殺害教民，搶掠錢物，俵分花用。」[130]

劉敬嶺、李蘭池、劉汶岳、李振海、王金三、徐長城供稱：「自天津與洋人鬧事後，逃來武城，在塔坡莊與曹寅亮等多人設廠傳教，漸聚有千餘人，時去時來，在各處焚燒房屋，搶掠銀錢，俵分度用。即大鹽村、呂滑莊、呂窪等處搶案，亦曾同夥。」[131]

---

[124] 龍顧山人：《庚子詩鑒》，《義和團史料》上冊，第 108 頁。
[125] 管鶴：《拳匪聞見錄》，《義和團》1，第 471 頁。
[126] 佚名：《綜論義和團》，《義和團史料》上冊，第 188 頁。
[127] 李超瓊：《庚子傳信錄》，《義和團史料》上冊，第 221 頁。
[128] 《周馥辛丑辦理教案函稿》，《近代史資料》總 59 號，第 37-38 頁。
[129] 狄葆賢：《平等閣筆記》，《義和團史料》下冊，第 668 頁。
[130] 《山東義和團案卷》上冊，第 309-310 頁。
[131] 《山東義和團案卷》下冊，第 844 頁。

黃縣「有拳匪千餘從直隸敗逃，突入本境劫掠。」[132]

天津義和團「餘眾竄入鄉間，悉為土匪。」[133]王某在城破以後，「勾結不法之徒，強姦婦女，搶劫衣物。」[134]「鍋匪」朱某，「有子四人，盡充團長、師兄，始則割斷電線，拆毀鐵路，繼則劫開牢獄，放走罪囚。及至城破，搶掠運庫、典鋪。」「地保穆德，前曾與拳匪為伍，失城後，解巾釋刃，又與穆奎龍之子穆某搶劫，所得贓物甚多。」[135]拳首劉十九率人突到楊柳青，「勒索槍械」，「縛四人手，且鞭其背。復經婉懇，趕即搜羅湊交，始釋其縛」。「拳首張某、滕某，先後遣人索糧。」[136]

北京的「本地流氓以及改裝之拳匪，當洋兵入城時震恐藏匿者，今則到處遊行，無復忌憚。……洋兵、流氓、拳匪參合混雜，以同事於搶劫矣。」[137]「各城關廂數里以外，散團游勇成群結黨，晝夜持械搶劫。」[138]西山「有拳匪餘孽匿」，「無所得食」，則將近村富人韓姓擄至，「勒出萬金。韓請減，不許，竟殺之。」[139]

直隸義和團仍做盜匪的最多。當朝廷下令剿匪以後，義和團「遂散處四方，恣行劫掠。今天津、河東、鹽坨與易州、淶水、茂州，及保定之趙北口、青縣、靜海縣，無處不匿匪類，居民逃避一空。」[140]「拳匪聚黨阻山川者，所在而有，大群至萬人，圍固安，

[132] 徐緒典主編：《義和團運動時期報刊資料選編》，第 20 頁。

[133] 佚名：《庸擾錄》，見《庚子記事》，第 261 頁。

[134] 徐緒典主編：《義和團運動時期報刊資料選編》，第 102 頁。

[135] 左原篤介、漚隱：《拳事雜記》，《義和團》1，第 279、285 頁。

[136] 柳溪子：《津西毖記》，《義和團》2，第 87 頁。

[137] 朴笛南姆威爾：《庚子使館被圍記》，《義和團》2，第 353 頁。

[138] 《義和團檔案史料》上冊，第 612 頁。

[139] 汪康年：《汪穰卿筆記》，《義和團史料》下冊，第 671 頁。

[140] 徐緒典主編：《義和團運動時期報刊資料選編》，第 116 頁。

破懷柔，⋯⋯自河以北，大抵無慮皆匪矣。鑄錢掘塚，劫掠行人，死者不可勝數。」[141]「官兵至則遣數老人出具無拳切結，兵過後劫掠如故。」[142]

有些鹽商由滄州回天津，行至靜海縣獨流鎮，「突出匪徒多人，俱皆首裹紅巾，手持刀械，將該數人所有銀錢盡行劫去，甚至將身穿之衣服亦為脫下。」[143]該縣唐官屯的義和團「聞德兵將至，紛赴富戶當鋪等處，大掠而逃。」[144]

永清縣的義和團「勾結外匪四千餘，壓地而來，要索快槍糧食，一時城鄉大擾。」[145]

1902 年，新城縣的「拳匪餘孽韓三嘯聚匪眾，盤據邑境，東南鄉一帶受患甚劇」。「先劫教民，更擾富室，繼而村民咸遭其害。每年秋間青紗帳起，即橫行無忌。」[146]

雄縣的團民當官軍進剿時聞風遠遁，「實則伏莽尚多，五六年間，搶掠劫殺，層見疊出，皆其遺孽也。」[147]

固安縣「仍假義和團為名，乘機煽亂，勢同流寇。」[148]1901 年 7 月，「拳匪復聚，始據雄縣之王家場，號三千人」，「旋北竄新城黃家莊蠻子營，勒索銀馬。土匪勾結北入縣境，據馬莊鎮大索十日，括商戶及各村民財幾萬金，馬百餘匹」。其中兩股南逃解散，一股前往西北，「再掠新城辛立莊鎮，渡青河入山。」[149]

---

[141] 李希聖：《庚子國變記》，《義和團》1，第 30 頁。
[142] 龍顧山人：《庚子詩鑒》，《義和團史料》上冊，第 107 頁。
[143] 左原篤介、漚隱：《拳事雜記》，《義和團》1，第 287 頁。
[144] 徐緒典主編：《義和團運動時期報刊資料選編》，第 119 頁。
[145] 高紹陳：《永清庚辛記略》，《義和團》1，第 425 頁。
[146] 《新城縣誌》，《義和團史料》下冊，第 951 頁。
[147] 《雄縣鄉土志》，《義和團史料》下冊，第 952 頁。
[148] 《義和團檔案史料》下冊，第 674 頁。
[149] 《固安縣誌》，《義和團史料》下冊，第 943 頁。

1901 年，「聯軍初退，秩序未復，團匪餘黨乘機為盜。」大城
之幸張、靜海之台頭「遂為盜藪」。他們時時進入霸州「綁票，東
南富戶逃避一空。又新城境之游匪亦時來岔河集一帶搶劫。」[150]

茂州的義和團「仍復抗拒官軍，搶掠客商。」[151]

獻縣「義和拳匪復起，猖獗異常，該處富戶及教民等，無不遭
其慘害。」[152]

任邱縣的義和團「肆意搶掠，無惡不作。」[153]

「從前涿州左近一帶，匪徒嘯聚數百人，日以搶劫為事。雖自
津京失陷後，其勢稍衰，而該匪等怙惡不悛，仍然肆擾，故鄉里中
凡有良善及富戶等，無不被其欺壓訛索。直至八月底，有日法兩國
軍隊分途進剿，該匪始行潰散。又有匪中頭目稱為王大師兄者，在
某村糾合餘黨，大張旗幟，並將該村搶掠一空後，復竄入良鄉縣
境。」[154]

「大名府屬匪徒，猖獗異常，前月（1900 年 9 月）滄州州牧
家眷逃至該屬龍王廟地方，被大刀會將行李盡行搶去，並跟隨人等
共計十二人，被匪殺死九人。」[155]

良鄉、黃村一帶的義和團，「洋兵往則散，洋兵走則歸，聚而
劫村莊，拒官長。」[156]

「深州向為盜藪。拳匪熾盛時，盜賊盡歸拳黨，是以兩三月不
出盜案。拳既解散，此輩仍還為盜，到處搶劫，防不勝防。」[157]

---

[150] 《霸縣新志》，《義和團史料》下冊，第 946 頁。
[151] 左原篤介、漚隱輯：《拳亂紀聞》，《義和團》1，第 193 頁。
[152] 左原篤介、漚隱輯：《拳亂紀聞》，《義和團》1，第 195 頁。
[153] 左原篤介、漚隱輯：《拳亂紀聞》，《義和團》1，第 195 頁。
[154] 左原篤介、漚隱輯：《拳事雜記》，《義和團》1，第 276 頁。
[155] 左原篤介、漚隱輯：《拳事雜記》，《義和團》1，第 282 頁。
[156] 高枏：《高枏日記》，見《庚子記事》，第 192 頁。
[157] 《獻縣天主堂資料》，《義和團史料》上冊，第 431 頁。

撫寧縣有個義和團頭目張洪，聯軍進剿時逃竄他方，後「勾結張家口外票匪千餘人，置備快槍」，「長驅至抬營，凡鋪戶住民，均被搶掠，大擄富戶勒贖。」[158]

1900 年 10 月，饒陽縣的拳首白樹春等「率領羽黨千餘人，將陳某住宅圍困，謂係奉教，非認罰五千金不可。陳佯諾之，約以異日。匪等去後，陳遂將家中所有，約值萬金，分散鄉中老幼，曉以大義，各授戈矛，比及匪等率眾而來，鄉民等各懷憤勇，一鼓剿之，殺死拳匪數百人，餘匪他竄。」[159]

淶水西南鄉的一支義和團約有三四千人，「分作三隊，將富戶抄搶一空」。當法國軍隊前去剿捕時，他們逃入山中，法國軍隊退走，「又出山，橫行如故。」[160]

1900 年 10 月，定縣高蓬鎮的「拳匪餘孽竄曲陽之黃山古寺者數百人，憑險為固，遍掠居民」。12 月，「南鄉拳匪與盜賊互結，晝奪夜劫，幾無淨土。」[161]

「鹽山一帶有津沽逃回之匪徒二三百人，執持洋槍，恣意焚殺。」[162]他們與慶雲縣的義和團還經常到毗連的山東州縣活動，散帖召集回家的團民到鹽山集合，聲稱「如不前往，即以洋教剿辦。」[163]山東官軍一出動剿捕，他們「輒望風先逃入直隸界中，遂分匿老巢不出。兵隊一去，旋又率眾出巢，屢為邊患。」[164]

在岐口，「殘拳且有飾為聯軍，四出行劫者。」[165]

---

[158] 徐緒典主編：《義和團運動時期報刊資料選編》，第 102 頁。

[159] 左原篤介、漚隱：《拳亂紀聞》，《義和團》1，第 200 頁。

[160] 轉見戚其章：《試論義和團運動的發展階段及其特點》，《義和團運動史討論文集》，第 131 頁。

[161] 《定縣誌》，《義和團史料》下冊，第 994 頁。

[162] 《籌筆偶存》，第 321 頁。

[163] 《山東義和團案卷》下冊，第 638 頁。

[164] 《籌筆偶存》，第 481 頁。

[165] 龍顧山人：《庚子詩鑒》，《義和團史料》上冊，第 108 頁。

　　從上述可以看出，形勢逆轉之後，許多團民由大吹「滅洋」一變而為媚洋，充當漢奸惡棍，欺壓人民；或是仍做盜匪，禍害人民，還其盜匪的本來面目。這又從另一個方面說明，義和團的頭目和骨幹分子只知掠奪別人的財物據為己有，並非「反帝」。

五、客觀評價義和團

功過屬於大是大非問題，必須客觀地實事求是地予以評價。考察史實，義和團非但無功於國家人民，反而給國家人民造成空前絕後的禍害。

（一）貢獻云云牽強附會

1.義和團「阻止瓜分」缺少根據

在評價義和團運動時，讚揚義和團的論者莫不大講特講最大的豐功偉績就是阻止了列強瓜分中國，粉碎了帝國主義瓜分中國的迷夢。

判別此一論斷是否正確，只能看有無列強正在瓜分中國的事實以及義和團起了怎樣的作用。

持「阻止瓜分」論的學者均認為中日甲午戰爭之後，帝國主義掀起了瓜分中國的狂潮，其突出的標誌是 1898 年前後帝國主義在中國強佔租借地和劃分勢力範圍。

租借地、勢力範圍與瓜分三者是有嚴格區別的，絕對不能混同。討論這個問題，首先必須搞清概念。

瓜分比喻列強（至少兩國）像剖瓜一樣地分割別國（或地區）的領土或劃分疆界。其唯一必不可少的條件是瓜分者必須在被瓜分

的國家內擁有部分領土主權，在瓜分的領土上有統治權，否則就不叫瓜分。十九世紀至二十世紀初，列強在非洲搶佔的土地占該洲總面積的百分之九十以上，並建立了一套完整的殖民統治制度，有的實行直接統治，有的實行間接統治，還大量向非洲移民，把當地居民趕入指定的居留地中。此乃真正意義上的瓜分。

勢力範圍也叫權力界限或利益範圍，係指一國憑藉其實力與另一國約定，不得將某一區域或區域中的利益轉讓與他國，承認其有優先或獨佔的權利。有些國家彼此競爭，亦有訂立條約，互相承認各自的勢力範圍的。勢力範圍只是指一種已經獲取或即將獲取利益的範圍，但不涉及別國的領土主權，在勢力範圍內沒有統治權力，與瓜分絕然不同。

列強劃分勢力範圍後有可能將來準備進行瓜分，但僅具有可能性而已，倘若認為維持現狀更加有利或其他原因，瓜分的可能性就不會變為現實，勢力範圍就會繼續存在下去，所以不能斷言劃分勢力範圍等於瓜分。

租借地指一國在他國租借的供其在一定時期使用和管理的地區。租借並非強佔領土，無論租期長短，租借地的領土所有權均屬於租借國家，屆期即可收回，亦不等於瓜分。中國與德國簽訂的《膠澳租界條約》、與俄國簽訂的《旅順及大連租界條約》、與英國簽訂的《威海衛租界條約》，無不如此。

在論及《膠澳租界條約》時早就有人指出：在德國人心目中，「視租界同割讓」，實是「故為曲解」。「德國於所租之膠澳，每年須交付中國以額定之租金，且按照中德兩國先後改訂關稅辦法，中國所設海關，依然設於膠澳租界，照章徵稅，是中國之政權依然存在，彰彰明甚。而德國方面，對於租借地既有不得轉租別國之限制，租約期滿，並有交還中國之義務」。「又如中國人民之居住於膠澳租界，亦規定於租約以為根據，非僅受德國法律之單純支配。凡此皆

所以證明租借之不同於割讓」,「故國家(指中國)之主權依然存在也。」[1]

在 1895 至 1898 年期間,只有日本強迫中國割讓了臺灣等地,但這是在戰勝之後的索取賠償,並非與列強一起瓜分中國的領土。除此之外,列強對中國的侵略主要表現為攫取商業和投資權益,強佔租借地和劃分勢力範圍,並沒有將中國的任何一塊領土強行霸佔為己有,決非掀起了瓜分中國的狂潮。混淆了三個根本不同的概念,勢必把歷史的本來面目搞得模糊不清,混亂不堪,做出錯誤的判斷。

列寧確實說過:「歐洲各國政府一個接一個拼命掠奪(所謂「租借」)中國領土,無怪乎出現了瓜分中國的議論。如果按照真實情況,就應當說:歐洲各國政府(最先恐怕是俄國政府)已經開始瓜分中國了。不過它們在開始時不是公開瓜分,而是像賊那樣偷偷摸摸進行的。」[2]這種說法也是將租借與瓜分混淆了。列寧本人在執政期間就主張把堪察加租讓給美國。其理由是:「我們顯然會得到好處。這就是我的政治論斷的基礎,根據這個論斷,我們立即決定必須同美國訂立合同」。簽訂的合同草案「規定把堪察加這塊位於西伯利亞最東頭和東北角的大片領土租給美國人 60 年,他們有權在那個有石油和煤炭的不凍港建造軍港。」[3]對於此舉,當時黨內和黨外都有許多人激烈反對,認為這是將國家領土出賣給美國。因而列寧又進一步解釋說:「我們應該說明,這根本談不到把俄國出賣給資本家,我們說的是租讓,同時每一個租讓合同都受到一定期限、一定協議的限制,並且有種種經過周密考慮的保證條件,……

[1] 山東歷史學會編:《山東近代史資料》,第 3 分冊,第 124 頁。
[2] 《對華戰爭》,《列寧選集》第 1 卷,第 279 頁。
[3] 《在俄共(布)莫斯科組織積極分子大會上關於租讓的報告》,《列寧選集》第 4 卷,第 318-319 頁。

所以這些臨時性的合同並不等於出賣。」[4]列寧主動租讓雖然與中國被迫租借不同，但在租借土地給列強這一點上並無本質區別。同樣都是有一定期限、一定協議限制的租借，卻得出兩個完全不同的結論，說他租讓大片領土（按：堪察加半島37萬平方公里）給美國不是「出賣」，不是被「瓜分」，而中國租借少量土地就等於列強「瓜分」，無論在理論上還是在事實上都陷入自我矛盾的境地，無法解釋清楚。因此，其列強「已經開始瓜分中國」的說法並不確當。

某些國家的態度亦證明瓜分狂潮並不存在。如1898年1月英國內閣成員們就相繼發表了以對華「門戶開放，領土保全」為宗旨的演說，使英國的「保全主義」為國內外所周知。3月1日，議會下院通過了對華政策的決議，「保全」成為重大原則。外交副大臣說：「英政府的政策在於維持中國的獨立和完整，是為了維護條約的權利和自由貿易的原則。」[5]同月，法國外務大臣在議院宣明：「並無謀中國之心，並望中國永久自存，政教日新。」[6]俄國的外交大臣亦反覆聲明：「俄國政府的希望是中國的保全」[7]。

1899年至1900年上半年，列強對中國的侵略並未加劇，沒有出現新的更大的危機。英國的對華政策未變。美國則公開向各國發出了在中國實行「門戶開放」政策的第一次通牒，反對瓜分中國的態度極為鮮明。

八國聯軍之役打響之後列強是否開始了瓜分中國呢？沒有。1900年6月20日各國艦隊司令就聯合發表宣言，聲明「各國之所

---

[4] 《全俄蘇維埃第八次代表大會文獻》，《列寧選集》第4卷，第344頁。

[5] 轉見久保田善丈：《1898年的「保全主義」與中國》，《義和團運動與近代中國社會國際學術討論會論文集》，第838頁。

[6] 徐載平、徐瑞芳：《清末四十年申報史料》，第154頁，新華出版社，1988年。

[7] 轉見久保田善丈：《1898年的「保全主義」與中國》，《義和團運動與近代中國社會國際學術討論會論文集》，第842頁。

以調兵進京，不過為救援各國人民起見，並非別有他意」[8]。有種觀點認為，他們不是不想瓜分中國，而是因為在軍事上受到重創，膽戰心驚，不敢侈談瓜分中國；假定兩次聯軍都能順利地到達北京，根本不可能有宣言的發表。這種說法的根本錯誤在於以臆斷代替事實，先入為主地認為列強就是要瓜分中國，所以斷言各國艦隊司令嚴肅的正式宣言只是一個騙局。實際上各國從始至終，無論是受挫時還是勝利後，均聲明並無瓜分中國之意，請看幾個歐美強國的態度。

英國：當6月20日清軍與義和團開始攻擊使館的時候，肅親王要英國傳教士秀耀春（F. Huberty James）對英國公使竇納樂說，如果他能夠帶給朝廷一項關於各國無意瓜分中國的保證，便將下令停止攻擊。竇納樂立即答覆說：「所有各國駐北京使節的任務是要維護同中國政府的友好關係；英國以及我所知道的其他國家對中華帝國的完整都不懷有任何圖謀。」[9] 7月14日，英國外交大臣索爾茲伯理侯爵告知中國出使英國大臣羅豐祿：「我們採取軍事措施的目的，是為了保護各國使館以及目前被拘禁在北京的其他外國人，並且使經過正式委派和接待的外國使館所具有神聖不可侵犯的性質獲得承認」。「女王陛下政府除了要保證所有各文明國家政府承認的那些原則之外，別無其他目的。」[10]次日，英國駐上海總領事告知兩江總督劉坤一：「本國非特決無瓜分之意，並未聞別國有此舉動。」[11] 8月2日，索爾茲伯理侯爵代表政府又在下議院就對華政策作了說明：「英國將同其他國家合作，用一切方法促進對駐北京各國使館的援救，並且認為最急迫的事情，是要使中國認識到各

[8] 左原篤介、漚隱輯：《八國聯軍志》，《義和團》3，第184頁。
[9] 胡濱譯：《英國藍皮書有關義和團運動資料選譯》，第262-263頁。
[10] 胡濱譯：《英國藍皮書有關義和團運動資料選譯》，第129頁。
[11] 《義和團檔案史料》上冊，第315頁。

國使節的不可侵犯以及歐洲各國有力量保護使節，或替使節報仇。……女王陛下政府反對任何瓜分中國的行動。並且相信他們與其他國家一致同意此項聲明。女王陛下政府認為，將來的中國政府，無論是由北京方面支配或實行地方分權，必須是中國人治理的政府；他們不準備用歐洲人的管理去代替這個政府。」[12]

法國：8 月 30 日，法國外交大臣言：「聯軍之往中國，所以救各使臣；留駐北京，所以求賠款，並使中國認保後來無土匪之患，此外實無他意。」[13]

德國：6 月 20 日之前，英國政府照會德國出兵，德國政府答覆說：「從來各國對中國所抱之主義，在維持中國秩序、中國存在及世界和平之一致，故德國政府若非確知女皇陛下所提議之手段不危及上述之主義，則不能贊同。」[14]其後，德國「內閣所追求的主要目標是，凡足以動搖中華帝國基礎的事，都要避免。德國希望保持中華帝國的完整，它堅決反對瓜分帝國的主意，並努力希望和北京中央政府恢復（關係），因為這個政府是負責國內秩序和安寧的。」[15]

美國：早在 6 月 3 日，國務卿海約翰照會英國政府，請相助辦理中國要務，說如能這樣，「中國事機亦可變而至於上乘，斷不至再有喪失土地之事矣。」[16]7 月 3 日，海約翰訓令駐各國大使、公使說：「合眾國政府之政策，在尋求一種解決，俾可在中國獲得永久之安寧與和平，保持中國領土及行政之完整，保障所有條約及公法對列強保證之權利，並保護全世界在中國各地均等公正通商之原則。」[17]

---

[12] 胡濱譯：《英國藍皮書有關義和團運動資料選譯》，第 157 頁。

[13] 左原篤介、漚隱輯：《八國聯軍志》，《義和團》3，第 221 頁。

[14] 王芸生：《六十年來中國與日本》第 4 卷，第 10 頁，三聯書店，1980 年。

[15] 張蓉初譯：《紅檔雜誌有關中國交涉史料選譯》，第 224 頁。

[16] 左原篤介、漚隱輯：《八國聯軍志》，《義和團》3，第 173 頁。

[17] 王芸生：《六十年來中國與日本》第 4 卷，第 14 頁。

俄國：6 月 17 日，外交大臣上奏，俄國駐中國軍隊的任務應是：「保護使館的安全，保障住在中國北部的俄國臣民的生命及財產，並且支持合法當局和革命作鬥爭。」尼古拉二世親筆批註：「完全同意您的意見。」[18]「此後當一切有關國家因類似的目的決定派軍隊到中國去時，帝國政府建議對中國事件依下列原則為準繩：一、支援列強間一般的協定；二、保持中國的舊國家制度；三、消除可能引起瓜分中國的一切情況；最後，四、以共同努力來恢復北京的合法中央政府，這個政府可能自己保持國內的秩序和安寧。這幾點幾乎所有列強都同意。帝國政府不追求任何其他目的，從今以後決計堅持忠於上述行動綱領。」[19]

那麼，「瓜分中國的狂潮」是如何掀起的呢？始作俑者就是媒體：「近年來歐洲各報，屢倡瓜分中國之議。」[20]「瓜分中國之事，為世界各國報紙最喜討論之題目。」[21]由於媒體的大肆炒作鼓煽，好像帝國主義真的要瓜分中國了。

在資本主義世界，侵略分子大有人在，他們喜歡侵略弱小國家，看到中國在甲午戰爭中被日本戰敗，以為不堪一擊，遲早會被瓜分，於是就狂喊亂叫，一時輿論甚囂塵上。然而無論侵略分子叫囂的聲調多麼高昂激越，只不過是個人的妄想。即使某些高官如俄國的財政大臣維特，認為不久中國就會被瓜分，俄國會吞併華北的大片領土，亦係個人的野心和揣測。侵略分子的狂喊亂叫並未改變中國的現實。

就筆者所見到的文獻資料，沒有發現哪個帝國主義國家正式作出了要瓜分中國的決定；在這些國家的元首中，德國皇帝威廉是唯

---

18 張蓉初譯：《紅檔雜誌有關中國交涉史料選譯》，第 221 頁。
19 張蓉初譯：《紅檔雜誌有關中國交涉史料選譯》，第 238 頁。
20 《巴蘭德中國會黨論》，《義和團》4，第 241 頁。
21 《瓦德西拳亂筆記》，《義和團》3，第 69-70 頁。

一有瓜分中國「籠統思想」的人。瓦德西說,他「誠然常有『瓜分中國』之籠統思想;但其本意,僅欲在世界政治舞臺占一席地;至於由此態度所發生之結果如何,則未嘗有一明確概念。」[22]「其根本思想,當然係在大大擴充我們山東(膠州)地盤,甚望能將該省大部分均置諸自己勢力之下,以作『瓜分中國』我們應得之部。」[23]然而,亦僅僅具有「籠統思想」,極而言之,不過是想讓海軍相機佔領煙臺,大大擴充在山東的地盤,預為將來瓜分中國應該得到的部分做準備,並不是立即實施瓜分。何況將來要將其「籠統思想」付諸實施,並非由他個人獨裁決定,必須經過議會通過才可,故亦不能視為德國政府的正式決定。

任何侵略分子的叫囂和個別高官的野心,均不等於本國政府的正式決定;不是政府的正式決定,就不能視為帝國主義國家要瓜分中國,因為只有本國政府才能代表國家。只看某些個人的狂想,不看列強政府的態度,以前者代替後者,必然得出帝國主義掀起瓜分中國的狂潮的錯誤結論。這裏再舉兩個例子。1903 年 9 月孫中山曾經指出,西洋人和日本人仍在「倡分割」中國[24]。1915 年 2 月 2 日,日本駐華公使日置益在第一次「二十一條」談判時還對中國外交總長陸徵祥說:「本國一般之議論,有主張吞併滿洲者,有主張分割中國者。」[25]如以「倡分割」者代替列強政府,一定會認為 1903 年和 1915 年帝國主義仍在掀起瓜分中國的狂潮。然而,這畢竟不是事實。

倘若從中國的輿論考察,更能說明問題。義和團運動之前,中國的有識之士震驚於國家將要遭到「瓜分豆剖」的厄運,發出挽救

22　《瓦德西拳亂筆記》,《義和團》3,第 5 頁。
23　《瓦德西拳亂筆記》,《義和團》3,第 52 頁。
24　《支那保全分割合論》,《孫中山全集》第 1 卷,第 218-220 頁。
25　王芸生編著:《六十年來中國與日本》第 6 卷,第 85 頁。

民族危亡的強烈吶喊，已為人所共知。即使在義和團運動後的十幾
年中，這種吶喊仍未消失，時起時伏。

1907 年 6 至 8 月，日本分別與法國、俄國簽訂了協定，英國
又與俄國簽訂了協定。三個協定均涉及到四國在中國的勢力範圍和
利益。一些志士仁人不斷呼籲警醒國民：「中國之地，又為列強競
爭之場。俄占北滿，英侵西藏，德伺山東，法窺滇越，近則路礦航
運之路，半屬白人，日本亦利用其機，侵佔南滿，窺覦福建，以擴
張勢力範圍。瓜分之禍，迫於眉睫。」[26]「列國之勢力平衡，恐將
瓜分之局即由此而定。」[27]

1910 年有人指出：「苟長如今日之現狀而不急變計，瓦解之形
已具，土崩之勢將成，竊恐不出數年，必有大亂。內變既作，外侮
乘之，則瓜分之禍立見。」[28]

1911 年 5 月，湖北立憲派領袖湯化龍對眾發表演說，中云：「國
勢阽危，外患頻來，豆剖瓜分，已在眉睫。」[29]8 月，出使美國大
臣張蔭棠奏稱：「自日俄協約以後，併吞高麗之事遂行，遼瀋蒙疆
又將淪陷矣。英德法各強國皆據有屯兵港口，炮臺軍艦棋布星羅，
門戶大開，勢力遍及於堂闥，不僅藏衛川滇黔桂閩粵鄰邊之地在
在可虞也。內顧己國兵力微薄，人無固志，官不保民，民亦不能
自保。加以煩惑之言叢興，排革之說風行，稍一擾亂，則外族乘
機而入。強權是與，誰為善鄰？大利所關，寧辨公理？無一地不
可以瓜分，無一時不可以瓜分，千鈞一髮之機，僅繫於憲政之實
行而已。」[30]

---

[26] 申叔：《亞洲現勢論》，《天義報》第 11、12 卷合冊。
[27] 隆福：《論立憲黨之方針宜專注於政府》，《大同報》第 2 號。
[28] 《論速開國會與政府諸公之關係》，《新聞報》1910 年 6 月 18 日。
[29] 《時報》1911 年 5 月 2 日。
[30] 故宮博物院明清檔案部編：《清末籌備立憲檔案史料》上冊，第 360 頁，中
華書局，1979 年。

中華民國成立之後的 1912 年 9 月，孫中山在太原演說時仍講：
「外人虎視眈眈，瓜分之禍，危在眉睫。」[31]

志士仁人的良苦用心在於激發國人的愛國熱情，奮發圖強，但
實際情形沒有他們所說的那麼嚴重。如果僅看他們的吶喊而認為
義和團運動之後十幾年中國仍然存在著「瓜分狂潮」，那就大錯特
錯了。

實際情況表明，甲午戰爭至八國聯軍之役期間沒有一個國家要
瓜分中國。既無瓜分之事實，義和團「阻止瓜分」之說自然就屬於
無中生有了。

下面再分析一下「阻止瓜分」的論斷能否站得住腳。

若如論者所言，列強最害怕的就是義和團。然而義和團幾萬人
用兩個月的時間沒有打開北京的一個西什庫教堂，幾百幾千人打不
開一個教民守禦的鄉村教堂，連清軍都「以拳匪大言而又無勇，甚
藐視之」[32]，更勿論使列強喪膽了。那條由洋人寫下、常被人們引
用的史料，即「拳匪信槍彈不傷之妄，遇有戰事，競衝頭陣。聯軍
禦以洋槍，死者如風驅草，乃後隊存區區之數，尚不畏死」，雖然
加以稱道；可是接下來寫的便是：「倏忽間亦皆中彈而倒，西人皆
深憫其愚。」[33]洋人看到了團民短暫的勇敢，但看到更多的是他們
的愚昧。許多記載都是如此。在同聯軍作戰的全部過程中，除了個
別團民的回憶，有明確記載可查的，義和團僅僅在廊坊附近消滅了
離開大隊的五名洋兵。不難想像，相信科學並揭穿「刀槍不入」騙
人把戲的列強，如若真有瓜分中國的迷夢，亦決非由義和團打破的。

洋人對官兵的印象如何？

---

31 《在太原各界歡迎會的演說》，《孫中山全集》第 2 卷，第 470 頁。
32 僑析生：《拳匪紀略》卷 7，第 10 頁。
33 徐緒典主編：《義和團運動時期報刊資料選編》，第 19 頁；左原篤介、漚隱：
　《拳匪紀聞》，《義和團》1，第 149 頁。

　　大沽炮臺失守以後,「各西人論中國兵將不可輕視,此次以七國水師攻一炮臺,能持至六點餘鐘之久,可謂難矣。」[34]

　　對聶士成的武衛前軍,洋人讚揚說:「聶軍守車站,初至時以遠行方至,狀頗困憊,衣服又不鮮明,西人見之多笑。不意戰時極勇敢,不畏死,西人頗驚。」[35]「奉命攻擊天津租界,圍攻甚力,惡戰十數次,相持八日,炮聲不絕。西人謂自與中國交戰以來,從未遇此勇悍之兵。」[36]「對他們炮手的驚人的射擊技術真當給以最大的榮譽。從累迪斯密斯來的『恐懼』號的士兵們說,同中國人的激烈而且打得準確的炮火比起來,累迪斯密斯的炮火不過是兒戲而已。」[37]「清軍在八里台附近進行頑強的抵抗,戰鬥在僅五米左右寬的河兩岸展開。我軍揮劍向橋上強攻,清軍舉著大刀長槍在橋上迎戰我軍。」[38]「可畏者,聶軍門所部耳。蓋聶軍有進無退,每為各軍之先,雖受槍炮,前者斃,後者又進,其猛處誠有他軍所不可比擬者。」[39]

　　對馬玉昆的武毅軍,「洋人云:中國兵從未有如此力戰。畏馬如虎。」[40]

　　對宋慶的武衛左軍,他們說:「友好的宋慶,變成了死敵,在天津和我們進軍北京的途中,拼命同我們作戰。就是這位勇敢的將軍,向全世界表明,中國軍隊只要在正確領導下,是無可指責的。」[41]

---

[34] 左原篤介、漚隱輯:《八國聯軍志》,《義和團》3,第182頁。

[35] 徐緒典主編:《義和團運動時期報刊資料選編》,第186頁。

[36] 左原篤介、漚隱:《拳事雜記》,《義和團》1,第258頁。

[37] 薩維奇‧蘭德爾:《中國與聯軍》,《八國聯軍在天津》,第195頁。

[38] 《八國聯軍進北京》,《京津蒙難記》,第170頁。

[39] 轉見馬振舉:《武衛軍及其在義和團運動中的作用》,《義和團運動與近代中國社會》,第623頁。

[40] 張廷襄:《不遠復齋見聞雜誌》,《義和團史料》下冊,第650頁。

[41] 竇復禮:《津京隨軍記》,《八國聯軍在天津》,第247-248頁。

籠統的記述還有一些：

「聯軍未據該城（天津）以前，華兵在各陣地，防守極為奮勇，致聯軍欲退回大沽，已非一次。」[42]

「奮力進攻一次，華兵抵禦亦極堅，聯軍總數不過八千，竟傷亡至九百。」[43]

「此次天津華軍與西兵苦戰月餘，西人咸謂如此死戰，實為從來所未見。……華人此次臨戰極為勇敢，雖死者山積，氣猶不餒，槍炮又極有準頭，與從前迥異，惟其短處尚多，否則西人取勝更難。」[44]

「儘管這支軍隊在士氣上和紀律上是不能和歐洲軍隊或日本軍隊相比的，但在現時卻是一支很厲害的力量，足以將整整一個團的俄軍圍困在天津城，阻止兩千多人的聯軍部隊進入北京。現在已經不是要平定暴亂的義和團，而是要和受過正規訓練的中國軍隊打一場正規戰爭了，而這支軍隊的武器質量之佳，彈藥數量之足，並不比聯軍遜色。」[45]

「此次華兵戰守之法，頗為洋人所不及料，其勇敢亦迥異尋常。」[46]

「觀戰西人，無不讚揚華軍勇敢，以為自中法交戰以後，未見有堅勁若此者。蓋雖敗猶有餘榮焉。」[47]

對比兩種印象，即可明白，如若列強真有瓜分中國的迷夢，並且是被中國人民打破的話，那也只能是被他們敬畏的清軍，而不是被他們鄙視的義和團。列強究竟是從清軍身上還是從義和團身上看

---

[42] 佛甫愛加來、施米儂：《庚子中外戰紀》，《義和團》3，第 302 頁。
[43] 佛甫愛加來、施米儂：《庚子中外戰紀》，《義和團》3，第 303 頁。
[44] 徐緒典主編：《義和團運動時期報刊資料選編》，第 186 頁。
[45] 德米特里·揚契維茨基：《八國聯軍目擊記》，第 171 頁。
[46] 左原篤介、漚隱輯：《八國聯軍志》，《義和團》3，第 196 頁。
[47] 徐緒典主編：《義和團運動時期報刊資料選編》，第 210 頁。

到了中國人民的力量，不問可知。出使日本大臣李盛鐸當時致電軍機處說：「各國以宋、聶等軍勇戰，知我兵尚可用，乃宣言不瓜分，似屬可信。」[48]他的說法未必正確，但至少比義和團打破瓜分迷夢的說法多了幾分理性。某些學者一講阻止瓜分，就把抵禦聯軍起主要作用的官兵排除在外，只講義和團的「功勳」，太不公平，太不實事求是了。

聯軍統帥瓦德西曾寫道：「吾人在此卻有一事不應忘去者，即中國領土之內」，「共有人口四萬萬，均係屬於一個種族」，「尚含有無限蓬勃生氣」；「至於中國所有好戰精神，尚未完全喪失，可於此次『拳民運動』中見之。」[49]這些話常被引證為義和團阻止了瓜分。

仔細體會瓦德西的原話，他說的不能瓜分中國的理由，所列舉的表現，均指四萬萬中國人民而言；「可於此次『拳民運動』中見之」，只是作為中國人民的好戰精神尚未完全喪失的一個例子而已。他的這種思想曾有多處表露，如對人說：「世人動輒相語，謂取此州略彼地，視外人統治其億萬眾庶之事，若咄嗟可立辦者。然實則無論歐美日本各國，皆無此腦力與兵力，可以統治此天下生靈四分之一也。施行統治之善政，乃萬事之最難者，況欲制禦此億萬之眾，豈能遽以輕便之心行之乎？故瓜分一事，實為下策。」[50] 1901年6月他在報告中說：「中國領土非常之大；中國人民屬於同一種族，幾乎全體相信同一宗教；而一般群眾，身心既極健全，指導又甚容易，（因此種種之故）實難迅速土崩瓦解。」[51]這裏說的都是四萬萬中國人民。在另一個報告中提到「華人性質尚有其他種種例外，吾人可於此次拳亂中見之」的同時，還提到：「即就一般被處

48　《義和團檔案史料續編》上冊，第 777 頁。
49　《瓦德西拳亂筆記》，《義和團》3，第 86 頁。
50　左原篤介：《八國聯軍志》，《義和團》3，第 244 頁。
51　《瓦德西拳亂筆記》，《義和團》3，第 152 頁。

死刑犯人之態度而論，——李鴻章在廣州，一年之中曾殺五萬人。
——亦常足以證明彼等實具有毫不畏死之精神。」[52]在此，他把團
民和死刑犯相提並論，作為中國人民「具有毫不畏死之精神」的兩
個例子。因此，不能把他作為例子舉出的義和團視為「阻止瓜分」
的唯一力量，抬高義和團的身價。否則，也就可將沒有打過侵略者
的五萬死刑犯視為「阻止瓜分」的唯一力量而大加歌頌了。

與瓦德西具有同一認識的外國人還有一些。如 1900 年法國有
人在會議上說：「中國土地廣闊，民氣堅勁，殊非印度、南洋各處
可比。各國以其民氣未開，不肯自求進步，又因北清之亂，遂群起
而思侮之奪之，驅勒其人民，瓜分其土地，以為等諸印度、南洋諸
種類。噫，此所謂智蔽於欲，不思甚矣。若然，吾但見其徒事流血
于亞洲大陸，反一無所成而已。何也？華人與印度人比較，華人才，
印人拙；華人堅忍，必求有成，印人懦弱，任人制治；南洋蠻族，
更不足比擬。且華人久沐孔教，同德同文，與西性情每生反對，若
領其地，治其民，將必移易其風俗，傷礙其宗教，近如電線鐵路等
事，以華官而效西法，人尚囂然抗拒，況他族居然臨馭其上，豈無
偉人攘臂合群，以死命相爭乎？且華人久受政府壓抑，故智力莫
顯，夫力愈激，則反抵之勢愈大。今華人正當激甚之時，生存競爭、
優勝劣敗之理，已宣佈於通國，若從而撥動之，誰敢謂亞洲堂堂之
大國，無華盛頓其人者起？故謂瓜分之說，不啻夢囈也。」[53]此
人沒有提到義和團，但從所見所聞中看到了全體中國人民的偉大
力量。

關於列強沒有瓜分中國的原因，特別是列強之間存在的矛盾，
有關著作已有較為充分的論述，此處不贅。茲補充一個更為重要，

---

[52] 《瓦德西拳亂筆記》，《義和團》3，第 79 頁。
[53] 《法人之言》，《義和團》4，第 245-246 頁。

也許是列強不願瓜分中國更為真實的原因，即劃分勢力範圍比實行瓜分對他們更為有利。早在 1898 年 10 月 6 日，《字林西報週刊》在一篇文章中寫道：「無疑地，列強是寧願維持現狀，不分割中國的」。原因何在？該文接著寫道：「他們都清楚地知道，現在他們自己之間所劃出的勢力範圍較之實行瓜分中國，各人取得一塊土地，是一種開支更小而帶來利益更大的方式。因為既有土地，就不能避免設立政府的責任。例如俄國有旅順口及其附近地區，英國北有威海衛，南有香港，德國有膠州及其內地一部分地區，法國有海南，日本有臺灣，美國有呂宋島，都是富有戰略價值的據點，使他們在中國都能有獲得重要影響的利益，而無組織政府的責任。因此，對於他們來說，瓜分中國，無論就戰略方面來說，或就商業方面來說，都不可能是有利的。除此以外，如果要瓜分中國，相關的國家究竟每一國應該得到多少土地，也可能在列強之間引起激烈的競爭。」[54]赫德在駁斥外國人「把瓜分當做是最得策的解決辦法」時也說：「不論中國哪一部分領土被割去，都必須用武力來統治。像這樣，被割去的領土越大，治理起來所需要的兵力就越多，而騷動和叛亂的發生就越是確定無疑。中國如被瓜分，全國就將協同一致來反對參與瓜分的那幾個外國統治者。……由此早晚會在各地發生突然的叛亂，表現出民族感情的存在和力量。這樣做划得來嗎？從利害得失的簡單道理來考慮，這樣一種解決辦法應予以譴責。」[55]1901 年 2 月 3 日瓦德西在奏議中除了談到瓜分中國必將引起帝國主義之間的矛盾，實係毫無益處之舉外，還寫道：「關於德國在山東方面併吞較大土地一事，尚有一種困難，即華人置諸德國官吏治理之下是也。就該地大抵貧乏之居民中，欲得多數稅收，

54　《戊戌變法》3，第 489 頁。
55　轉見林華國：《歷史的真相》，第 225 頁。

可謂希望甚少；其中尤為重要者，則該地距德太為遙遠，假如中國
一旦復欲奪回山東，則德國方面——除開列強特為德國而設之各種
困難不計外——對於此種戰事，非至財政破產不可。」[56]這也是從
瓜分中國的利弊角度立言的。正因劃分勢力範圍比實行瓜分更為有
利，特別注重現實利益的列強寧願維持現狀，而不願意瓜分中國。
所以沒有義和團運動，中國一樣不會遭到瓜分。

最後，看一看義和團「阻止瓜分」能否自圓其說。

按照「阻止瓜分」者的觀點，列強強佔租借地和劃分勢力範圍
就是「瓜分」。然而，義和團運動之後租借地和勢力範圍並未消失。
俄國不僅依然租借著旅順、大連，而且還進一步佔據了東三省；英
國依然租借著威海衛，視長江流域為其勢力範圍；德國依然租借著
膠州灣，以山東為其勢力範圍；法國依然租借廣州灣，以兩廣和雲
南為其勢力範圍；日本以福建為其勢力範圍。無需多論，僅僅這些
鐵一般的事實就將「阻止瓜分」的論斷無情地顛覆了。

總而言之，從各個方面考察，1898 年前後，列強並未掀起瓜
分中國的狂潮，義和團沒有粉碎列強瓜分中國迷夢的「神力」，「阻
止瓜分」的論斷缺少根據，誇大義和團的作用違背歷史真實。

2.清政府實行新政與義和團無關

1901 年 1 月 29 日，慈禧以光緒皇帝的名義下了一道詔旨，繼
而設立了督辦政務處，採納了兩江總督劉坤一、湖廣總督張之洞和
山東巡撫袁世凱等人的建議，下令實行，新政由此開始，民族資本
主義亦由此獲得進一步發展。

56　《瓦德西拳亂筆記》，《義和團》3，第 87 頁。

　　某些論者將此完全歸功於義和團，說義和團運動的重要成果之一，就是促成了清末新政的實行。一個典型的說法是：「表面上，義和團的排外主義對於資本主義似乎是絕對排斥的，實際上恰恰相反，它正是為當時中國民族資本主義的發展創造了最必需的條件」。「在半殖民地半封建的中國，代表束縛生產力發展的舊生產關係的反動勢力，一個是帝國主義侵略者，一個是與之勾結的封建地主階級。不推翻他們的反動統治，中國的生產力就得不到解放，中國的近代民族經濟就得不到較快的發展」。義和團「對帝國主義和封建統治者的打擊，歸根到底，在客觀上為中國民族資本主義的發展和資產階級民主革命的進行造成了有利形勢」。「正是由於義和團運動的打擊」，「清政府不得不進行一些它在戊戌變法時所堅決反對的政治、經濟改革，使中國民族資本主義在二十世紀第一個十年獲得了空前未有的發展。」[57]

　　不錯，在半殖民地半封建的中國，帝國主義和封建地主階級束縛著生產力發展。但卻不能反過來說，打擊帝國主義和封建統治，就一定會為民族資本主義的發展創造最必需的條件，更不能把它當作現成的公式，用以代替民族資本主義發展最必需的條件。

　　以打擊清政府來說，由於義和團打著「扶清」的旗號，除了在開始時打死打傷為數甚少的彈壓官兵和以後某些團民報復聶士成所部官兵外，再未發生過嚴重的軍事衝突；其他無非是毀壞鐵路、電線，搶勒官署，殺害官員，搶劫財物之類。這些打擊是怎樣為民族資本主義的發展「創造了最必需的條件」，「造成了有利形勢」，是怎樣促使清政府進行改革的，論者並未列出具體事實加以說明，「打擊」促進了清政府改革和民族資本主義發展不過是一句空話而

[57] 朱東安、張海鵬等：《應當如何看待義和團的排外主義》，《義和團運動史討論文集》，第 220-222 頁。

已。其實，真正給清政府沉重打擊的不是義和團，而是列強。聯軍不僅給中國的正規軍隊以重創，佔領北京和直隸的廣大地區，在天津直接統治長達兩年之久，迫使慈禧為首的清政府倉皇流亡幾千里，而且強迫清政府簽訂了《辛丑條約》，打擊之沉重與義和團的搶掠破壞相比，不啻天壤之別。按照論者的邏輯，列強更是為中國民族資本主義的發展「創造了最必需的條件」、「造成了有利形勢」，為中國社會的前進立下了殊勳。如此一來，對帝國主義就不應詛咒，而要感激涕零了。

歷史注重的是事實，用抽象的公式和想像的論斷來裁剪歷史解決不了任何實際問題。義和團運動打擊的主要對象之一就是資本主義，打擊本身根本不可能再促進資本主義發展。認為打擊資本主義，正是為資本主義的發展「創造了最必需的條件」、「造成了有利形勢」，無異於說列強剿滅義和團，正是為義和團的發展「創造了最必需的條件」、「造成了有利形勢」，豈非滑天下之大稽！

有論者說，義和團運動促成了直隸士紳的轉變，為其在二十世紀初的政治、經濟、教育等領域的大顯身手打下了基礎，並列舉了出國留學、考察新式教育、振興工商等加以說明。但都沒有提供出這些新政的舉辦與義和團運動之間的必然聯繫，實際上都是袁世凱貫徹執行清政府實行新政政策而加以倡導的結果，與義和團無關。為節省篇幅，就不詳論了。

1901 年 1 月 29 日清廷頒發的實行新政詔旨，可以說是二十世紀初中國民族資本主義得到發展的起點。欲瞭解其發展是不是義和團運動「打擊」的結果，還有必要進一步深入考察這道詔旨頒發的原因。

兩年以前推翻了戊戌變法的慈禧之所以頒發這道詔旨，是由多種因素促成的。

一與列強有關。在列強眼中，慈禧是個頑固守舊派，議和時有些國家就主張將其列為「禍首」加以懲辦，後來儘管由於各種矛盾的牽制和奕劻、李鴻章的力爭，沒有將她列入禍首名單，未讓她歸政光緒，但已對之完全失去信任。日本天皇在致光緒皇帝的國書中，公然提出讓光緒明降諭旨，「斷不舉用守舊頑固諸人，亟應簡選中外望重有為者派為大臣，另立一新政府」[58]，就表明了這一點。總稅務司赫德亦忠告朝中親貴大臣，「認真改革才是最好的辦法」，並寫了一份《更新節略》，對清政府的外交、內政、武備、商務提出具體的更新方案和措施[59]。在這種情況下，慈禧為感謝列強的不懲之恩，博取列強好感，就不能不放棄一向奉為至寶的「祖宗成法」，接過維新派的旗幟，實行新政。

二與資產階級改革派的呼籲有關。戊戌變法被推翻以後，「關心時局者無不痛心疾首，扼腕拊膺。」[60]1899 年報刊就痛言守舊之弊，要求實行新政。有的寫道：「去歲政治維新，痛革舊習，精神為之一新，風氣為之一變，海內歸心，鄰國聳聽」。不幸風波陡起，今已一年，「叢脞日甚，變亂日深」。「今朝廷苟猶有自強之意、自保之心，必須翻然改轍，新政重興。」[61]義和團運動以後，要求實行新政的呼聲愈益激昂。在資產階級改革派人士看來，之所以有八國聯軍之役，中國遭到慘敗，完全是由於慈禧推翻新政，實行反動政策所致。他們說：「自戊戌變政，與民更新，而忌之者輒曰，祖宗成法萬古不易，無論成法之如何積久弊深，新政之如何有裨實濟，而概以祖宗二字鉗天下之目，卒以開釁鄰國，而太廟不守，負

[58] 朱壽朋編：《光緒朝東華錄》，中華書局，1958 年，總 4553 頁。
[59] 轉見章開沅、林增平主編：《辛亥革命史》上冊，第 166 頁，人民出版社，1980 年。
[60] 英斂之：《黨禍餘言》，《戊戌變法》3，第 194 頁。
[61] 英斂之：《讀瓜爾佳氏條陳書後》，《彙報》1899 年 10 月 25 日。

罪祖宗。」[62]「觀其政策,其所謀者不過以廢立皇上,排斥外人,遏絕新學,冀遂其願而後已」。「其蘊釀所積,風旨所在,而義和團適起,而復以勾結縱遣於其間,則禍乃立發。」欲保全中國,必須「務使帝黨復用,新政再行。」[63]他們更強調指出:「夫國家外交之政,開國與鎖國而已;內治之政,維新與守舊而已。鎖國之不足以自立,守舊之不足以致治,一二賢者,深知其故,而數年來水火之攻,冰炭之投,正由爭此理而未有定。今且無論其理,而以其效為斷。如欲鎖國,必其力足以抵禦外人,使之不入一口,不登一岸而後可。而今者,數十萬之武衛軍,數百萬之義和團,……乃一戰而敗,再戰而敗,曾撦捂數月之不能,又何滅洋之足云。是則鎖國之政,不可行於今日者,審也。至於守舊與維新,即與開國鎖國相表裏。當鎖國之時,無各國強弱之比,智愚之比,我用我法,猶無害耳。而今者大地交通,國與國相見,種與種相見,見而其民之智者勝,愚者敗;其民之有學者勝,無學者敗;其政之美者勝,窳者敗;其兵之精者勝,劣者敗;其商之通者勝,塞者敗。所謂維新者無他,開其民智,使其學術政治兵商諸事,去己之短,取人之長,改良而適於用,臻於上等之謂也。」倘若以守舊為善,「何以聯軍鴟張,籌策毫無,竄者竄,死者死,至於今日,欲戰而不能,求和而不得,何疇昔之氣雄,而今茲之志餒也?是則守舊之不足用於今日者,又審矣。」[64]還指出,但能從這次禍亂中認真吸取教訓,亦可變壞事為好事:「然天所以眷炎黃之子孫,使之知懼知警,翻然各有悔禍之心,士勵於學,兵勵于戰,農工商賈各奮職事,而在上之人亦決然改圖,與天下更始,去昏狂庸冗,而任才德明幹之臣,

62 《論新政始基》,《新聞報時務通論》5,第6頁。
63 《論西人籌華以求變法得人為第一義》,《中外日報》1900年8月20日。
64 《原近時守舊之禍》,《義和團》4,第193-194頁。

渙然大通，以從民欲，則一日之禍即為數世之利，未可知也。」[65]
為此，他們極力鼓動督撫聯合奏請歸政光緒，力行新政。慈禧為保
持自己的統治地位，不得不順應民心，改弦更張。

　　三與洋務派和開明官員有關。在義和團運動期間，清政府中掌
握實權的均為頑固守舊分子，他們既無知又愚蠢，庇縱義和團，以
致激起大禍。議和開始，列強一致強烈要求懲辦禍首，載漪、剛毅
之流獲罪，不再干預國政，從此人人欲避頑固之名，講求新政、思
想開明的官員方得多所建言。1900 年 10 月，出使日本大臣李盛鐸
首先在致軍機處電中提出：「五洲為一大戰國，不能閉關自守，勢
難全用舊法。西人因我政治不同，非笑厭薄，召侮之由。擬請明降
諭旨，採用泰西政治，飭各督撫條奏，以備施行。」[66]1901 年 1 月
18 日，兩江總督劉坤一在奏摺中亦寫到：「倘能於和局大定之後，
即行宣示整頓內政切實辦法，使各國咸知我有發憤自強之望，力除
積弊之心，則籌議修約時，尚可容我置詞，不致一味聽人指揮，
受人侵削。」[67]與此同時，「奕劻、（李）鴻章累奏之，始令採行
新政。」[68]

　　四是慈禧有悔悟之心。慈禧倉皇「西狩」，比 1860 年隨咸豐逃
往熱河時還要狼狽萬分；頒發新政詔旨之前，她已知道議和大綱的
內容也比當年的《北京條約》嚴重得多，這就是她兩年來訓政的結
果。她難以推卸使國家陷於危亡的重大責任，無法向祖宗和天下臣
民交代，亦無詞以對主張變法、反對開戰的光緒，臉面丟盡，對於
改革的呼聲非但不敢再像過去那樣妄加罪名，摧殘殺害，反而要進
行認真思考。對自己，也不能不做一番反省：「自經庚子之變，知

[65]　《原亂一》，《義和團》4，第 226 頁。
[66]　《義和團檔案史料續編》上冊，第 778 頁。
[67]　《義和團檔案史料》下冊，第 901 頁。
[68]　趙炳麟：《光緒大事彙鑒》卷 11，第 8 頁。

內憂外患，相迫日急，非僅塗飾耳目，所能支此危局。故西狩途中，首以雪恥自強為詢。」[69]她曉得一味守舊萬萬不可，所以在 1901年 1 月 29 日實行新政的詔旨中，公開告知天下：「自播遷以來，皇太后宵旰焦勞，朕尤痛自刻責，深念近數十年積習相仍，因循粉飾，以致成此大釁。現正議和，一切政事，尤須切實整頓，以期漸圖富強。懿訓以為取外國之長，乃可補中國之短，懲前事之失，乃可作後事之師。」[70]同年 10 月 2 日，她還專門頒發懿旨，通諭大小官員說：「推積弱所由來，歎振興之不早。近者特設政務處，集思廣益，博採群言，逐漸施行，擇西法之善者，不難捨己從人，救中法之弊者，統歸實事求是。」[71]12 月 2 日再次頒發懿旨說：「上年京師之變，孟賊內訌，激成大釁，震驚九廟，國步阽危，皇帝奉予西狩，始念亦不及此，創巨痛深，蓋無時不引咎自責。」[72]慈禧的自責雖不深刻，但也不能說沒有幾分誠意。加以「既內恐輿情之反側，又外懼強鄰之責言」，所以她「乃取戊己兩年（戊戌、己亥，即 1898、1899）初舉之而復廢之之政，陸續施行，以表明國家實有維新之意。」[73]

尊重事實，不難看出，清廷推行新政，是各種力量促成的，並不是義和團「打擊」的結果，更不是繼承了義和團留下的什麼寶貴經驗。如果一定要說義和團起了什麼作用的話，那就是充當了一個反面教員的角色。全國人民從義和團運動中接受了血的教訓，更加清醒地認識到，愚昧落後、頑固守舊只能給國家帶來災難；欲使國家富強，抵禦外侮，必須師人之長，棄己之短，發展資本主義。

---

[69] 岑春煊：《樂齋漫筆》，見《近代稗海》第 1 輯，第 99 頁。
[70] 《有關義和團上諭》，《義和團》4，第 81 頁。
[71] 《有關義和團上諭》，《義和團》4，第 115 頁。
[72] 《有關義和團上諭》，《義和團》4，第 118 頁。
[73] 《論中國必革政始能維新》，《東方雜誌》第 1 年第 1 期。

3.義和團沒有推動辛亥革命

孫中山曾說：「當初次之失敗也，舉國輿論莫不目予輩為亂臣賊子，大逆不道，咒咀謾罵之聲不絕於耳，吾人足跡所到，凡認識者，幾視為毒蛇猛獸，而莫敢與吾人交遊也。惟庚子（1900）失敗之後，則鮮聞一般人之惡聲相加，而有識之士，且多為吾人扼腕嘆惜，恨其事之不成矣。前後相較，差若天淵。吾人睹此情形，中心快慰，不可言狀，知國人之迷夢已有漸醒之兆。加以八國聯軍之破北京，清帝后之出走，議和之賠款九萬萬兩而後，則清廷之威信已掃地無餘。而人民之生計從此日蹙，國勢危急，岌岌不可終日。有志之士，多起救國之思，而革命風潮自此萌芽矣。」[74]這段話常被一些論者引證為義和團運動推動了辛亥革命走向高潮，促進了辛亥革命的爆發。

認真分析一下，即可發現，孫中山所講庚子前後「差若天淵」，只是將 1900 年作為一個時間界限，用來說明前後革命形勢變化之大，實無跡象表明義和團與「革命風潮自此萌芽」有何內在的即事物本身固有的聯繫。孫中山講的「革命風潮自此萌芽」，「有志之士，多起救國之思」的真實原因，是聯軍攻佔北京，慈禧出走流亡，巨額賠款，使清廷威信掃地無餘，人民生計日蹙，國勢危急。這些都是義和團為非作歹的結果，不是義和團的功勞。所以他緊接著說：「時適各省派留學生至日本之初，而赴東求學之士，類多頭腦新潔，志氣不凡，對於革命理想，感受極速，轉瞬成為風氣。故其時東京留學界之思想言論，皆集中於革命問題。……留東學生提倡于先，內地學生附和於後，各省風潮，從此漸作。」[75]根本沒有提到

---

[74] 孫文：《革命原起》，《辛亥革命》1，第 9 頁。
[75] 孫文：《革命原起》，《辛亥革命》1，第 9-10 頁。

革命與義和團的推動有何直接關係。即使 1900 年秋發動的惠州起義，他也只是說：「旋遇清廷有排外之舉，假拳黨以自衛，有殺洋人、圍使館之事發生，因而八國聯軍之禍起矣。予以為時機不可失，乃命鄭士良入惠州，招集同志以謀發動。」[76]他不認為是義和團促進了惠州起義，而是將起義的原因歸結於清廷利用義和團排外，引起八國聯軍之禍，出現了有利時機。

其他人的說法亦與孫中山吻合。如：「當戊戌之際，康、梁、譚、楊等數人，伏闕上書，請頒新政，天下喁喁望治，然其意欲以和平改革也。政府以為未足，執而誅之，以造成唐才常等數十輩。然唐才常等雖實行流血主義，而其名猶曰保皇也。政府以為未足，執而誅之，俾以造成數萬民黨。」[77]「我國之留東學界及內地志士，自經庚子惠州革命及唐才常漢口自立兩役之怒潮所激蕩，影響之巨，得未曾有。」[78]他們認為革命形勢之能得以發展，是清政府鎮壓和平改革及革命人士激蕩而成的，並非義和團所推動。其間，留日學生起的作用尤其巨大。

留日學生之所以能起巨大作用，是因為他們都是孫中山所說的「頭腦新潔，志氣不凡」的青年，到日本後很快接受了資產階級的政治學說，閱讀了各國資產階級革命的歷史，瞭解了世界潮流，惻於國家危亡，對清廷的專制腐敗深感絕望，懷著建立民主國家的美好理想，因而毅然投入革命鬥爭。革命黨人此時期的不少論著均可表明這一點。如有篇文章以美國、法國、義大利、希臘通過革命取得民族獨立，日本通過維新終於富強為例，寫道：「凡國之所以因禍而為福，轉敗而為功者，必賴千百志士不畏艱難以肩巨任，殺身以易民權，流血以購自由，前仆後興，死亡相繼，始能掃蕩專制之

---

[76] 孫文：《革命原起》，《辛亥革命》1，第 8 頁。
[77] 《論沈藎慘死事》，《辛亥革命》1，第 308 頁。
[78] 馮自由：《革命逸史》第 2 集，第 135 頁。

政治，恢復天賦之權利。此今日民權之世界所由來也。」[79]還有的
寫道：「嗚呼，今日已二十世紀矣！我同胞之國民，當知一國之興
亡，其責任專在於國民。世界萬國，以有民權而興，無民權而亡者，
踵相接，背相望；是故我今日即不念亡國為奴之慘，亦當外鑒當世，
而蹶然興起矣。」[80]黃興等一大批革命人士都是到日本留學之後走
上革命道路的，並非受到義和團運動的影響或鼓舞。

　　國內人士亦然。義和團運動之後，「國中志士，鑒於清廷之辱
國喪師，非先從事革命不可」。蔡元培等「集議發起中國教育會，
表面辦理教育，暗中鼓吹革命。」[81]

　　革命黨人林懈所說「有庚子拳亂之為因，遂生革命論盛倡之
果」[82]，並不能證明辛亥革命受到了義和團運動好的影響，看一看
他這個結論是如何得來的就清楚了。在這兩句話之前，他寫道：載
漪與剛毅「把持朝政，深信義和團足以滅洋扶清，欲藉以驅除外人，
復其閉關鎖國之舊，於是拳禍日以蔓延」。「其結果乃召各國聯軍，
乘輿播遷，幾覆宗社」。「辱國失權，耗損元氣，較之甲午，尤烈十
倍」。「此時日本留學生漸多，……政治思想驟湧而不可止。又以年
少氣盛，於法國派學說，最易醉心。重以頻年國難，喪師失地，賠
款損權，層見不一，外國報紙復時時譏嘲之，回念六士（指戊戌六
君子）、三忠（指袁昶、許景澄、徐用儀）及漢變諸子（指漢口自
立軍起義諸人），皆以政治之故橫遭殺戮，從而推原其故，因聚怨
於朝廷，乃創為革命之論，刊為叢報，流布內地。青年學生不知審
擇，群起附和，如中醇醪，不自覺其狂易。於是國中囂然，隨處皆

---

[79] 《中國滅亡論》，《辛亥革命前十年間時論選集》第 1 卷，上冊，第 82 頁。

[80] 《二十世紀之中國》，《辛亥革命前十年間時論選集》第 1 卷，上冊，第
　　70 頁。

[81] 蔣維喬：《中國教育會之回憶》，《辛亥革命》1，第 485 頁。

[82] 宣樊（林懈）：《政治之因果關係論》，《辛亥革命前十年間時論選集》第 3
　　卷，第 763 頁。

革命黨矣。」[83]據此可知，他認為庚子以後之所以「革命論盛倡」，
是因為出現了具有革命思想的留學生群體和「聚怨於朝廷」，而給
國家造成了嚴重危害的「拳禍」正是留學生「聚怨於朝廷」的原因
之一。決不能將「拳禍」對革命黨人的負面影響視為正面影響。

　　約而言之，是先進人士從清政府縱容慫恿義和團，引起八國聯
軍之禍中接受了慘痛的教訓，才認識到清政府無藥可救，掀起了資
產階級民主革命運動，而不是義和團促進了辛亥革命。

　　若論革命風潮之得以萌芽，倒是與清政府實行新政有些關係。
由於清政府提倡新學，派遣留學生，才有大批學子東渡日本，少數
到了歐美，一代新的資產階級知識份子群體出現。當然，能否成為
革命者，決定於個人的人生觀和價值取向，不必將革命風潮萌芽的
功勞歸於清政府。但若無清政府實行新政，留學生群體很難出現，
則是事實。

　　有的論者認為，不少資產階級革命黨人受到了義和團運動的鼓
舞，從義和團身上汲取了革命精神。實則並非如此。當時革命派人
士對義和團的看法，除了個別極端排外者讚揚「義和團此舉，實為
中國民氣之代表」[84]，只有極少數對其主觀動機表示同情，然而對
其行事無不貶斥。如李書城說：「拳匪者，何人也？奮死力捐生命
以捍內而排外者也，其事可誅，而其心可哀。」[85]陳少白等人發行
的《中國旬報》稱「大刀會匪」、「團匪」或「拳黨肇禍」。但又評
論說，義和團仇殺洋教，嫉惡外人，其本心在於「欲杜彼兇焰，伸
我主權，則猶是人心自由之公理也。獨惜其愚而自用，無自立之智，

---

[83] 宣樊（林懈）：《政治之因果關係論》，《辛亥革命前十年間時論選集》第 3
　　卷，第 762-763 頁。
[84] 《義和團有功於中國說》，《辛亥革命前十年間時論選集》第 1 卷，上冊，
　　第 62 頁。
[85] 《潛江李書城與友人書》，武漢大學歷史系中國近代史教研室編：《辛亥革
　　命在湖北史料選輯》，第 519 頁，湖北人民出版社，1981 年。

而妄思自立之權，適以辱身償事而已。嗚呼，凡此愚民，其舉動可
哂，其殘殺可惡，其熱心則可嘉。」[86]

其他資產階級革命派人士基本上都斥罵義和團為「匪」，馮自
由、汪精衛、章太炎、楊篤生、血刃、漢種之中一漢種等無不如此。

孫中山亦不例外。如 1900 年夏間，由其領銜，與興中會骨幹
楊衢雲等人聯名上書香港總督卜力時，就罵義和團為「妖言惑眾，
煽亂危邦，釀禍」的「奸民」，主張「平匪全交」[87]。同年 7 月 18
日在《與宮崎寅藏的談話》中，還說：「拳匪之亂」[88]；1904 年 8
月 31 日在《支那問題真解》一文中，亦有「曩者千九百年拳匪之
亂」[89]之語。

鄒容寫道：「有野蠻之革命，有文明之革命。野蠻之革命，有
破壞，無建設，橫暴恣狙，適足以造成恐怖之時代。如庚子之義和
團，義大利之加波拿里，為國民增禍亂。」[90]

陳天華寫道：「這義和團心思是很好的，卻有幾種大大的不好
處，不操切實本領，靠著那邪術。這邪術乃是小說中一段假故事，
那裏靠得住。所以撞著洋人，白白的送了性命。兼且不分好醜，把
各國都一齊得罪了。不知各國內也有與我們有仇的，也有與我們無
仇的，不分別出來，我們一國那裏敵得許多國住。我們雖然恨洋人
得很，也只好做應敵的兵，斷不能無故挑釁。說到那圍攻公使館，
燒毀天主堂，尤為無識。自古道：兩國相爭，不斬來使。我無故殺
他的使臣，這是使他有話說了。我們要殺洋人，當殺那千軍萬馬的
洋人，不要殺那一二無用的洋人。若他們的軍馬來，你就怕他，他

[86] 徐緒典主編：《義和團運動時期報刊資料選編》，第 299 頁。
[87] 《致港督卜力書》，《孫中山全集》第 1 卷，第 192 頁。
[88] 《孫中山全集》第 1 卷，第 196 頁。
[89] 《孫中山全集》第 1 卷，第 245 頁。
[90] 鄒容：《革命軍》，《辛亥革命》1，第 349 頁。

們的商人教士，你就要殺害他，這是俗話所謂謀孤客，怎麼算得威武呢！義和團不懂這個道理，所以弄出天大的禍來，把我們中國害得上不上，下不下，義和團真真是我們中國的罪人了。」[91]

《鵑聲》一篇文章寫道：「那兩省（指山東、直隸）的人，真是愚到極處了，弄了滿洲政府的錢，打教堂，殺洋人，及到後來，賠外洋四百五十兆的銀子，分做三十年還清。各省攤派下來，我們四川平空白地每年多派出數百萬的銀子。」[92]另一文又寫道：「我若把拳匪的歷史說了出來，我們中國人真是全無心肝的人」。「那些土匪遊民，一心想借打教堂想財喜」。「我所以說瓜分中國的原動力，也不是那洋人，也不是那滿人，就是我們中國的人了。」[93]

《二十世紀之支那》一文寫道：「媚外者固足以亡其國，而排外者亦足以促其亡也。」[94]

《中國白話報》一文寫道：「庚子那一年，這許多義和團要想吃天鵝肉，那曉得外國人是不怕的」。「千萬莫像義和團那樣子，靠著六丁六甲，畫符掐訣，是沒有用帳的。」[95]

既然大多數革命黨人極力反對義和團的所作所為，他們當然不會繼承發揚義和團的所謂「革命精神」。

作為同盟會綱領性文件的《中國同盟會革命方略》，更能反映孫中山等革命黨人的整體觀念和意志。其中的「軍律」規定：「任

[91] 陳天華：《猛回頭》，《辛亥革命》2，第146頁。
[92] 山河子弟：《說鵑聲》，《辛亥革命前十年間時論選集》第2卷，上冊，第564頁。
[93] 新中國之少年：《瓜分中國之原動力》，《辛亥革命前十年間時論選集》第2卷，上冊，第568-569頁。
[94] 衛種：《二十世紀之支那初言》，《辛亥革命前十年間時論選集》第2卷，上冊，第65頁。
[95] 平陸氏：《保護綢緞的法子》，《辛亥革命前十年間時論選集》第1卷，下冊，第879、880頁。

意擄掠者殺」；「焚殺良民者殺」；「殺外國人、焚拆教堂者殺。」[96]
「對外宣言」規定：「一、所有中國前此與各國締結之條約，皆繼
續有效。二、償款外債照舊擔任，仍由各省洋關如數攤還。三、所
有外人之既得權利，一體保護。四、保護外國居留軍政府佔領之域
內人民財產。」[97]「軍律」規定的幾條完全是針對義和團燒殺搶掠
的野蠻行為，「對外宣言」則承認清政府與外國簽訂的條約繼續有
效，保護外國人的一切既得權利和生命財產安全。總之，不但將義
和團打教堂、反洋人的「革命精神」完全排斥於革命行動之外，而
且視為革命之大敵。義和團實行的，正是辛亥革命所要嚴厲禁止的。

事實證明，革命黨人沒有繼承發揚義和團的「革命精神」，義
和團沒有推動辛亥革命。

（二）禍國殃民具體真實

早在嘉慶年間，義和團就「橫行鄉曲，欺壓良善」[98]，是個非
法組織。進入十九世紀末期，它到處燒殺搶掠，並非在本村本鄉自
衛身家的組織，更非反帝愛國組織。從其主要領導成員的言行和運
動的真實情況綜合考察，它屬於邪教一類。關於什麼是邪教，未見
有確切的統一的說法，這裏姑且參照當時和現在人們的一些認識加
以論述。

在當時，曾有許多官員指出義和團是邪教。他們認為，義和團
原本是秘密組織離卦教、白蓮教之支流，入其教者雖然練習拳棒，
但與尋常練習武藝者迥不相同。「托言神靈附體，講道教拳，詭稱

---

[96] 《孫中山全集》第 1 卷，301 頁。
[97] 《孫中山全集》第 1 卷，310-311 頁。
[98] 《義和團檔案史料》上冊，第 64 頁。

唸誦咒語，能禦槍炮。」[99]「符咒惑人，傳教煽亂。」[100]「符咒，妖人也；以符咒惑民，邪教也。」[101]「不受法度，亂民也；託言神附，邪說也。」[102]毓賢任曹州知府時就「以大刀會幾近邪術，即已嚴行查拿禁止。」[103]他們所說的邪教不是宗教，而是一種教門。

1999 年 10 月，中國最高人民法院、最高人民檢察院對邪教組織所下的定義為：「是指冒用宗教、氣功或者其他名義建立，神化首要分子，利用製造、散佈迷信邪說等手段蠱惑、矇騙他人，發展、控制成員，危害社會的非法組織。」[104]這裏所說的邪教，亦不是指宗教，係指一種妖異怪誕的說教、邪惡的勢力而言。

時人的理解和今人的認識大致相同，據此可以認定邪教的主要特徵是：利用封建迷信，編造歪理邪說；詭言神靈附體，唸咒吞符，刀槍不入，蠱惑人心；發展、控制成員，煽動暴亂；矇騙坑害人民群眾；危害社會。

倘若這個理解正確，對照頭目們的言行，可以說義和團已經具備了邪教的主要特徵。

第一，利用封建迷信，偽稱神靈無所不在，能附團民之身。

第二，極力神化頭目，大肆吹噓法力無邊，神通廣大，直如神仙，讓團民對他們頂禮膜拜，甘受驅使，一切按他們的說教去思想，去行動。

第三，妄造謠言，極力誹謗，煽動人民群眾對洋人和教民的仇恨，製造事端，掀起動亂，挑釁外國。

---

[99] 勞乃宣：《義和拳教門源流考》，《義和團》4，第 438 頁。

[100] 甘鵬雲：《潛廬隨筆》，《義和團史料》下冊，第 844 頁。

[101] 蔣楷：《平原拳匪紀事》，《義和團》1，第 353 頁。

[102] 劉春堂：《畿南濟變紀略》，《義和團史料》上冊，第 331 頁。

[103] 《義和團檔案史料》，上冊，第 38 頁。

[104] 《光明日報》，1999 年 10 月 31 日。

　　第四，在「滅洋」的虛假旗號下，瘋狂地掠奪財富，幹著大發洋財的罪惡勾當。對與其略有嫌隙或毫無仇怨的無辜教民、平民、回民和官員進行野蠻血腥地燒殺搶掠，敲詐勒索，綁架勒贖。以暴力脅迫良民為非作歹。目無法紀，肆意破壞國家財產和先進的資本主義事物，抗拒官兵，衝擊搶掠各級政府機關，橫行霸道於城市農村，擾亂社會治安，使人民日日生活於恐怖之中，嚴重危害社會。

　　以上俱見於前述，不再多論。

　　第五，利用人民的避禍心理，以神秘的宗教預言，處心積慮地編造人類劫難即將來臨的邪說，製造恐慌心理和恐怖氣氛，迫使人們盲目地狂熱地追隨他們。一些乩語、壇諭、揭帖寫道：「天有眼，地有眼，水翻人翻石亦翻。癸未乾，不算乾，丁亥子丑才算乾。貧者一萬留一千，富者只留一二三。……若問瘟疫何時起，但看來年春頭間。倘若有人不信者，口吐鮮血淚漣漣。今年人民有災難，瘟神惡鬼下人間。……若有人見者不傳，七空（孔）流血喪黃泉。」「今年人死七分，求觀音菩薩大法（發）慈悲，能救眾生。可傳送此帖，災能免。……或不傳，說荒（謊）言為神所惡，反加重災。為善者可保，作惡者難逃。不信可看七八月間，人死無數。諸神時察人間善惡。」「大劫臨頭，只在今秋，白骨重重，血水橫流，惡者難免，善者方留。」「不久刀兵滾滾，軍民有災。佛門義和團，上能保國，下能安民。見字速傳一張，免一家之災；傳十張，免一村之災。見字不傳，必有刀頭之罪。」「凡信這個揭帖所說的人，將有善報，不信的人，將有惡報。」[105]等等，皆屬此類。

　　第六，利用唸誦荒誕不經的咒語，使人吞下含有興奮藥的符籙，詭稱刀槍不入，矇騙群眾，坑害無數人命。

────────────────

[105] 轉見陳振江、程歗：《義和團文獻輯注與研究》，第 89-90、98-99、97、22、15 頁。

　　在迷信和符籙的作用下，不少愚昧無知者在練習或表演時就白白送掉了性命，或傷殘了肢體。據記載，天津「河東鹽坨過街閣某姓子，年十五六，在閣前義地叢葬處演習拳術，向東三揖，持咒，自云：『係冤鬼索命，尋找替身。』喃喃自言，如是八日，不飲不食；仍奔至閣義塚旁，倒臥氣絕。」又有一個「盧家莊練拳之幼童王四，年十四五，忽於前日清晨奔向闡口下中育堂，叩門而入，以麻袋欲當錢百吊；尋將當鋪鐵門閂攫取于手，向人亂打，喝該當人與之比武。該當人見其狀類瘋癲，與以津錢百文，任其持鐵門以去。嗣呼地保尋蹤至該童家，索回鐵門，囑其家人看管。詎地保方歸，王四復飛奔而至，手持麻袋，謂為八卦仙衣，逕向該當質錢，復經多人送其回家。……昨竟出莊，闖入坑內，幾致淹斃，經人撈出，則足指已闕其一，亦不知如何脫落，迄今不食十餘日矣，醫巫術窮，無所措手，自云為女鬼附體云云。」[106]

　　滄州竇店有某幼童學拳，忽然「若迷若狂，揮拳頓足，呼之不應。或謂是子神已附體，須猛力拍其頂心，以呼乳名，庶可驚醒省悟；屢拍不應，乃急覓其傳術之師某甲，不料該師亦正附神，至則持梃向童頂心極力連椎，頂遽陷，瞬及耳目口鼻頓歸烏有，童斃，師仍打之不已。眾知其師已中邪，乃群起直前，按師而立縛之。」[107]

　　山東平原縣的頭目張澤、魏奉宣「自謂刀槍不能傷，槍炮不能入。試之有斷臂者，洞胸者。」[108]

　　景州有個大師兄表演刀槍不入，「忽然改變了面容，咬著牙，瞪著眼，一躍而起，指手畫腳地跳了幾圈，遂即解衣袒胸，命在旁的徒弟向著他開槍射擊。小徒弟如命，拿起來福槍來，裝上火藥，

[106] 左原篤介：《拳事雜記》，《義和團》1，第 239-240 頁。
[107] 左原篤介：《拳事雜記》，《義和團》1，第 240 頁。
[108] 蔣楷：《平原拳匪紀事》，《義和團》1，第 354 頁。

一槍打去。但見那神靈附體的大師兄雙腿向前一屈，顛仆於地，通紅的鮮血從胸口上流出來了，以後又翻騰輾轉了幾下子，就四肢挺直，氣絕身死了。」[109]

調查材料亦證實刀槍不入的騙局害人之確。安次縣「有一個叫穆聖尊的，他說他練得槍子都不入，明天可以試試。在壇裏燒了香，告訴放槍的，他一跺腳再放，面沖西，放槍的面向東，十二三步遠。人們先在槍中裝上綠豆代替槍砂，打在身上只打了幾個黑點。第二次真的裝上了七八粒槍砂，把他打出了血，槍砂留在肉裏。」[110]

劉福榮說：「蠻自營有一個大師兄姓曹，說他會避火分砂，大夥把他請來就到壇口外邊試試，村裏用的是大抬杆，照著曹老師就噹啷一下子，這一下不要緊，就給撬倒了。這村西南角有個韓玉升二哥，他問袁師兄：『避得了火嗎？』『避得了。』『分得了砂嗎？』『也能分砂。』『這可是新鮮樣的！袁師兄，門在那兒，咱們過過槍。』這個玉升二哥叫袁師兄跟我站在一塊，袁師兄站在東邊，我站在西邊，肩膀靠著肩膀。我是『太上門』的工夫，還沒有義和團的工夫哪。玉升二哥衝著我們倆噹啷就是一火槍，把槍砂子都打在身上了，那時候都穿的是單衣，血直流。……總算我沒辦缺德事，到今兒個我右眼下邊還有一個子兒（鐵砂子），……右胳膊上還有三個子兒哪！」[111]

同官軍特別是與聯軍作戰時，頭目們以「刀槍不入」矇騙團民衝鋒而被擊斃擊傷的，數目之多，根本無法統計。

即使不是義和團的老百姓，有的頭目也大肆欺騙，讓他們慘死在聯軍槍下。有個記載說，京郊牛欄山，「其地多巨賈，聞洋兵來多走避。拳目曰勿懼，人各授一瓢，使迎洋兵而舞，洋兵以槍擬之，

---

[109] 黎仁凱主編：《直隸義和團調查資料選編》，第 372 頁。
[110] 黎仁凱主編：《直隸義和團調查資料選編》，第 6 頁。
[111] 黎仁凱主編：《直隸義和團調查資料選編》，第 554-555 頁。

眾欲退。拳目又曰：『槍門閉矣，無能為也，速進。』既進而槍發，無一免者，慘矣。」[112]

邪教對社會只有破壞，沒有促進，為歷代統治者所嚴禁。清廷的法律對懲辦邪教明確規定：「妄布邪言，煽惑人心者，為首者斬立決，為從者斬監候。」「興立邪教，比照謀叛定罪。」[113]「凡傳習白陽、白蓮、八卦等邪教，習唸荒誕不經咒語，拜師傳徒惑眾者，為首擬絞立決。」[114]

由於義和團是邪教，其領導的所有活動均以搶掠財富為唯一目的，因而義和團運動只能是一場禍國殃民的暴亂。

與牽強附會、虛無飄渺的所謂巨大貢獻完全不同，義和團禍國殃民是具體的，真實的，不容否定的。

其禍國表現有三個方面：

1. 將北京至保定以南的鐵路、京津之間的鐵路，以及許多車站、道房、料廠和橋樑毀壞；毀壞電線在山東、直隸兩省更為普遍。同時搶劫官署，抗擊官兵。不僅使國家財產遭受巨大破壞，並使交通中斷，資訊失靈，軍事和機要事務受到嚴重影響。盛宣懷奏稱：「自夏徂秋，南北隔絕，中外阻塞，朝廷之指揮，封疆之機要，兩不相及，貽誤實多。」[115]

2. 由於義和團挑釁，引起列強武裝干涉，致使抵抗聯軍的聶士成的武衛前軍大部犧牲，榮祿自統的武衛中軍解體，董福祥的武衛後軍只剩下五千人，宋慶的武衛左軍所存人數不到一半，直隸的練軍、淮軍所餘無幾，國家軍事力量損失慘重。

[112] 龍顧山人：《庚子詩鑒》，《義和團史料》上冊，第 144 頁。
[113] 《籌筆偶存》，第 337、404 頁。
[114] 轉見苑書義等：《中國近代史新編》中冊，第 584 頁，人民出版社，1986 年。
[115] 《義和團檔案史料續編》上冊，第 806 頁。

364

3. 由於義和團挑釁，引起列強武裝干涉，結果戰敗，清政府被迫與列強簽訂了《辛丑條約》。條約規定，各國在北京單獨設立使館區，留兵保護，中國人民不得在內居住；拆毀大沽炮臺及削平由大沽至京師的一切炮臺，各國軍隊可在京榆鐵路沿線的黃村、廊坊、楊村、天津、軍糧城、塘沽、蘆台、唐山、灤州、昌黎、秦皇島、山海關駐紮，國家要隘全失，北京門戶洞開；兩年之內，中國不准進口軍火和製造的原料；修改通商、行船條約；中國永遠禁止設立仇視外國的組織，違者皆斬；洋人遇害的地方，停止文武考試五年；以後再有傷害洋人之事或違約之行，各省督撫文武大員必須立時彈壓懲辦，否則革職，永不敘用；等等。使中華民族蒙受奇恥大辱，半殖民地化程度進一步加深。

其殃民表現亦有三個方面：

1. 殘酷野蠻地燒殺搶掠勒索敲詐教民和平民、回民，使無數的人民家破人亡，顛沛流離，受盡苦楚，有些全家包括幼兒在內遭到滅絕人性的殺害。擾亂社會治安，使人民整日處於恐怖之中，惶惶不安，無法正常生活。失敗以後，仍然為匪，到處燒殺搶掠，禍害人民。

2. 《辛丑條約》規定，中國賠償各國損失四億五千萬兩白銀。禍害是由義和團引起的，卻使全國無辜的良善人民承受這巨額賠款，套上一副沉重無比的枷鎖，「殊非情法之平」[116]。山東、直隸兩省的地方賠款亦然。

3. 由於義和團殺害搶掠，破壞鐵路交通，與八國聯軍開戰，使商人裹足，外貿和沿海及一些內地商業貿易大為減少，甚至中斷。天津過去輪聲帆影，海上貿易往來不絕，商業異常興

---

[116] 劉春堂：《畿南濟變紀略》，《義和團史料》上冊，第 327 頁。

盛。自義和團運動開始，「商賈遂不復敢放膽營運，六街三市，幾絕人跡。」上海為華洋交涉總匯之區，百貨雲屯。運動期間，與天津的海運斷絕，天津最需要的煤油、大米、洋紗、洋布、洋藥等商品，均「暫停轉運，以免途中意外之虞」。吉林、黑龍江以及京城、牛莊、張家口、通州等地的貿易，一向以天津為樞紐，天津既路阻不通，行銷於這些地方的商品，「概皆扞隔而不能達」。[117]

鐵的事實表明，義和團非但沒有使中國擺脫半殖民地化，反而加深了；非但沒有洗刷中華民族的多年積辱，反而加劇了；非但沒有減輕全國民人的負擔，反而加重了。他們是國家民族的罪人。雖然把全國人民推入苦難深淵的責任主要應由執政的清政府負責，然而義和團是挑起釁端的罪魁禍首，也有一份，誰也無法將其完全開脫。

義和團運動之前，新興的民族資產階級已經登上歷史舞臺，扮演了重要角色。他們主張學習先進的外國，為資本主義在中國的發展開闢道路，為建立一個民主的國家而奮鬥。義和團非但沒有這些要求，反而要消滅資本主義，希圖永遠保持封建的生產方式，幻想「大清一統慶升平」[118]，阻礙社會發展和國家進步，是一股違背歷史潮流而動的逆流。只要認真考察運動的實際情況，就不會得出義和團「反帝反封建」的作用超過資產階級改革派和革命派的結論。

義和團妄言神靈附體，刀槍不入，燒殺搶掠等等暴行，只能得到頑固守舊官僚士紳的支持，遭到新興資產階級、開明官僚文人的反對。在一般民眾中，「不住口的頌揚義和拳的功德」的，僅僅是隨同義和團搶劫財物，「得了意外之財的鄉民」[119]。少部分開始時

---

[117] 長谷川雄太郎：《回鑾日記及雜記》，《義和團》3，第 532-533 頁。
[118] 轉見陳振江、程歗：《義和團文獻輯注與研究》，第 33 頁。
[119] 黎仁凱主編：《直隸義和團調查資料選編》，第 285 頁。

惑於義和團的欺騙宣傳，予以同情支持，但很快便看清了義和團的真實面目，斥其荒謬，人心向背瞬即轉變。

如在北京，「近見東交民巷該團攻使館時被洋兵槍斃者，屍骸狼籍，是其所謂能避槍炮者，至今而愈信其偽言惑聽也。」[120]「商民起首暗奉銀米，稱為神團。自銀市錢市爐房既燒，此則與洋教無干涉者，大失商民之心。又至沿街乞化香資，殺者不盡教民，訛詐良民，遭殘害焚劫者不可勝計，人心益形怨咨。」[121]有個初時對義和團似有好印象的文人觀察了幾天後，說：「各團所為，多非正道。尚云虔心感格神威，百靈效命，恐不足恃，予實不敢深信耳。」[122]到了聯軍逼近京城時，就「拳匪行於市，人尾其後，明斥其裝神弄鬼，利己害人，作申申之詈」了[123]。

天津商民開始兩天送給義和團大餅、綠豆湯，但很快便不再給他們，轉送官兵。有些商民則直斥他們的搶掠燒殺暴行，要與他們拼命。一次，義和團至東門外南斜街，「遇途人忽指為在教，捆縛將殺，街鄰代白其非，請釋之，團不許」。這一下惹惱了眾人，「怒曰：『朝廷令爾輩打洋人，爾輩乃借勢造反耶！今日誓與爾輩一拼，斷不容爾等胡為。』團見勢不佳，匆匆而去，其人乃得免。」還有的組織鋪勇監督他們，準備在他們胡作非為時群起而攻。7月2日，義和團屠殺蘆莊無辜人民以後，「津人咸怨，有鳴鼓而攻之勢，各鋪戶乃出資集鋪勇，聞團將至某處焚殺，即令鋪勇尾其後，並於各街口防堵，有誣陷則與戰。」[124]天津將要失守時，「難民惶遽出城，見各軍擊匪，皆側立觀之，以紓積憤，則拳匪之見疾於人也，已可概見。」[125]

---

[120] 楊典誥：《庚子大事記》，見《庚子記事》，第 88 頁。
[121] 袁昶：《亂中日記殘稿》，《義和團》1，第 348 頁。
[122] 仲芳氏：《庚子記事》，見《庚子記事》，第 25 頁。
[123] 僑析生：《拳匪紀略》卷 5，第 8 頁。
[124] 佚名：《天津一月記》，《義和團》2，第 151-152 頁。
[125] 僑析生：《拳匪紀略》卷 4，第 3 頁。

在義和團橫行霸道期間，絕大多數民眾由於處在殘酷暴力威脅之下，均「畏義和團如盜寇」[126]，敢怒而不敢言。但聽到官兵剿滅義和團，內心卻很高興，拍手稱快。如 6 月上旬聶士成的部隊一次消滅義和團四百多人，「捷音至津，人皆稱慶。」[127]冠縣梨園屯的著名大頭目閻書勤，「經官兵捕獲，遠近皆為快心。」張勳在蒲台縣雙台殲滅團民五百餘人，頭目和軍師亦在其中的消息傳開後，「該處附近二十餘里村民，均簞食壺漿來獻不絕，咸恨各匪滋擾焚掠，深感大帥派兵剪滅之恩。」[128]

中華民族是個善良、勤勞、聰明的民族，富於勇敢反抗殘暴統治和外來侵略的光榮傳統。義和團展現在人們面前的真實形象，是最愚昧落後野蠻的群體，阻礙歷史前進的反動逆流，禍國殃民的邪惡力量，中華民族的敗類，稱讚他們為中國人民的代表，是對中華民族的極大侮辱。

正因如此，義和團所謂的「反帝愛國精神」，實即暴行，當時就遭到資產階級的強烈反對，並為孫中山領導的同盟會視若寇仇，堅決摒棄。其後也從未被善良老實正直的中國人民所繼承發揚，任何一個先進的階級、階層、政黨和團體都沒有像義和團那樣，妄造邪說，吞符唸咒，詭言刀槍不入，燒殺搶掠赤手空拳的無辜人民。

真正繼承發揚義和團傳統的也有，某些反動會道門頭目就深得其衣缽真傳。如中華人民共和國成立以後，安徽省蒙城縣天門道道首劉金蘭不但利用空前的災荒，在當地發展徒眾數千人；而且廣為散佈：「末劫已到，天要刮黑風，下紅雨，大災大難。銅頭鐵羅漢，躲不過正月二十三。大樹刮得連根起，石頭刮得遍地跑，在劫之人命難逃。今年大人死七成，小孩老人全歸天，男人惡劫過刀槍，女

---

[126] 仲芳氏：《庚子記事》，見《庚子記事》，第 20 頁。
[127] 徐緒典主編：《義和團運動時期報刊資料選編》，第 75 頁。
[128] 《山東義和團案卷》上冊，第 376、60 頁。

人善劫饑肛腸。只要入了道，紅星災難可免遭，全家老小命得保。」
還讓人悄悄戴上鬼臉面具，裝扮成毛人水鬼，從河裏爬上來，深夜
走村竄巷到處跑，大造謠言：「水鬼一出，男人割雞巴，女人割乳
頭，全都由共產黨送給蘇聯造原子彈。」並大肆欺騙說：「入道後
能會法術，拿起秫秸當馬騎，拿起簸箕當飛機，雞毛纓子變飛刀，
吹口法氣子彈跑。」「臂挎小竹籃，手搖芭蕉扇，不怕共軍槍和炮，
煽煽就往籃裏掉。」後來煽起暴動，命令道徒攻打縣城，被當地政
府和軍隊鎮壓。[129]從編造劫數，到裝神弄鬼，誣陷誹謗，胡吹法力
無邊，刀槍不入，煽動暴亂，均與義和團如出一轍。

再如甘肅大刀會頭子李修遠，不但繼承了義和團「畫符唸咒」、
「刀槍不入」的邪說，還自稱皇帝。一天，率領徒眾幾千人，全都
光著上身，人手一把大刀，前去攻打蘭州。行至皋蘭，見解放軍來
了，便一人喝了一碗酒，吞了兩口朱砂，高叫著「刀槍不入」，拼
命地往前衝。迨他們走近，解放軍長短槍齊發，擊斃一百多個。他
的幾個兒子「兵馬大元帥」、「東路元帥」、「西路元帥」、「南路元帥」
統統被擊斃，只有一個「北路元帥」逃得快，手還被打斷了。他聽
到前面來報，嚇得尿了一褲子。徒眾們嗷地一聲，盡皆散去。[130]

由這種繼承關係可以看出，義和團既不是中華民族的脊樑，也
不是國家獨立的奠基石。

※   ※   ※

中華民族在古代有過輝煌的時期，我們引以自豪；在近代有過
恥辱的紀錄，我們也應該有勇氣直面。承認歷史上的恥辱本身並不

---

[129] 白希：《大鎮壓》，第 93-94 頁，金城出版社，2000 年。
[130] 白希：《大鎮壓》，第 95 頁。

是恥辱，而是應有的實事求是的態度。義和團運動使國家人民付出了極為沉重的代價，留下了極其慘痛的教訓，理應深入探討，讓人們從中得到一些有益的啟示。因此，決不能掩蓋事實真相，混淆黑白，文過飾非。歷史永遠都是由聰明才智的人民推動，愚蠢只能帶來禍害。人為地塑造虛假的高大形象，歌頌愚昧，非但不是弘揚愛國主義，無助於中華民族騰飛，反而導致其繼續落後。

【附錄】

徵引參考書目

中國第一歷史檔案館、福建師範大學歷史系合編:《清末教案》,中華書局,
　　1996、1998、2000 年。
廉立之、王守中編:《山東教案史料》,齊魯書社,1980 年。
中國史學會主編:《義和團》,上海人民出版社、上海書店出版社,2000 年。
中國社會科學院近代史研究所近代史資料編輯組編:《義和團史料》,中國
　　社會科學出版社,1982 年。
明清檔案館編:《義和團檔案史料》,中華書局,1959 年。
中國第一歷史檔案館編輯部編:《義和團檔案史料續編》,中華書局,
　　1990 年。
中國社會科學院近代史研究所近代史資料編輯室編:《山東義和團案卷》,
　　齊魯書社,1980 年。
中國社會科學院近代史研究所、中國第一歷史檔案館合編:《籌筆偶存》,
　　中國社會科學出版社,1983 年。
中國社會科學院近代史研究所近代史資料編輯室編:《庚子紀事》,中華書
　　局,1978 年。
僑析生:《拳匪紀略》,光緒二十七年。
林學瑊:《直東剿匪電存》,光緒三十二年。
黎仁凱主編:《直隸義和團調查資料選編》,河北教育出版社,2001 年。
南開大學歷史系編:《天津義和團調查》,天津古籍出版社,1990 年。
山東大學歷史系:《山東義和團調查報告》。
山東歷史學會編:《山東近代史資料》,山東人民出版社,1961 年。
徐緒典主編:《義和團運動時期報刊資料選編》,齊魯書社,1990 年。
胡濱譯:《英國藍皮書有關義和團運動資料選譯》,中華書局,1980 年。
張蓉初譯:《紅檔雜誌有關中國交涉史料選譯》,三聯書店,1957 年。

北京、天津市政協文史資料研究委員會編：《京津蒙難記──八國聯軍侵華紀實》，中國文史出版社，1990 年。

德米特里‧揚契維茨基：《八國聯軍目擊記》，福建人民出版社，1983 年。

天津社會科學院編，許逸凡等譯：《八國聯軍在天津》，齊魯書社，1980 年。

王芸生編著：《六十年來中國與日本》，三聯書店，1980 年。

朱壽朋編：《光緒朝東華錄》，中華書局，1958 年。

趙爾巽等撰：《清史稿》，中華書局，1977 年。

趙炳麟：《光緒大事彙鑒》。

岑春煊：《樂齋漫筆》，見《近代稗海》第 1 輯，四川人民出版社，1985 年。

陸丹林：《革命史譚》，見《近代稗海》第 1 輯，四川人民出版社，1985 年。

朱壽彭：《安樂康平室隨筆》，中華書局，1982 年。

陳夔龍：《夢蕉亭雜記》，上海古籍書店，1983 年。

鳳岡及門弟子編：《三水梁燕孫先生年譜》，1939 年。

《清朝野史大觀》，江蘇廣陵古籍刻印社，1994 年。

杜春和等編：《榮祿存箚》，齊魯書社，1986 年。

王守中：《德國侵略山東史》，人民出版社，1988 年。

顧裕祿：《中國天主教的過去和現在》，上海社會科學院出版社，1989 年。

中國史學會主編：《中日戰爭》，上海人民出版社、上海書店出版社，2000 年。

國家檔案局明清檔案館編：《戊戌變法檔案史料》，中華書局，1958 年。

中國史學會主編：《戊戌變法》，上海人民出版社、上海書店出版社，2000 年。

故宮博物院明清檔案部編：《清末籌備立憲檔案史料》，中華書局，1979 年。

中國史學會主編：《辛亥革命》，上海人民出版社，1957 年。

馮自由：《革命逸史》，中華書局，1981 年。

張枬、王忍之編：《辛亥革命前十年間時論選集》，三聯書店，1960、1963、1977 年。

武漢大學歷史系中國近代史教研室編：《辛亥革命在湖北史料選輯》，湖北人民出版社，1981 年。

廣東省社會科學院等編：《孫中山全集》（第 1、2 卷），中華書局，1981、1982 年。

徐載平、徐瑞芳：《清末四十年申報史料》，新華出版社，1988 年。

駱惠敏編，劉桂梁等譯：《清末民初政情內幕》，知識出版社，1986年。

李文海等編：《義和團運動史事要錄》，齊魯書社，1986年。

陳振江、程歗：《義和團文獻輯注與研究》，天津人民出版社，1985年。

戚其章、王如繪編：《晚清教案紀事》，東方出版社，1990年。

廖一中等：《義和團運動史》，人民出版社，1981年。

李德征等：《八國聯軍侵華史》，山東大學出版社，1990年。

黎仁凱等：《直隸義和團運動與社會心態》，河北教育出版社，2001年。

王廣遠主編：《義和團廊坊大捷》，中國文史出版社，1992年。

路遙、程歗：《義和團運動史研究》，齊魯書社，1988年。

路遙編：《義和團運動》，巴蜀書社，1985年。

林華國：《義和團史事考》，北京大學出版社，1993年。

林華國：《歷史的真相》，天津古籍出版社，2002年。

柯文著，杜繼東譯：《歷史三調：作為事件、經歷和神話的義和團》，江蘇
人民出版社，2000年。

牟安世：《義和團抵抗列強瓜分史》，經濟管理出版社，1997年。

止庵：《史實與神話》，中國對外翻譯出版公司，2000年。

楊呈勝：《最後的吶喊》，江蘇人民出版社，1998年。

袁偉時：《晚清大變局》，江西人民出版社，2003年。

胡繩：《從鴉片戰爭到五四運動》，人民出版社，1981年。

章開沅、林增平主編：《辛亥革命史》，人民出版社，1980年。

中國社會科學院近代史研究所：《中國近代史稿》，人民出版社，1984年。

苑書義等：《中國近代史新編》，人民出版社，1986年。

唐德剛：《晚清七十年》，嶽麓書社，1999年。

白希：《大鎮壓》，金城出版社，2000年。

蘇位智等編：《義和團運動一百周年國際學術討論會論文集》，山東大學出
版社，2000年。

中國義和團研究會編：《義和團運動與近代中國社會國際學術討論會論文
集》，齊魯書社，1992年。

中國義和團運動史研究會編：《義和團運動與近代中國社會》，四川省社會
科學院出版社，1987年。

齊魯書社編輯部編：《義和團運動史討論文集》，齊魯書社，1982年。

中國義和團研究會等編：《義和團平原起義 100 周年學術討論會論文集》，
　　齊魯書社，2000 年。

馮祖貽等編：《教案與近代中國》，貴州人民出版社，1990 年。

四川省哲學社會科學聯合會、四川省近代教案史研究會合編：《近代中國
　　教案研究》，四川省社會科學院出版社，1987 年。

丁韙良譯：《萬國公法》，四明茹古書局版，同治三年。

千賀鶴太郎著，盧弼、黃炳言譯：《國際公法》，政治經濟社版，光緒三十
　　四年。

伯根索爾、墨菲合著，黎作恒譯：《國際公法》，法律出版社，2005 年。

崔書琴：《國際法》，商務印書館，1944 年。

端木正主編：《國際法》，北京大學出版社，1997 年。

逄先知、金沖及：《毛澤東傳》，中央文獻出版社，2003 年。

聯共（布）中央特設委員會編：《蘇聯共產黨（布）歷史簡明教程》，人民
　　出版社，1954 年。

《馬克思恩格斯選集》（1-4 卷），人民出版社，1995 年。

《列寧選集》（1-4 卷），人民出版社，1995 年。

《毛澤東選集》（合訂一卷本）人民出版社，1966 年。

《馬克思恩格斯論歷史科學》，人民出版社，1988 年。

《馬克思恩格斯列寧史達林論歷史科學》，人民出版社，1975 年。

《馬克思恩格斯列寧史達林論研究歷史》，人民出版社，1974 年。

《近代史資料》。

《中外日報》。

《彙報》。

《時報》。

《新聞報》。

《新聞報時務通論》。

《大同報》。

《東方雜誌》。

《天義報》。

史地傳記類　PC0119

「神拳」義和團的真面目

作　　者 / 侯宜傑
主　　編 / 蔡登山
責任編輯 / 邵亢虎
圖文排版 / 黃莉珊
封面設計 / 陳佩蓉

發 行 人 / 宋政坤
法律顧問 / 毛國樑　律師
出版發行 / 秀威資訊科技股份有限公司
　　　　　114 台北市內湖區瑞光路 76 巷 65 號 1 樓
　　　　　電話：+886-2-2796-3638　傳真：+886-2-2796-1377
　　　　　http://www.showwe.com.tw
劃撥帳號 / 19563868　戶名：秀威資訊科技股份有限公司
　　　　　讀者服務信箱：service@showwe.com.tw
展售門市 / 國家書店（松江門市）
　　　　　104 台北市中山區松江路 209 號 1 樓
　　　　　電話：+886-2-2518-0207　傳真：+886-2-2518-0778
網路訂購 / 秀威網路書店：http://www.bodbooks.tw
　　　　　國家網路書店：http://www.govbooks.com.tw

2010 年 10 月 BOD 一版
定價：400 元

國家圖書館出版品預行編目

「神拳」義和團的真面目 / 侯宜傑著. --
　一版. --臺北市 ：秀威資訊科技, 2010.10
　　面 ；　公分. -- (史地傳記類 ；PC0119)
BOD 版
參考書目 ：面
ISBN 978-986-221-531-9 (平裝)

　1. 義和團事變　2. 八國聯軍

627.88　　　　　　　　　　　　　99011689

讀 者 回 函 卡

感謝您購買本書,為提升服務品質,請填妥以下資料,將讀者回函卡直接寄
回或傳真本公司,收到您的寶貴意見後,我們會收藏記錄及檢討,謝謝!
如您需要了解本公司最新出版書目、購書優惠或企劃活動,歡迎您上網查詢
或下載相關資料:http:// www.showwe.com.tw

您購買的書名:_____

出生日期:_____年_____月_____日

學歷:□高中 (含) 以下　　□大專　　□研究所 (含) 以上

職業:□製造業　□金融業　□資訊業　□軍警　□傳播業　□自由業
　　　□服務業　□公務員　□教職　　□學生　□家管　　□其它_____

購書地點:□網路書店　□實體書店　□書展　□郵購　□贈閱　□其他

您從何得知本書的消息?

　□網路書店　□實體書店　□網路搜尋　□電子報　□書訊　□雜誌
　□傳播媒體　□親友推薦　□網站推薦　□部落格　□其他_____

您對本書的評價:(請填代號　1.非常滿意　2.滿意　3.尚可　4.再改進)

　封面設計____　版面編排____　內容____　文／譯筆____　價格____

讀完書後您覺得:

　□很有收穫　□有收穫　□收穫不多　□沒收穫

對我們的建議:_____

_____

_____

_____

11466
台北市內湖區瑞光路 76 巷 65 號 1 樓

秀威資訊科技股份有限公司　　　收

BOD 數位出版事業部

⋯⋯⋯⋯⋯⋯⋯⋯⋯⋯⋯⋯⋯⋯⋯⋯⋯⋯⋯⋯⋯⋯⋯⋯⋯⋯⋯

（請沿線對折寄回，謝謝！）

姓　　名：＿＿＿＿＿＿＿＿　年齡：＿＿＿＿　性別：□女　□男

郵遞區號：□□□□□

地　　址：＿＿＿＿＿＿＿＿＿＿＿＿＿＿＿＿＿＿＿＿＿＿＿＿

聯絡電話：(日) ＿＿＿＿＿＿＿＿＿＿　(夜) ＿＿＿＿＿＿＿＿＿＿

E-mail：＿＿＿＿＿＿＿＿＿＿＿＿＿＿＿＿＿＿＿＿＿＿＿＿